新・演習物理学ライブラリ＝2

新・演習
力　　学

阿部　龍藏　著

サイエンス社

サイエンス社のホームページのご案内
http://www.saiensu.co.jp
ご意見・ご要望は　rikei@saiensu.co.jp　まで.

まえがき

拙著「力学」が刊行されたのは 1975 年であるが，幸いにもこの著書は世に受け入れられ 1991 年までに 25 刷を数えるにいたった．16 年もたてば内容が古くなるというわけでその改訂を行い,「力学［新訂版］」を 1992 年に発行した．新訂版にはパソコンによるプログラム例をとり入れたが，新訂版も引き続き多くの方々にご利用していただいた．2003 年 4 月の時点で「力学」の累計売上部数は新旧版を合わせ 8.4 万部余りに達している．東京ドームと甲子園がほぼ満員に近いほどの読者に拙著を読んでいただいたわけで，我が国の物理学や科学技術の発達に多少とも貢献できたのは著者の喜びとするところである．同時に，サイエンス社の営業のご努力に感謝申し上げる次第である．1975 年に「力学」を発行した当初から森平社長に「そのうち発行部数は 1 万を越えますよ」といわれてきたが，それとともに，ぜひ演習書を書いてほしいというご要望もあった．

著者は 1991 年に東京大学から放送大学に転任し，それまで未経験だった電磁気学の講義を担当することとなった．1994 年にその経験に基づき新物理学ライブラリ＝4 として「電磁気学入門」を発刊させていただき,「鉄は熱いうちに鍛えよ」という感じで 2002 年に「新・演習 電磁気学」を刊行するにいたった．一方,「力学」を執筆してからほぼ 30 年の時間が経過したが，1，2 年前からその演習書を視野に入れるようになった．その裏には，30 年も前に書いた記述には冗長の点がありもっと簡潔にした方が望ましいという反省と，電磁気学演習での経験が生かせるだろうとの期待があった．

以上のような経過をへて誕生したのが本書である．もともと「力学［新訂版］」にのっとり力学の演習を意図したため，章や節の順序は前著のそれを踏襲している．前著の各節に記載されていた重要事項は本書では要綱としてその節の最初のページにまとまっているので，知識の整理として活用していただければ幸いである．叙述のスタイルは「新・演習 電磁気学」と基本的に同じで，各節の要綱を 1 ページにまとめた．次いで原則として 1 ページに 1 題の割合で例題を配し，その解答の下に関連のある問題がおかれている．スペースが多少余るような部分には参考事項を挿入した．また，例題の中で1ページの枠内に入らないものは2ページにわたり解説を行った．このため，そのような例題は見開きの形になるように全体の配置を工夫した．この種の例題はフーコー振り子，なめらかな半球におかれた棒のつり合い，段差をのりこえる球，ハミルトンの原理の導出，力学的エネルギーの保存則，作用変数と断熱不変量などで前著より若干レベルの高いところもある．しかし，初学者にも十分理解できるよう記述には注意を払ったつもりである．また，前著で説明が不十分と思える箇所には適切な補足を加えておいた．なお，問題の解答は，一括して巻末にまとめておいたので参考にしてほしい．

最近よく活字離れという言葉を聞く．しかし，例えばときどき行く三省堂書店や紀伊國屋書店はいつもお客で満員だし，近くのコンビニはコミック，週刊誌などで溢れているという感じである．一体，どこが活字離れかと思う．もともと物理の教科書は難解で週刊誌のように気楽に読み下すというわけにはいかない．私自身の経験では，ある式からほとんど説明なしに次の式が出てきて，その空白を埋めるのに相当な時間を費やしたことを思い出す．わかってしまえば簡単であるが，説明不足のため四苦八苦したことは何回もあったと思う．そこで，1975年の「力学」のまえがきにも書いたのだが，数式が楽に追えるよう，できるだけ途中の計算を省略せず，ていねいな説明を加えるよう心掛けた．したがって，活字離れを避けるという意味から，週刊誌並に寝そべって本書を読みこなしていただきたいと願っている．前著の「力学［新訂版］」と同様，ご愛読いただければ幸いである．

最後に，本書の執筆にあたり，いろいろご面倒をおかけしたサイエンス社の田島伸彦氏，鈴木綾子氏にあつくお礼申し上げる次第である．

2003年春

阿　部　龍　蔵

目　次

第8章　解析力学　106

問題解答　130

新・演習 力　学

1 質点の運動

1.1 位置ベクトル

• 質点の位置 • 力学は物体の運動を調べる学問である．物体の運動を扱うため，質量をもち数学的には点と考えられるものを想定し，これを**質点**という．質点の位置を決めるには，空間内に適当な座標原点 O と互いに直交する座標軸 x, y, z 軸をとり，図 1.1 のように質点の位置 P を 3 つの座標 (x, y, z) で指定すればよい．

• 位置ベクトル • 点 O から点 P へ向かう矢印で記述される量 $\boldsymbol{r}$ を考え，$\boldsymbol{r}$ の長さは OP 間の距離に等しいとする．$\boldsymbol{r}$ は質点の位置を決めるので，これを**位置ベクトル**という．位置ベクトルを表すのに

$$\boldsymbol{r} = (x, y, z) \tag{1.1}$$

と書く．通常，2 点間の距離を測るのに，力学では**メートル**（m）を用いる．長さの単位として cm，km，マイル，インチなどがある．

• 一般のベクトル • 一般に向き，方向，大きさをもつ量を考え，それを**ベクトル**という．(1.1) と同様ベクトル $\boldsymbol{A}$ を

$$\boldsymbol{A} = (A_x, A_y, A_z) \tag{1.2}$$

と表す．A_x, A_y, A_z をベクトル $\boldsymbol{A}$ の $\boldsymbol{x}, \boldsymbol{y}, \boldsymbol{z}$ **成分**，また

$$A = |\boldsymbol{A}| = \sqrt{{A_x}^2 + {A_y}^2 + {A_z}^2} \tag{1.3}$$

を $\boldsymbol{A}$ の**大きさ**あるいは**絶対値**という．ベクトル $\boldsymbol{A}$ とベクトル $\boldsymbol{B}$ の和 $\boldsymbol{C}$ は

$$\boldsymbol{C} = \boldsymbol{A} + \boldsymbol{B} = (A_x + B_x, A_y + B_y, A_z + B_z) \tag{1.4}$$

と書ける（例題 1）．**ベクトル和** $\boldsymbol{C}$ は図 1.2 で示す平行四辺形の法則で与えられる．

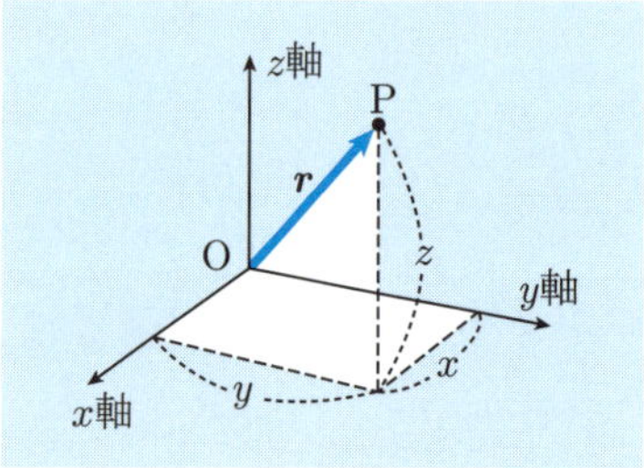

図 1.1 位置ベクトル

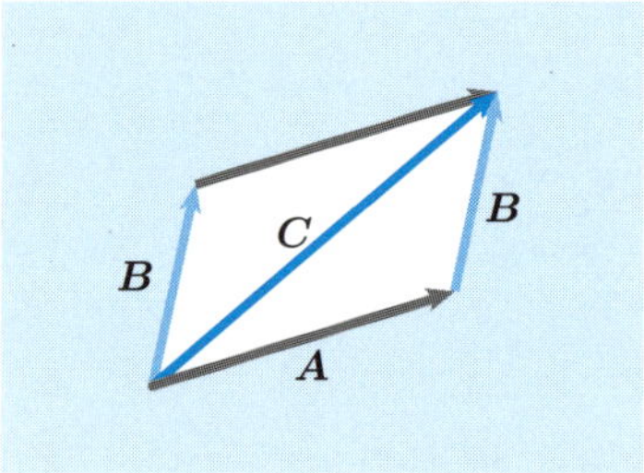

図 1.2 平行四辺形の法則

例題 1　　**ベクトル和**

ベクトル和に対する (1.4) の関係を導け．

解答　図 1.3 からわかるように，$\boldsymbol{C} = \boldsymbol{A} + \boldsymbol{B}$ の x 成分をとると

$$C_x = A_x + B_x$$

が成り立つ．y, z 成分も同様で (1.4) が導かれる．

参考　**変位ベクトル**　質点が図 1.4 のような点線に沿って運動するものと仮定する．ある時刻 t において質点は点 P にあるとし，その位置ベクトルを $\boldsymbol{r}(t)$ と書く．また，時刻 $t + \Delta t$ で質点は点 P′ にあるとする．定義により，点 P′ を表す位置ベクトルは $\boldsymbol{r}(t + \Delta t)$ である．点 P から点 P′ へ向かうベクトルを $\Delta \boldsymbol{r}$ とすれば，ベクトル和の定義により

$$\boldsymbol{r}(t + \Delta t) = \boldsymbol{r}(t) + \Delta \boldsymbol{r}$$

となる．$\Delta \boldsymbol{r}$ は時間 Δt の間に質点がどれだけ変位したかを表すベクトルで，これを**変位ベクトル**という．

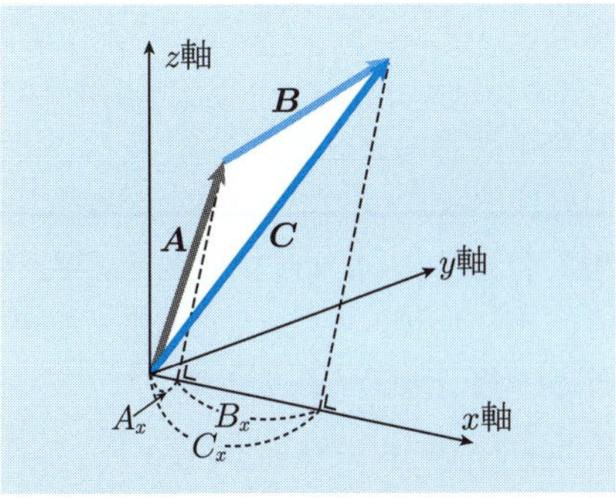

図 1.3　ベクトル和の成分

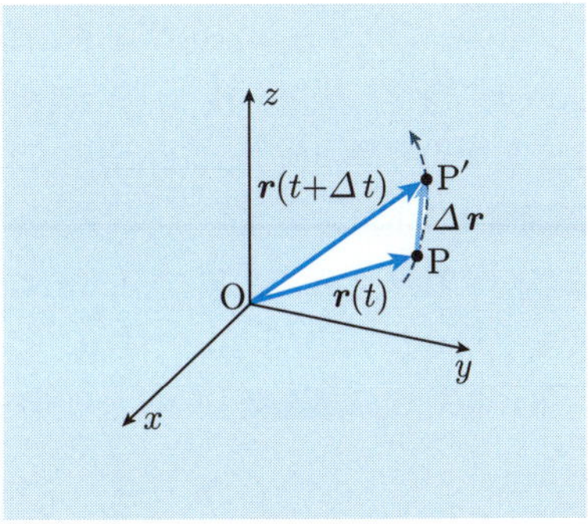

図 1.4　変位ベクトル

問　題

1.1　向き，方向をもたず大きさだけをもつ量を**スカラー**という．スカラーを λ とし，ベクトル $\boldsymbol{A}$ が (1.2) で与えられるとき $\lambda \boldsymbol{A}$ は $(\lambda A_x, \lambda A_y, \lambda A_z)$ と定義される．$\boldsymbol{A} = (2, 3, 4)$ のとき $5\boldsymbol{A}$ を求めよ．

1.2　位置ベクトルが m を単位として $\boldsymbol{r} = (3, 4, 5)$ であるとする．$\boldsymbol{r}$ の大きさは何 m となるか．

1.3　$\Delta \boldsymbol{r}$ の x, y, z 成分を $\Delta x, \Delta y, \Delta z$ とする．$\boldsymbol{r}(t + \Delta t) = \boldsymbol{r}(t) + \Delta \boldsymbol{r}$ の x, y, z 成分はどのように書けるか．

1.2 速度ベクトルと加速度ベクトル

• 平均の速度 • 図 1.4 で $\Delta \boldsymbol{r}/\Delta t$ を Δt 間の**平均の速度**という．このベクトルは点 P から点 P′ へ向かい，Δt 間に質点の進む向き，方向を表す．さらにその大きさは単位時間中に質点の進む距離に相当し，これを**平均の速さ**という．速度と速さは日常的にはあまり区別しないが，厳密にいうと速度はベクトルだが，速さはその大きさでスカラーである．

• 速度 • Δt 間の平均の速度で，Δt を小さくすればするほど，点 P′ は点 P に近づいていく．このため，$\Delta \boldsymbol{r}$ の大きさも 0 に近づくが，その向き，方向は点 P における質点の運動を表す向き，方向に近づく．また，平均の速さは $\Delta t \to 0$ の極限で時刻 t における瞬間の速さに近づく．このような $\Delta t \to 0$ という極限操作で得られるベクトルを $d\boldsymbol{r}/dt$ とし $\boldsymbol{v}$ と書く．すなわち

$$\boldsymbol{v} = \frac{d\boldsymbol{r}}{dt} = \lim_{\Delta t \to 0} \frac{\Delta \boldsymbol{r}}{\Delta t} = \lim_{\Delta t \to 0} \frac{\boldsymbol{r}(t+\Delta t) - \boldsymbol{r}(t)}{\Delta t} \tag{1.5}$$

とする．この $\boldsymbol{v}$ を時刻 t における**瞬間の速度**，**速度ベクトル**あるいは単に**速度**という．また，$d\boldsymbol{r}/dt$ をベクトル $\boldsymbol{r}$ の時間 t に関する**微分**という．$\boldsymbol{v}$ の大きさを v とし，v を**速さ**という．通常，時間を**秒**（s）で表すので，速さの単位は m/s である．日常的には，速さを表すのに時速何 km（km/h，h は時間）という使い方をする．

• 加速度 • 図 1.5 の点線で示す軌道に沿って質点は運動するとし，時刻 t，時刻 $t+\Delta t$ で質点の位置は点 P，点 P′ で与えられるとする．また，点 P，点 P′ における質点の速度をそれぞれ $\boldsymbol{v}$，$\boldsymbol{v}+\Delta \boldsymbol{v}$ とする．このとき，$\Delta \boldsymbol{v}/\Delta t$ は平均の速度に相当するもので，これを**平均の加速度**という．(1.5) と同様 $\Delta t \to 0$ という極限をとり

$$\boldsymbol{a} = \frac{d\boldsymbol{v}}{dt} = \lim_{\Delta t \to 0} \frac{\boldsymbol{v}(t+\Delta t) - \boldsymbol{v}(t)}{\Delta t} \tag{1.6}$$

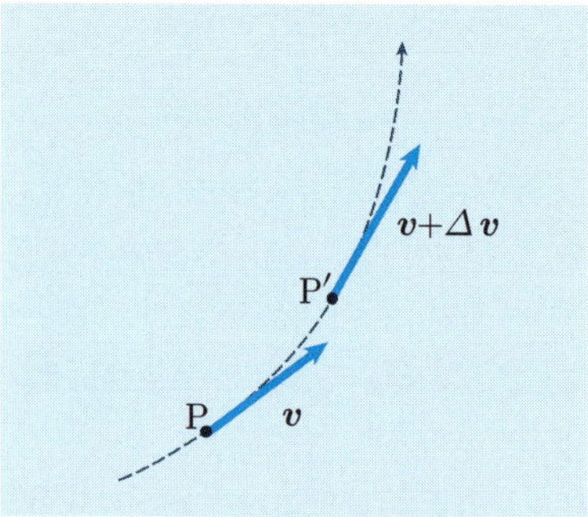

図 1.5 平均の加速度

とする．この $\boldsymbol{a}$ を時刻 t における**瞬間の加速度**，**加速度ベクトル**あるいは単に**加速度**という．加速度の大きさは速さを時間で割ったようなものであるから，その単位は m/s² である．

(1.6) に $\boldsymbol{v} = d\boldsymbol{r}/dt$ を代入すると

$$\boldsymbol{a} = \frac{d}{dt}\left(\frac{d\boldsymbol{r}}{dt}\right) = \frac{d^2\boldsymbol{r}}{dt^2} \tag{1.7}$$

が得られる．すなわち，$\boldsymbol{a}$ は $\boldsymbol{r}$ を時間で 2 回微分したものである．

例題 2　速度，加速度の各成分

運動する質点の x, y, z 座標は時間の関数として変化している．質点の速度，加速度の x, y, z 成分を表す式を導出せよ．

解答　(1.5) の x 成分をとると

$$v_x = \lim_{\Delta t \to 0} \frac{x(t+\Delta t) - x(t)}{\Delta t} = \frac{dx}{dt}$$

となる．力学の問題では，記号の簡単化のためよく $dx/dt = \dot{x}$ と書く．これを**ニュートンの記号**という．それを利用すれば $v_x = \dot{x}$ となり，同様に $v_y = \dot{y}$, $v_z = \dot{z}$ が得られ，これらの関係をひとまとめにすると次式のように表される．

$$\boldsymbol{v} = (\dot{x}, \dot{y}, \dot{z})$$

同じようにして，(1.6) の x 成分から

$$a_x = \lim_{\Delta t \to 0} \frac{v_x(t+\Delta t) - v_x(t)}{\Delta t} = \frac{dv_x}{dt} = \dot{v}_x$$

と表される．ここで，$v_x = \dot{x}$ であるから，上式は $a_x = \ddot{x}$ と書ける．ただし，$\ddot{x}$ は $\ddot{x} = d^2x/dt^2$ を意味する．y, z 成分も同様で，次のようになる．

$$\boldsymbol{a} = (\dot{v}_x, \dot{v}_y, \dot{v}_z) = (\ddot{x}, \ddot{y}, \ddot{z})$$

問　題

2.1　一直線上を運動する質点の x 座標が

$$x = \frac{1}{2}\alpha t^2 + v_0 t + x_0$$

と表されるとき（α, v_0, x_0 は定数），質点の速度，加速度を求めよ．いまの場合，加速度が一定となるのでこの運動を**等加速度運動**という．

2.2　時速 250 km で走行する新幹線の速さを秒速に換算すると，何 m/s となるか．

2.3　一直線上を自動車が時速 30 km で運動しているとする．時刻 0 から t 分後に自動車の進んだ距離を s m としたとき，t と s との間にはどんな関係が成り立つか．次の①～④のうちから，正しいものを 1 つ選べ．

①　$s = 100t$　　②　$s = 200t$　　③　$s = 500t$　　④　$s = 1000t$

2.4　xy 面上を運動する質点の x, y 座標が時間 t の関数として

$$x = \alpha t^2, \quad y = \beta t$$

と表されるとして（α, β は定数），次の問に答えよ．

(a)　質点の速度，加速度を求めよ．

(b)　質点の軌道はどのように表されるか．

1.3 運動の簡単な例

• **単振動** • 一直線上を運動する質点の x 座標が

$$x = A\sin(\omega t + \alpha) \tag{1.8}$$

で与えられるとき，この運動を**単振動**といい，A を**振幅**，ω を**角振動数**，α を**初期位相**という．振り子の振動，水面上の船の上下振動など，単振動として表される運動には各種のものがある．$\sin z$ は周期 2π をもつ z の周期関数で $\sin(z + 2\pi) = \sin z$ が成り立つ．このため，x を t の関数と考えたとき

$$x\left(t + \frac{2\pi}{\omega}\right) = A\sin(\omega t + \alpha + 2\pi) = A\sin(\omega t + \alpha) = x(t)$$

が成り立つ．すなわち，時間が $2\pi/\omega$ だけ経過すると，質点はもとの位置に戻る．例題 3 でみるように，速度，加速度も同じ性質をもつ．このような意味で

$$T = \frac{2\pi}{\omega} \tag{1.9}$$

で定義される T は**周期**と呼ばれる．T の逆数は，単位時間中に何回振動が起こるかを表す数で，これを**振動数**という．1 s 間に 1 回振動するときを振動数の単位とし，これを 1 ヘルツ（Hz）という．振動数 f は

$$f = \frac{\omega}{2\pi} \tag{1.10}$$

と書ける．あるいは ω と f の関係は次式で与えられる．

$$\omega = 2\pi f \tag{1.11}$$

• **等速円運動** • xy 面上の原点 O を中心として，質点が等速で円運動しているとき，この運動を**等速円運動**という．円の半径を A，時刻 0 で質点は図 1.6 の点 A にあるとすれば，回転角は時間に比例し，ωt で与えられる．したがって，時刻 t における質点の x, y 座標は

$$x = A\cos\omega t, \quad y = A\sin\omega t \tag{1.12}$$

と書ける．等速円運動は単振動と密接な関係をもち（問題 3.3），(1.12) 中の ω は単振動と同じく**角振動数**と呼ばれる．あるいは ω を**角速度**という．いまの場合，(1.10) の f は単位時間中に質点が回転する回数に等しいので，これを**回転数**という．

• **らせん運動** • 三次元空間中を運動する質点の座標 x, y, z が

$$x = A\cos\omega t, \quad y = A\sin\omega t, \quad z = vt \tag{1.13}$$

と書けるとき（A, ω, v は定数），質点は図 1.7 のようならせん運動を行う，一様な磁場中の荷電粒子はこのような運動を示し，それを**サイクロトロン運動**という．

例題 3 **単振動の速度，加速度**

単振動する質点の速度，加速度を求め，次の設問に答えよ．

(a) 質点の速度 v，加速度 a を求めこれらを時間の関数とみなしたとき周期 $2\pi/\omega$ をもつ周期関数であることを示せ．

(b) 質点の座標 x と加速度 a の間に成り立つ $a = -\omega^2 x$ の関係を導け．

解答 (a) (1.8) を時間で微分し，$v = \dot{x} = \omega A \cos(\omega t + \alpha)$，$a = \dot{v} = \ddot{x} = -\omega^2 A \sin(\omega t + \alpha)$ で，v, a は周期 $2\pi/\omega$ の周期関数であることがわかる．

(b) 上の計算から $a = -\omega^2 x$ となる．

問 題

3.1 原点を中心として x 軸上で単振動する質点があり，振幅は 5 cm，振動数は 2 Hz，初期位相は 30° であるとする．以下の設問に答えよ．

(a) この単振動を表す式を導け．

(b) 時刻が $t = 1\,\mathrm{s}$ のとき，質点の座標，速度，加速度はいくらか．

3.2 質点が半径 A，角振動数 ω の等速円運動をする場合を考え，その x, y 座標が $x = A\cos\omega t$，$y = A\sin\omega t$ で与えられるとする．質点の速度 $\boldsymbol{v}$，加速度 $\boldsymbol{a}$ の x, y 成分を求めよ．また，$v = A\omega$ であることを示せ．

3.3 単振動と等速円運動との間の関係について論じよ．

3.4 同じ角振動数 ω で振動する 2 つの単振動

$$x_1 = A_1 \sin(\omega t + \alpha_1), \quad x_2 = A_2 \sin(\omega t + \alpha_2)$$

に対し，この 2 つを合成した $x = x_1 + x_2$ もやはり角振動数 ω の単振動であることを示せ．ちなみに，このように x の和をとることを**単振動の合成**という．

3.5 半径 6 cm のコンパクトディスクが 1 分間に 1200 回転，等速円運動するとして

(a) 角速度 (b) 円周上の点の速さ (c) 円周上の点の加速度

の大きさを求めよ．

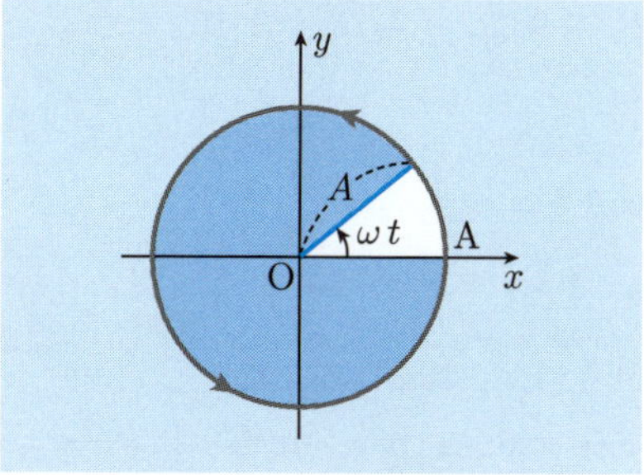

図 1.6 等速円運動

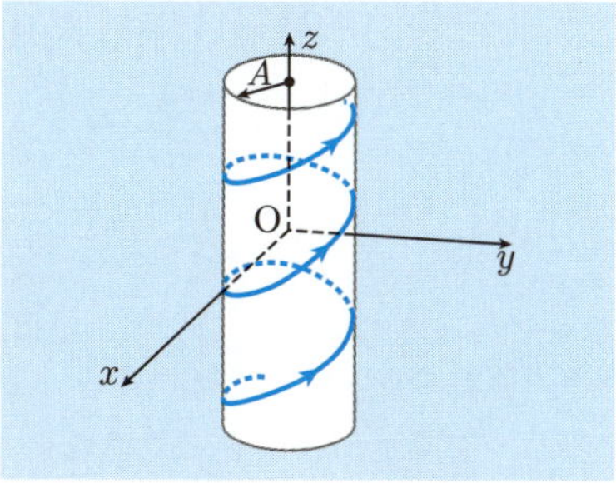

図 1.7 らせん運動

1.4 ベクトルのスカラー積

スカラー積の定義 2つのベクトル $\boldsymbol{A}, \boldsymbol{B}$ があり，両者のなす角を θ としたとき

$$\boldsymbol{A} \cdot \boldsymbol{B} = AB \cos\theta \quad (\text{ただし}, 0 \leq \theta \leq \pi) \tag{1.14}$$

で定義される $\boldsymbol{A} \cdot \boldsymbol{B}$ を $\boldsymbol{A}$ と $\boldsymbol{B}$ との**スカラー積**あるいは**内積**という．もし $\boldsymbol{A} \cdot \boldsymbol{B} = 0$ で $A, B \neq 0$ であれば，$\cos\theta = 0$ となり，$\theta = \pi/2$ となる．すなわち，0 でないベクトル $\boldsymbol{A}, \boldsymbol{B}$ に対し $\boldsymbol{A} \cdot \boldsymbol{B} = 0$ ならば $\boldsymbol{A}$ と $\boldsymbol{B}$ とは直交している．とくに (1.14) で $\boldsymbol{A} = \boldsymbol{B}$ とおけば $\theta = 0 \quad \therefore \cos\theta = 1$ であるから次のようになる．$\boldsymbol{A} \cdot \boldsymbol{A}$ を単に $\boldsymbol{A}^2$ と書くこともある．

$$\boldsymbol{A} \cdot \boldsymbol{A} = A^2 = |\boldsymbol{A}|^2 \tag{1.15}$$

スカラー積の性質 スカラー積に対し次の分配則が成り立つ（例題 4）．

$$(\boldsymbol{A} + \boldsymbol{B}) \cdot \boldsymbol{C} = \boldsymbol{A} \cdot \boldsymbol{C} + \boldsymbol{B} \cdot \boldsymbol{C} \tag{1.16a}$$

同様に，次の関係が成立する．

$$\boldsymbol{A} \cdot (\boldsymbol{B} + \boldsymbol{C}) = \boldsymbol{A} \cdot \boldsymbol{B} + \boldsymbol{A} \cdot \boldsymbol{C} \tag{1.16b}$$

成分とスカラー積 x, y, z 軸に沿う大きさ 1 のベクトル（単位ベクトル）を基本ベクトルという．このベクトルを $\boldsymbol{i}, \boldsymbol{j}, \boldsymbol{k}$ とすれば，ベクトル $\boldsymbol{A}$ はその成分により

$$\boldsymbol{A} = A_x \boldsymbol{i} + A_y \boldsymbol{j} + A_z \boldsymbol{k} \tag{1.17}$$

と表される（問題 4.1）．基本ベクトルに対し $\boldsymbol{i}^2 = \boldsymbol{j}^2 = \boldsymbol{k}^2 = 1$, $\boldsymbol{i} \cdot \boldsymbol{j} = \boldsymbol{j} \cdot \boldsymbol{k} = \boldsymbol{k} \cdot \boldsymbol{i} = 0$ が成り立つので (1.16a), (1.16b) を繰り返し使うと次式が導かれる．

$$\begin{aligned} \boldsymbol{A} \cdot \boldsymbol{B} &= (A_x \boldsymbol{i} + A_y \boldsymbol{j} + A_z \boldsymbol{k}) \cdot (B_x \boldsymbol{i} + B_y \boldsymbol{j} + B_z \boldsymbol{k}) \\ &= A_x B_x + A_y B_y + A_z B_z \end{aligned} \tag{1.18}$$

スカラー積の微分 $\boldsymbol{A}, \boldsymbol{B}$ が時間 t の関数の場合，(1.18) を t で微分すると

$$\begin{aligned} \frac{d}{dt}(\boldsymbol{A} \cdot \boldsymbol{B}) &= \dot{A}_x B_x + \dot{A}_y B_y + \dot{A}_z B_z + A_x \dot{B}_x + A_y \dot{B}_y + A_z \dot{B}_z \\ &= \frac{d\boldsymbol{A}}{dt} \cdot \boldsymbol{B} + \boldsymbol{A} \cdot \frac{d\boldsymbol{B}}{dt} \end{aligned} \tag{1.19}$$

が得られる．とくに $\boldsymbol{B} = \boldsymbol{A}$ の場合には次式が成り立つ．

$$\frac{d\boldsymbol{A}^2}{dt} = 2\boldsymbol{A} \cdot \dot{\boldsymbol{A}} \tag{1.20}$$

等速円運動では $\boldsymbol{r}^2 =$ 一定，$\boldsymbol{v}^2 =$ 一定 が成り立つ．これを時間で微分し (1.20) を適用すると，加速度が $\boldsymbol{a} = \dot{\boldsymbol{v}}$ であることを使い $\boldsymbol{r} \cdot \boldsymbol{v} = 0$, $\boldsymbol{v} \cdot \boldsymbol{a} = 0$ が得られる．$\boldsymbol{r}$ と $\boldsymbol{v}$, $\boldsymbol{v}$ と $\boldsymbol{a}$ は直交しこれらの関係は図 1.8 に示すようになる．

例題 4　**スカラー積の分配則**

スカラー積に対する次の分配則 $(\boldsymbol{A}+\boldsymbol{B})\cdot\boldsymbol{C}=\boldsymbol{A}\cdot\boldsymbol{C}+\boldsymbol{B}\cdot\boldsymbol{C}$ を証明せよ．

解答　$\boldsymbol{A}$ と $\boldsymbol{C}$ とのスカラー積 $\boldsymbol{A}\cdot\boldsymbol{C}=AC\cos\theta$ で図 1.9 に示すように $A\cos\theta$ は $\boldsymbol{C}$ への $\boldsymbol{A}$ の正射影 OP に等しい．ここで正射影は符号をもつすれば，

$$\boldsymbol{A}\cdot\boldsymbol{C}=(\boldsymbol{A}\text{の正射影})\times C$$

と書くことができる．図 1.10 のように $\boldsymbol{A},\boldsymbol{B}$ の終点から $\boldsymbol{C}$ に垂線を下ろし，その足を P, Q とすれば $\boldsymbol{B}$ の正射影は PQ，$\boldsymbol{A}+\boldsymbol{B}$ の正射影は OQ に等しい．このため

$$(\boldsymbol{A}+\boldsymbol{B})\ \text{の正射影}=(\boldsymbol{A}\text{の正射影})+(\boldsymbol{B}\text{の正射影})$$

となり，分配則が導かれる．

問　題

4.1　ベクトル $\boldsymbol{A}$ は基本ベクトルと成分により $\boldsymbol{A}=A_x\boldsymbol{i}+A_y\boldsymbol{j}+A_z\boldsymbol{k}$ と表されることを証明せよ．

4.2　$\boldsymbol{A}=(1,t,t^2)$，$\boldsymbol{B}=(t,t^2,t^3)$ に対する $\boldsymbol{A}\cdot\boldsymbol{B}$ を求め，その時間微分を計算せよ．

4.3　図 1.11 に示すように，x,y,z 軸に沿う各辺の長さが 1 の立方体を考え，その中心を O′ とする．原点 O から O′ に向かうベクトルを $\boldsymbol{A}$ とし，$|\boldsymbol{A}|$ および $\boldsymbol{A}$ が x 軸となす角 θ を求めよ．

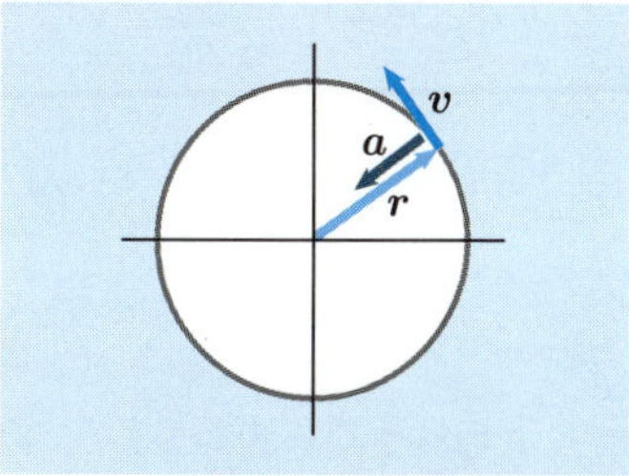

図 1.8　等速円運動

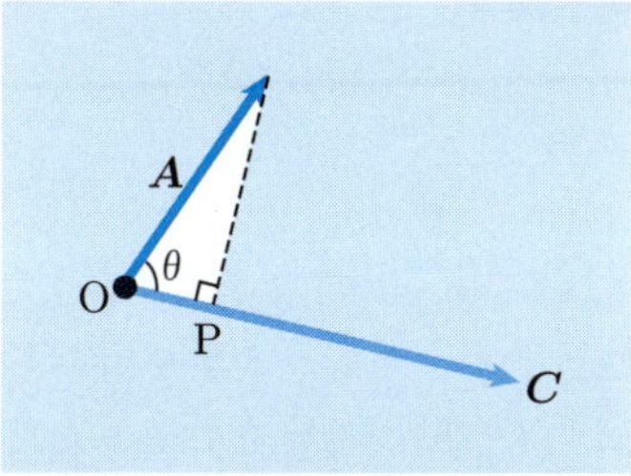

図 1.9　A の正射影

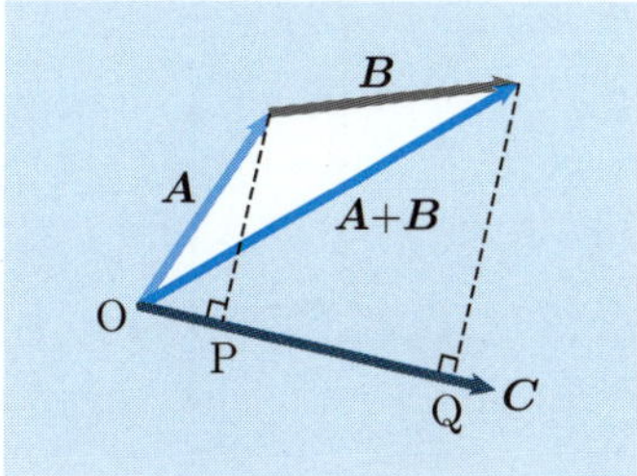

図 1.10　分配則

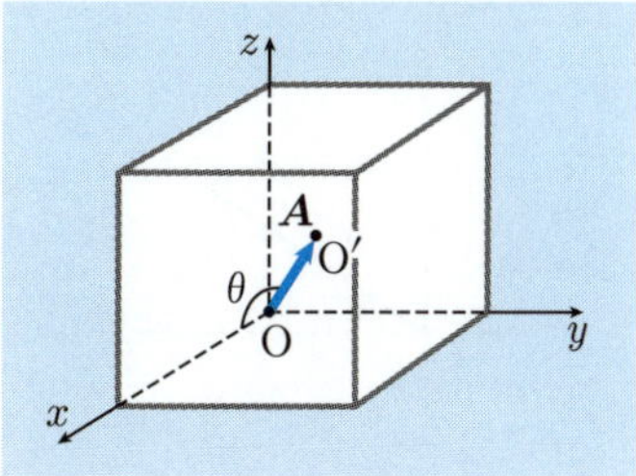

図 1.11　立方体

1.5 一般座標

質点の位置を直交座標 x, y, z で表す以外，適当な座標 q_1, q_2, q_3 で質点の位置を決めてもよい．このような q_1, q_2, q_3 のことを**一般座標**という．以下，一般座標の代表的な例をいくつか紹介する．

• 極座標（二次元）•　平面上の 1 点 P の位置を図 1.12 の (r, θ) で表すとき，これを**極座標**という．x, y 座標との関係は次式で与えられる．

$$x = r\cos\theta, \quad y = r\sin\theta \tag{1.21}$$

逆に，r, θ を x, y で表すと次のようになる．

$$r = \sqrt{x^2 + y^2}, \quad \theta = \tan^{-1}\frac{y}{x} \tag{1.22}$$

平面運動する質点の位置を極座標で表すと，r, θ は時間 t の関数となる．(1.21) を時間で微分すると，速度の x, y 成分は次のように書ける．

$$v_x = \dot{x} = \dot{r}\cos\theta - r\sin\theta\cdot\dot{\theta} \tag{1.23a}$$

$$v_y = \dot{y} = \dot{r}\sin\theta + r\cos\theta\cdot\dot{\theta} \tag{1.23b}$$

• 円筒座標 •　図 1.13 に示す空間中の 1 点 P に対する一般座標 (ρ, φ, z) を**円筒座標**という．x, y, z 座標との関係は

$$x = \rho\cos\varphi, \quad y = \rho\sin\varphi, \quad z = z \tag{1.24}$$

と表される．x, y の 2 変数に注目すると，二次元の極座標と基本的に同じことで，r, θ の代わりに ρ, φ という変数を用いているに過ぎない．このため，速度の x, y 成分は (1.23a)，(1.23b) で与えられる（ただし $r \to \rho$，$\theta \to \varphi$ の置き換えを行う）．z 方向で直交座標をそのまま用いているから，速度の z 成分は $v_z = \dot{z}$ と書ける．

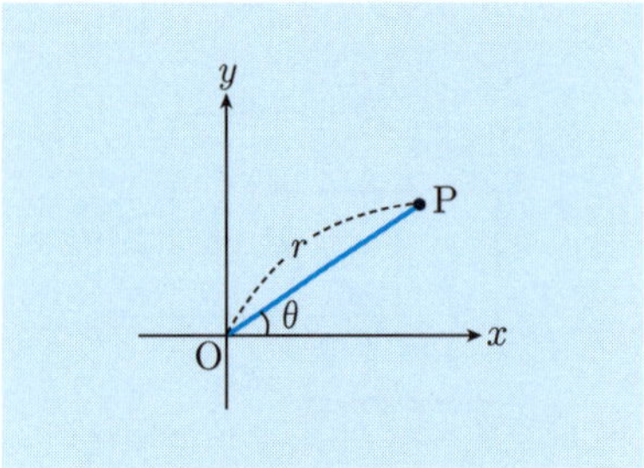

図 1.12　極座標（二次元）

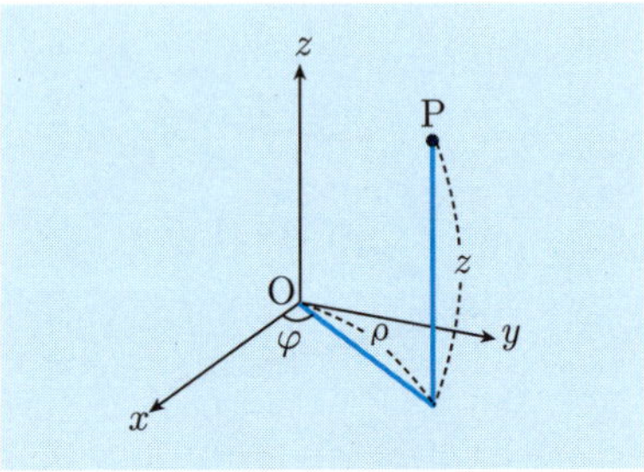

図 1.13　円筒座標

例題 5 **極座標（三次元）**

空間中の 1 点 P を表す図 1.14 の一般座標 (r, θ, φ) を**極座標**あるいは**球座標**という．x, y, z 座標との関係は

$$x = r\sin\theta\cos\varphi, \quad y = r\sin\theta\sin\varphi, \quad z = r\cos\theta$$

となる．r を**動径**，θ を**天頂角**，φ を**方位角**という．上式を時間で微分し，速度の x, y, z 成分を求めよ．

解答 上式を時間で微分し，速度の x, y, z 成分は次のように求まる．

$$\dot{x} = \dot{r}\sin\theta\cos\varphi + r\dot{\theta}\cos\theta\cos\varphi - r\dot{\varphi}\sin\theta\sin\varphi$$

$$\dot{y} = \dot{r}\sin\theta\sin\varphi + r\dot{\theta}\cos\theta\sin\varphi + r\dot{\varphi}\sin\theta\cos\varphi$$

$$\dot{z} = \dot{r}\cos\theta - r\dot{\theta}\sin\theta$$

問　題

5.1 質点の速さを v としたとき，二次元の極座標を用い v^2 を表す式を導け．また，等速円運動の場合の v に対する問題 3.2 の結果を確かめよ．

5.2 軌道が二次元の極座標で $r = f(\theta)$ と記述される平面上の質点の v を $f(\theta), f'(\theta), \dot{\theta}$ の関数として求めよ．ただし，$f'(\theta) = df(\theta)/d\theta$ である．

5.3 図 1.15 で OQ は O の周りを矢印の向きに回転するクランクである．クランクの点 Q に棒 QP が連結されていて，ピストン P は O を通る直線上で運動する．図のように Q を表す一般座標に θ を導入し，以下の設問に答えよ．ただし，$\mathrm{OQ} = a$, $\mathrm{QP} = l$, $\mathrm{OP} = x$ とし，a, l は一定とする．

(a) x を θ で表す式を導け．

(b) クランクが等速円運動するとして，$\theta = \omega t$ とおく（ω は定数）．この場合の $\dot{x}$ を求めよ．

(c) $l \gg a$ としたときの $\dot{x}$，$\ddot{x}$ はどのように表されるか．

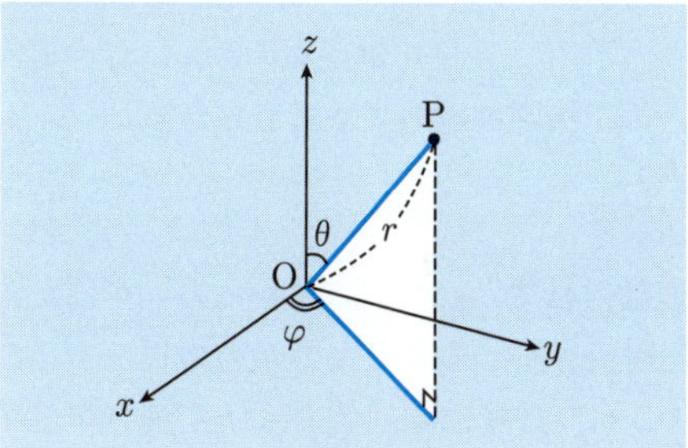

図 1.14 極座標（三次元）

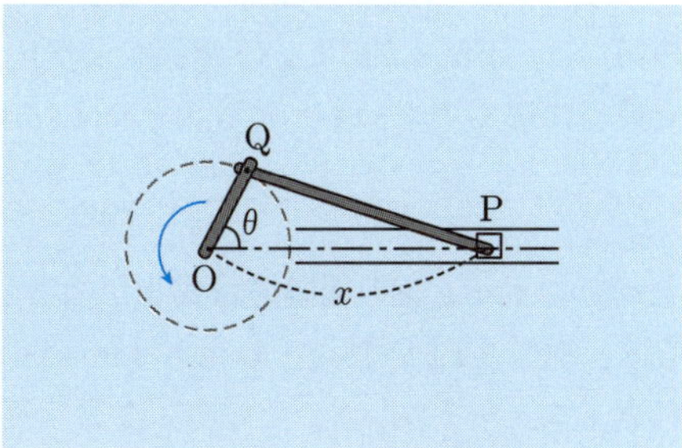

図 1.15 一般座標 θ

2　質点の力学

2.1　運動の法則

物体の運動を記述するための基本的な法則（運動の法則）は次の 3 つである．

• **第一法則（慣性の法則）** •　力を受けない質点は，静止したままであるか，あるいは等速直線運動を行う．

• **第二法則** •　質量 m の質点に力 $\boldsymbol{F}$ が作用すると，力の方向に加速度 $\boldsymbol{a}$ を生じ，その大きさは F に比例し m に反比例する．

• **第三法則（作用反作用の法則）** •　1 つの質点 A が他の質点 B に力 $\boldsymbol{F}$ を及ぼすとき，質点 A には質点 B による力 $-\boldsymbol{F}$ が働く (図 2.1)．この場合，$\boldsymbol{F}, -\boldsymbol{F}$ は A, B を結ぶ直線に沿って働く．

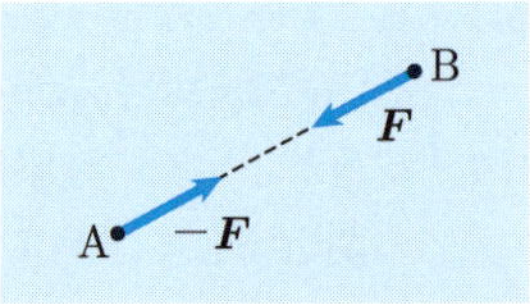

図 2.1　運動の第三法則

• **慣性座標系** •　第一法則が成り立つような座標系を**慣性座標系**または単に**慣性系**という．第二法則は，このような慣性系に対して成り立つ．第二法則で力 $\boldsymbol{F}$ を $\boldsymbol{0}$ にすれば $\boldsymbol{a}$ は $\boldsymbol{0}$ となり，このような意味で第一法則は第二法則に含まれているように思われる．

第一法則は現実に慣性系が存在することを述べていると考えるのが妥当である．例えば，惑星の運動を論じるときには，太陽に原点をおき恒星に対し固定している座標系が慣性系となる．しかし，地球表面上の狭い範囲内で起こる運動を扱う場合には，地表面に固定した座標系を近似的に慣性系であるとみなしてよい．

• **ニュートンの運動方程式** •　運動の第二法則によると，質量 m，加速度 $\boldsymbol{a}$，力 $\boldsymbol{F}$ の間には，$m\boldsymbol{a} = k\boldsymbol{F}$ という関係が成り立つ．ここで，k は比例定数である．力の単位を適当に選んで $k = 1$ ととることにすれば，第二法則は次のように表される．

$$m\boldsymbol{a} = m\frac{d^2\boldsymbol{r}}{dt^2} = \boldsymbol{F} \tag{2.1}$$

上式を**ニュートンの運動方程式**または単に**運動方程式**という．これから力の単位が決まる．質量 1 kg の質点に作用し 1 m/s^2 の加速度を生じるような力が力の単位で，これを 1 ニュートン（N）という．なお，長さに m，質量に kg，時間に s を使う単位系を **MKS 単位系**または**国際単位系**という．ふつう物理ではこの単位系を用いる．

例題 1　**運動方程式の各成分**

力 $\boldsymbol{F}$ の x, y, z 成分をそれぞれ F_x, F_y, F_z としたとき，ニュートンの運動方程式はどのように表されるか.

解答　(2.1) の成分をとり

$$m\ddot{x} = F_x, \quad m\ddot{y} = F_y, \quad m\ddot{z} = F_z$$

が得られる.

参考　**初期条件と因果律**　上式で F_x, F_y, F_z が位置 $\boldsymbol{r}$，速度 $\boldsymbol{v}$，時間 t の関数として既知であれば，上の微分方程式を解いて x, y, z が時間 t の関数として決まる．その際，解の中には積分のため現れる任意定数が含まれるのでそれらを決定する必要がある．ある時刻（例えば $t = 0$）において，質点の位置 $\boldsymbol{r}_0$，初速度 $\boldsymbol{v}_0$ を指定するという条件がよく使われる．この条件を**初期条件**という．初期条件を与えると，方程式の解は一義的に決定され，したがって質点の運動も確定する．すなわち，原因を与えるとそれ以後の結果が決まり，この性質を**因果律**が成り立つという.

問　題

1.1　質量 0.3 kg の質点が 2 m/s^2 の加速度で運動しているとき，この質点に働く力の大きさはいくらか.

1.2　質量 2 kg の質点に 5 N の力が作用するとき，この質点のもつ加速度の大きさは何 m/s^2 か.

1.3　静止していた体重 60 kg の人が直線上で走りだし，3 s 後に 6 m/s の速さに達した．加速度一定で人は走るとして，人に働く力を求めよ.

1.4　72 km/h の速さで一直線上を走っている質量 10 t（1 t = 1000 kg）のトラックが急ブレーキをかけたら，車輪がスリップしながら 4 s 間で静止した．急ブレーキをかけた後，一定の加速度でトラックは運動すると仮定して，以下の設問に答えよ.

(a)　トラックの加速度を求めよ.

(b)　トラックを静止させようとする力はどのように表されるか.

1.5　長さに cm，質量に g，時間に s を使うような単位系を **CGS 単位系**という．この単位系における力の単位はダイン（dyne）である．1 N は何ダインとなるか．次の①～④のうちから，正しいものを 1 つ選べ.

①　10^2 ダイン　　②　10^3 ダイン　　③　10^5 ダイン　　④　10^7 ダイン

1.6　運動の第三法則は，慣性系以外の座標系でも成り立つか，どうかについて考察せよ.

2.2 一様な重力が働くときの運動

• 重力 • 地表近くにある物体には鉛直下向きに**重力**が働く．その大きさ F は物体の質量を m とすると

$$F = mg \tag{2.2}$$

で与えられる．g は**重力加速度**または**重力定数**と呼ばれ，基準値としてほぼ

$$g = 9.81\,\mathrm{m/s^2} \tag{2.3}$$

と決めている．

• 力の重力単位 • (2.2) によって力の単位を定義することができ，これを**重力単位**という．この単位では，1 kg の質点に働く重力の大きさを単位とし，これを **1 重力キログラム**（kilogram－force, kgf）という．1 kgf の定義として以下の数値が決められている．

$$1\,\mathrm{kgf} = 9.80665\,\mathrm{N} \tag{2.4}$$

• 落下運動 • 質点が落下するとき，空気の抵抗などがなければ，質点は等加速度運動を行う．鉛直下向きに x 軸をとり，$t = 0$ で原点から初速度 v_0 で質点を落下させると，時刻 t における x 座標は次式のように表される．

$$x = \frac{1}{2}gt^2 + v_0 t \tag{2.5}$$

とくに質点が静止状態から鉛直下方に落下する運動を**自由落下**という．この場合には，初速度は 0 なので (2.5) は次のように書ける．

$$x = \frac{1}{2}gt^2 \tag{2.6}$$

• 放物運動 • 質点を水平面に対し斜めに投げ上げると，質点は放物線の軌道を描いて運動する．この運動を**放物運動**という．$t = 0$ で質点を投げ上げるとしこの点を原点 O，水平面に沿って投げる向きに x 軸，鉛直上方に y 軸をとる．また，質点を投げ上げる方向は水平面と仰角 θ をなすとし，初速度の大きさを v_0 とする．時刻 t における質点の速度の x, y 成分および質点の x, y 座標は次のように表される．

$$v_x = v_0 \cos\theta, \quad v_y = -gt + v_0 \sin\theta \tag{2.7}$$

$$x = v_0 t \cos\theta, \quad y = -\frac{1}{2}gt^2 + v_0 t \sin\theta \tag{2.8}$$

• 空気の抵抗 • 実際の落体（スカイダイバー，落下傘，雨滴など）には空気の抵抗力が働く．そのときの運動は例題 4 で扱う．

例題 2　**質点の落下運動**

空気の抵抗などはないとし，質点には重力だけが働くと仮定する．鉛直下向きに x 軸をとり，x 軸上を質点が落下する場合の運動について論じよ．

解答　質量 m の質点が落下するとし，時刻 t における質点の座標を x とする．運動方程式は $m\ddot{x} = mg$，すなわち

$$\ddot{x} = g \tag{1}$$

と表される．このように，質点は一定の加速度をもつから，この運動は等加速度運動である．とくにいまの場合，運動は一直線上で起こるのでそれは等加速度直線運動となる．上式を時間に関して積分すると，速度 v は $v = \dot{x} = gt + A$ と書ける．ここで，A は積分定数である．$t = 0$ における質点の初速度を v_0 とすれば，A は $A = v_0$ と求まり，v は

$$v = gt + v_0 \tag{2}$$

で与えられる．これをさらに時間で積分し，$t = 0$ で $x = 0$ とすれば

$$x = \frac{1}{2}gt^2 + v_0 t \tag{3}$$

となり (2.5) が導かれる．

問　題

2.1　(2), (3) を用いて

$$2gx = v^2 - {v_0}^2$$

の関係が成立することを示せ．

2.2　$t = 0$ で質点を初速度 v_0 で鉛直上向きに打ち上げた．時刻 t における質点の速度，水平面からの高さをそれぞれ v, s として次の問に答えよ．

(a)　v, s を t の関数として表せ．

(b)　質点が最高に達するまでの時間と最高点の高さを求めよ．

2.3　150 km/h のスピードボールを真上に投げ上げたとき，このボールは何 m の高さに達するか．

2.4　高さ h の塔の上から，質点を初速度 0 で落とした．それと同時に，塔の下から鉛直上方に質点を投げ上げた．下から投げた質点は高さ h' のところで，上から落ちてきた質点と衝突したという．質点には空気の抵抗などは働かないと仮定して以下の問に答えよ．

(a)　質点が衝突するまでの時間を求めよ．

(b)　投げ上げられた質点の初速度はいくらか．

例題 3 **放物運動**

$t=0$ で原点 O から質点を初速度 v_0 で投げ上げ，その仰角を θ，初速度を含む平面を xy 面，水平面を xz 面にとる（図 2.2）．質点には重力だけが働くとして以下の設問に答えよ．

(a) 質点の運動は xy 面内で起こることを示せ．

(b) (2.7)，(2.8) を導け．

(c) 質点の軌道が放物線であることを確かめよ．

解答 (a) 質点に対する運動方程式は

$$\ddot{x}=0, \quad \ddot{y}=-g, \quad \ddot{z}=0$$

と書ける．$\ddot{z}=0$ を積分すると，$z=At+B$（A，B は積分定数）となる．ところが，$t=0$ で $z=0$，$\dot{z}=0$ であるから，$A=B=0$ $\therefore$ $z=0$ で質点の運動は xy 面内で起こる．

(b) $t=0$ における初期条件は $\dot{x}=v_0\cos\theta$，$x=0$，$\dot{y}=v_0\sin\theta$，$y=0$ と書け，この条件を満たすように，x,y の微分方程式を解けば (2.7)，(2.8) が導かれる．

(c) (2.8) の左式から $t=x/v_0\cos\theta$ で，これを右式に代入すると

$$y=x\tan\theta-\frac{g}{2{v_0}^2\cos^2\theta}x^2 \tag{1}$$

で，これは xy 面内における放物線を表す（図 2.3）．

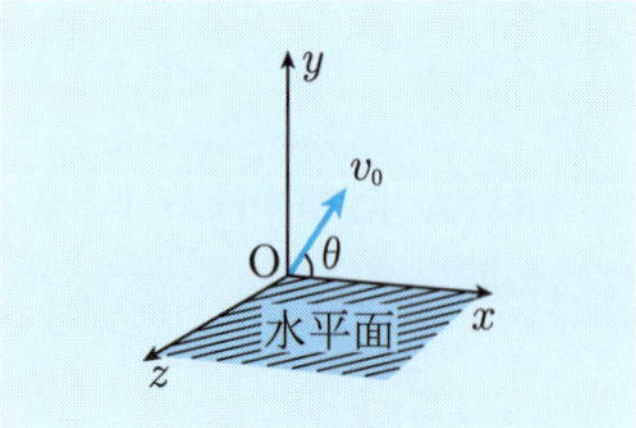

図 2.2 質点の斜め打ち上げ

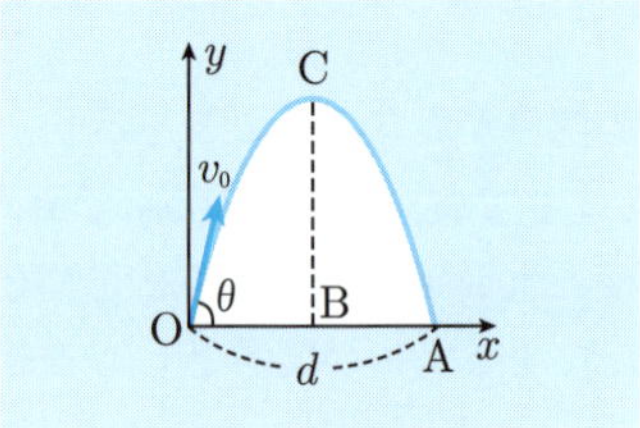

図 2.3 放物運動

問 題

3.1 放物運動で，投げ上げた質点が再び水平面に到着したとき，質点の進んだ距離（到達距離）d を求めよ．また，図 2.3 で BC は質点が最高点に達したときの高さ h を表す．h を計算せよ．

3.2 v_0 を一定に保ったとき，到達距離 d は θ が $\pi/4$（$=45°$）のとき最大になることを示せ．また，この場合の到達距離 d_{m} を求めよ．

3.3 $\theta=45°$，$d_{\mathrm{m}}=100\,\mathrm{m}$ のとき，初速度は何 km/h となるか．

例題 4　**抵抗が働くときの落体運動**

質量 m の質点が落下するとき，重力以外に空気による抵抗力が働くとする．鉛直下向きに x 軸をとり，質点の速度を v とする．質点の速さが小さいと抵抗力の大きさは速さに比例するとしてよい．抵抗力は速度と逆向きなのでこれを $-m\gamma v$ と書くとして（γ は正の定数），以下の問に答えよ．

(a)　v に対する式を導け．

(b)　どんな初期状態から出発しても，質点は最終的に等速運動することを示せ．また，その速度を計算せよ．

解答　(a)　運動方程式は $m\ddot{x} = mg - m\gamma v$ と書け，$\dot{x} = v$ が成り立つので v に対する式は次のようになる．

$$\dot{v} + \gamma v = g$$

(b)　上式を解くため $v = v' + g/\gamma$ とおけば，v' は

$$\dot{v}' + \gamma v' + g = g \qquad \therefore \quad \dot{v}' + \gamma v' = 0$$

を満たす．これから $\dot{v}'/v' = -\gamma$ となり時間で積分し $\ln v' = -\gamma t + A$（A は積分定数）となり，したがって $v' = Ce^{-\gamma t}$ と表される（$C = e^A$）．こうして v は

$$v = Ce^{-\gamma t} + g/\gamma$$

と書ける．t が十分大きければ第 1 項は 0 となり，v は

$$v = v_{\mathrm{t}} = \frac{g}{\gamma}$$

という一定値となる．v_{t} を**終速度**（terminal velocity）という．

参考　**緩和時間**　$t = 0$ で $v = 0$ という初期条件で v を解くと

$$v = v_{\mathrm{t}}(1 - e^{-t/\tau}), \quad \tau = \frac{1}{\gamma} = \frac{v_{\mathrm{t}}}{g}$$

となり，t/τ の関数として v を描くと図 2.4 のように表される．τ は静止していた質点が v_{t} に達するまでの時間の程度を与え，これを緩和時間という．

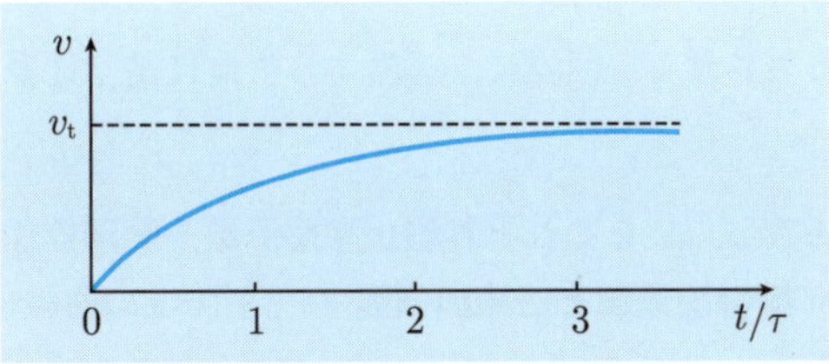

図 2.4　t/τ と v の関係

問　題

4.1　γ の定義から γ の次元は時間の逆数であることを示せ．

4.2　スカイダイビング，落下傘の終速度はそれぞれ時速 200 km/h，6 m/s の程度である．スカイダイビング，落下傘の緩和時間はそれぞれ何 s であるか．

2.3 束縛運動

質点が空間中を自由に運動するのではなく，曲面上あるいは曲線上に束縛されて運動するときこれを**束縛運動**，また束縛を表す条件を**束縛条件**という．束縛には2種類あり，摩擦が働かないときを**なめらかな束縛**，摩擦が働くときを**あらい束縛**という．

• 束縛力 •　水平面上に置かれた質点には重力が働くが，質点がこの平面上に束縛されていれば，重力を打ち消す力が働かないといけない．すなわち，大きさが重力に等しく鉛直上方に向かうような力が質点に働く．この力を**垂直抗力**といい，普通 N と書く．一般に，質点が束縛運動しているとき，本来の力の他に質点には束縛のためある種の力が働く．これを**束縛力**という．なめらかな束縛では束縛力は質点の運動を妨げないから，束縛力は質点を束縛している面または線と垂直な方向を向く．

• 摩擦力 •　なめらかな束縛は理想的なもので，現実には必ず摩擦力が働く．静止物体に働く摩擦力を**静止摩擦力**，運動する物体に働くのを**動摩擦力**，摩擦力の働くような床を**あらい床**という．

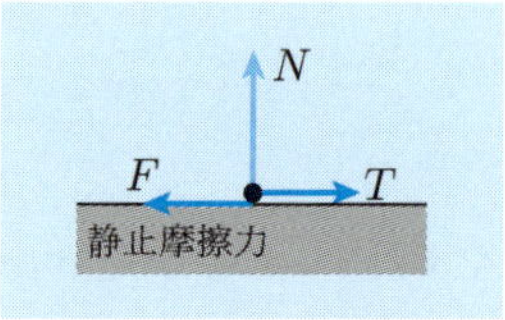

図 2.5　静止摩擦力

あらい床上の静止物体に水平方向に力 T を加えたとき，静止摩擦力 F は物体の運動を妨げようとし T と逆向きに働く（図 2.5）．T が小さいうちは $F=T$ で物体は静止したままである．しかし，T がある値をこえると，F はそれ以上大きくなれず物体は床の上をすべり出す．物体が動き出す直前に働く摩擦力を**最大摩擦力**という．最大摩擦力 F_{m} は，垂直抗力 N に比例し

$$F_{\mathrm{m}} = \mu N \tag{2.9}$$

と表される．同様に，運動する物体に働く動摩擦力 F' は次式で与えられる．

$$F' = \mu' N \tag{2.10}$$

係数 μ，μ' をそれぞれ**静止摩擦係数**，**動摩擦係数**という．

• 接線加速度と法線加速度 •　平面上の曲線に沿って質点が運動するときを考える．ある点Pでの速さを v，質点の進行方向に沿う接線方向の単位ベクトルを $\boldsymbol{t}$ と書く．また点P近傍の曲線を円で近似したとし，この円の中心Oを**曲率の中心**，円の半径 ρ を**曲率半径**という．点PからOへ向く単位ベクトルを $\boldsymbol{n}$ とすれば，点Pでの加速度 $\boldsymbol{a}$ は

$$\boldsymbol{a} = \dot{v}\boldsymbol{t} + \frac{v^2}{\rho}\boldsymbol{n} \tag{2.11}$$

と表される（例題8）．右辺の第1，2項をそれぞれ**接線加速度**，**法線加速度**という．

例題 5 　　**斜面上の質点**

水平面と角 θ をなすあらい斜面上で，質量 m の質点が静止しているとする．この場合，質点の加速度は $\mathbf{0}$ で，質点に働く力も $\mathbf{0}$ となる．いくつかの力が質点に働いてこれらの合力が $\mathbf{0}$ となり，質点が静止している状態を**つり合いの状態**という．斜面上の質点がつり合う条件を導け．ただし，質点と斜面間の静止摩擦係数を μ とする．

解答 図 2.6 のように斜面に沿って x 軸，それと垂直な向きに y 軸をとると，y 方向の力のつり合いから

$$N = mg\cos\theta$$

が得られる．質点に働く摩擦力を F とすれば x 方向の力のつり合いにより

$$F = mg\sin\theta$$

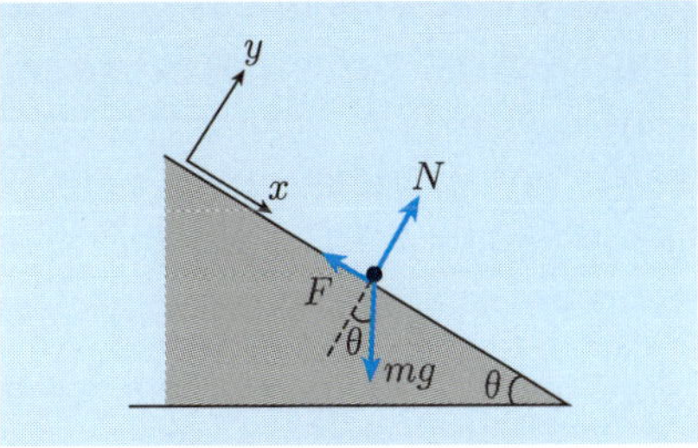

図 2.6　斜面上の質点

となる．質点がすべらないためには，F は F_{m} より小さいか，等しいことが必要である．すなわち

$$F \leq \mu N \qquad \therefore \quad \sin\theta \leq \mu\cos\theta$$

でなければならない．上式から $\tan\theta \leq \mu$ となる．ところで $\tan\alpha = \mu$ で定義される α を**摩擦角**という．以上の議論からわかるように，質点がつり合うための条件は $\theta \leq \alpha$ と表され，θ が α よりちょっとでも大きくなると質点はすべり出す．

問　題

5.1 鋼鉄と鋼鉄との間の静止摩擦係数は 0.15 である．この場合の摩擦角は何°か．

5.2 $\theta > \alpha$ の場合，斜面上の質点はすべり落ちる．このとき，図 2.6 の x 方向の運動は等加速度運動であることを示せ．ただし，質点と斜面との間の動摩擦係数を μ' とする．

5.3 水平面と θ の角をなす斜面に，質量 m の質点が置かれている（$\theta \leq \alpha$）．次の問に答えよ．

(a)　斜面に平行な力を加えて，この質点を下の方に動かすには，最低どれだけの力が必要か．

(b)　斜面に平行な力を加えて，この質点を斜面に沿ってひき上げるには，最低どれだけの力が必要か．

5.4 スキーのジャンプ台を滑らかな斜面とみなし，高さ h からすべってジャンプするときの速さを求めよ．とくに高さが 30 m のとき，速さを km/h で求めよ．

例題 6 **運動する台上の質点**

物体を手のひらにのせ，手を急激に上げ静止させると物体は手のひらから離れてとび上がる．このような現象を理解するため，図 2.7 で AB は水平方向を向き上下に運動する台であるとする．鉛直上向きに x 軸をとり，最初，台の静止していた点を座標原点 O にとり図のように座標 x を選ぶ．次の設問に答えよ．

(a) 台上に束縛されている質量 m の質点に対する運動方程式を求めよ．

(b) 台の速度 $\dot{x}$ が図 2.8 のように変化するとし，質点が台からとび上がるための条件を導け．また，質点はいつとび上がるか．

解答 (a) 質点に働く力 mg，台からの垂直抗力 N を考慮すると，質点に対する運動方程式は以下のように書ける．

$$m\ddot{x} = N - mg \tag{1}$$

(b) $0 < t < T$ では $\ddot{x} = V/T$ となり (1) により $N = m(g + V/T)$ が得られる．この N は常に正である．$T < t < 2T$ では $\ddot{x} = -V/T$ で $N = m(g - V/T)$ と表される．この N は $g > V/T$ なら正であるが，次の条件

$$g < \frac{V}{T} \tag{2}$$

が満たされると負になる．N が負であるとは，もはや台が質点を束縛できないことを意味し，$t = T$ で質点は台からとび上がる．

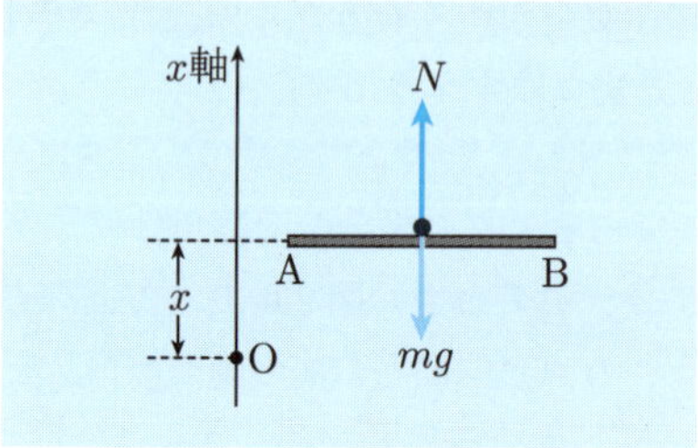

図 2.7 運動する台

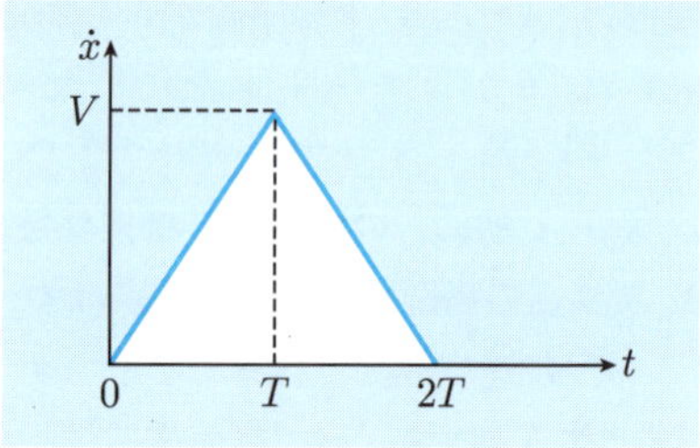

図 2.8 台の速度

問 題

6.1 条件 (2) が満たされるとし，質点がとび上がった後の挙動を調べるため $t = T + t'$ とおく．$t' = T$ で質点は台より上方にあることを示せ．

6.2 質点が台に落ちてくるときの t' を求めよ．

6.3 右手の手のひらに物体をのせゆっくりもち上げ，左手でその運動を急に止めるとする．どんなにゆっくりでも急に止めればわずかだが，物体はとび上がる．その理由を考えよ．

例題 7 — **単振り子**

一定な長さ l をもつ，質量の無視できる糸（または棒）の一端 O を固定し他端に小さなおもり（質量 m）をつけ，おもりを鉛直面内で振らせる振り子を**単振り子**という．図 2.9 のように O を原点とし，振動の起こる鉛直面内で鉛直下方に x 軸，水平方向に y 軸をとり，図のように一般座標として φ をとる．φ に対する運動方程式を導け．

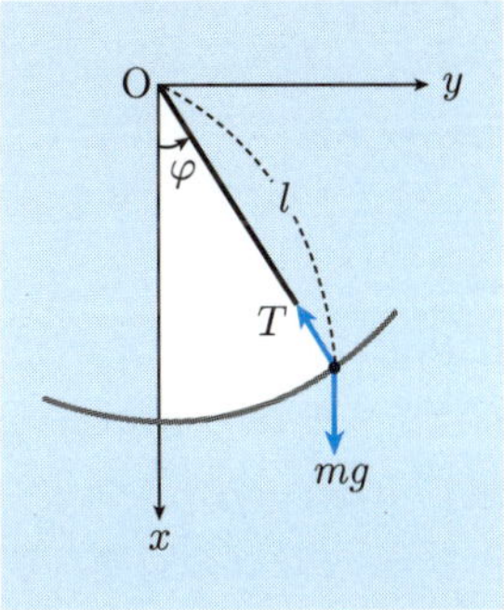

図 2.9 単振り子

解答 おもりは十分小さいとし，これを質点とみなしてその座標を x, y とする．おもりに働く束縛力は糸からの張力 T であるが，それを考慮すると x, y に対する運動方程式は

$$m\ddot{x} = mg - T\cos\varphi, \quad m\ddot{y} = -T\sin\varphi \tag{1}$$

と表される．二次元の極座標と同様

$$x = l\cos\varphi, \quad y = l\sin\varphi$$

と書け，l は一定としているから

$$\dot{x} = -l\sin\varphi\cdot\dot{\varphi}, \quad \ddot{x} = -l\cos\varphi\cdot\dot{\varphi}^2 - l\sin\varphi\cdot\ddot{\varphi} \tag{2a}$$

$$\dot{y} = l\cos\varphi\cdot\dot{\varphi}, \quad \ddot{y} = -l\sin\varphi\cdot\dot{\varphi}^2 + l\cos\varphi\cdot\ddot{\varphi} \tag{2b}$$

である．一方，(1) から T を消去すると

$$m(\ddot{x}\sin\varphi - \ddot{y}\cos\varphi) = mg\sin\varphi \tag{3}$$

が得られる．上式の左辺に (2a), (2b) を代入し $\sin^2\varphi + \cos^2\varphi = 1$ の関係に注意すると，φ に対する方程式として次式が導かれる．

$$\ddot{\varphi} = -\frac{g}{l}\sin\varphi \tag{4}$$

問題

7.1 質点の速さ v は $v = l\dot{\varphi}$ と表されることを示せ．

7.2 T は

$$T = mg\cos\varphi - m(\ddot{x}\cos\varphi + \ddot{y}\sin\varphi)$$

と書けることを証明せよ．

7.3 次の関係を導け．

$$T = mg\cos\varphi + m\frac{v^2}{l}$$

例題 8　　接線加速度と法線加速度

質点の加速度に対して (2.11) の関係が成り立つことを示せ．

解答　曲線上の適当な点から測った質点までの曲線の長さを s とし，便宜上，質点の運動に伴い s は増加するようにとる．曲線上の点 P における質点の速度 $\boldsymbol{v}$ は $\boldsymbol{t}$ の方向を向き，その大きさは $\dot{s}$ に等しい．すなわち $\boldsymbol{v} = \dot{s}\boldsymbol{t}$ と書け，これを時間で微分し加速度は $\boldsymbol{a} = \ddot{s}\boldsymbol{t} + \dot{s}\dot{\boldsymbol{t}}$ となる．$\dot{\boldsymbol{t}}$ を求めるため，図 2.10 の左のように，時刻 t で点 P にいた質点が微小時間 Δt 後に点 P′ に移動したとする．点 P, P′ における接線方向の単位ベクトルを $\boldsymbol{t}$，$\boldsymbol{t} + \Delta\boldsymbol{t}$ とし，これらに垂直な線を引きその交点を O とする．また，OP の長さを ρ，PP′ 間の曲線の長さを Δs と書く．図のような角 $\Delta\varphi$ を定義すれば，これは $\boldsymbol{t}$ と $\boldsymbol{t} + \Delta\boldsymbol{t}$ とのなす角に等しい．よって $|\Delta\boldsymbol{t}| = \Delta\varphi$ が成り立ち，$|\Delta\boldsymbol{t}|/\Delta s = \Delta\varphi/\rho\Delta\varphi = 1/\rho$ となる．一方，点 P で点 O を向くような法線方向の単位ベクトルを $\boldsymbol{n}$ とすれば，$\Delta s \to 0$ の極限で $\Delta\boldsymbol{t}$ は $\boldsymbol{n}$ の方向を向く．こうして，この極限で $d\boldsymbol{t}/ds = \boldsymbol{n}/\rho$ である．点 O が曲率の中心，また ρ が曲率半径である．

以上，$\boldsymbol{t}$ は s の関数と考えたが，s は時間 t の関数であり，したがって

$$\frac{d\boldsymbol{t}}{dt} = \frac{d\boldsymbol{t}}{ds}\frac{ds}{dt} = \frac{\boldsymbol{n}}{\rho}v$$

となる．ただし，$ds/dt = v$ の関係を用いた．一方，$\ddot{s} = \dot{v}$ の関係に注意すると，(2.11) が導かれる．

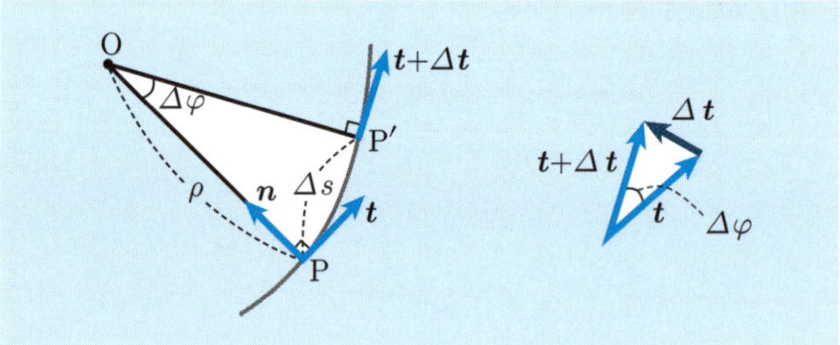

図 2.10　曲率の中心と曲率半径

問　題

8.1　法線加速度を利用して問題 7.3 の関係を導け．

8.2　質点に働く力の接線成分，法線成分をそれぞれ F_{t}，F_{n} とするとき，運動方程式の接線方向，法線方向の成分はどのように書けるか．

8.3　半径 a の円周上を等速 v で運動するような質量 m の質点には原点に向かい大きさ mv^2/a の力が働くことを示せ．この力を**向心力**という．

2.4 単 振 動

• 復元力 • ある点から変位した質点にいつもその点に戻るような力が働くとき，この力を**復元力**という．とくに，力の大きさが変位の距離に比例する場合，この復元力を**線形復元力**という．一直線上を運動する質点に線形復元力が働くと，その質点は単振動を行う．図 2.11 のように，直線に沿って x 軸をとり，質点に働く線形復元力 F を便宜上

$$F = -m\omega^2 x \qquad (2.12)$$

と表す（m は質点の質量）．図のように，$x > 0$ だと $F < 0$，$x < 0$ だと $F > 0$ となり (2.12) で与えられる力は常に O を向くことがわかる．

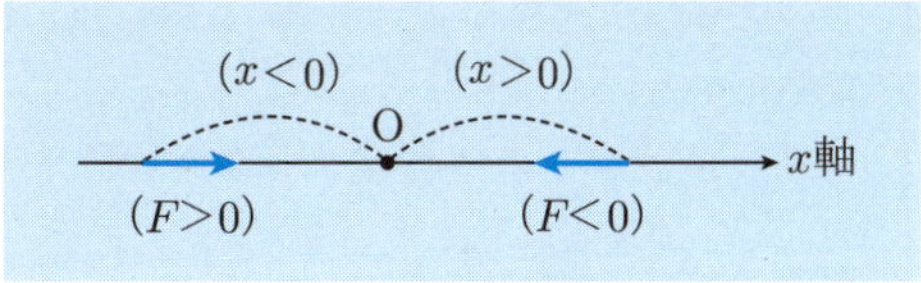

図 2.11 復元力

• 単振動の運動方程式 • 質点に対する運動方程式は $m\ddot{x} = -m\omega^2 x$，すなわち

$$\ddot{x} = -\omega^2 x \qquad (2.13)$$

と書ける．この微分方程式を解くため，$x = e^{\alpha t}$ と仮定する．これを時間で微分し $\dot{x} = \alpha e^{\alpha t}$，$\ddot{x} = \alpha^2 e^{\alpha t}$ を利用すると，(2.13) から

$$\alpha^2 e^{\alpha t} = -\omega^2 e^{\alpha t} \qquad \therefore \quad \alpha = \pm i\omega \qquad (2.14)$$

が求まる．ただし，i は虚数単位で $i^2 = -1$ である．こうして (2.13) の 1 つの解は $x = e^{i\omega t}$ であることがわかる．

• オイラーの公式 • 一般に，θ を変数とするとき，指数関数 $e^{i\theta}$ は

$$e^{i\theta} = \cos\theta + i\sin\theta \qquad (2.15)$$

と表される．これを**オイラーの公式**という（問題 9.1）．この公式を利用すると $e^{i\omega t} = \cos\omega t + i\sin\omega t$ が (2.13) の解となる．ところで，x は本来実数であるから，複素数の解は物理的に意味がない．しかし，上式の実数部分 $\cos\omega t$ と虚数部分 $\sin\omega t$ がそれぞれ (2.13) の解であることは容易に確かめることができる．

• 方程式の一般解 • 以上述べたことから，a，b を任意定数としたとき，(2.13) の一般解は次式で与えられることがわかる．

$$x = a\sin\omega t + b\cos\omega t \qquad (2.16)$$

(2.16) で $a = A\cos\alpha$，$b = A\sin\alpha$ とおけば，三角関数の加法定理を用い

$$x = A\sin(\omega t + \alpha) \qquad (2.17)$$

となり，(1.8) の単振動に対する式が得られる．

例題 9 **ばねの弾力とフックの法則**

ばねが伸び縮みする現象は単振動として記述され，**ばね振り子**と呼ばれる．図 2.12 のように滑らかな水平面上にあるばねの一端を固定し，他端に質量 m の物体をつける．ばねが自然の状態のときの物体の位置を座標原点 O とする．x 軸の正の向きを図のようにとればばねの弾力 F は $x>0$ なら $F<0$，$x<0$ なら $F>0$ となり復元力の性質をもつ．さらにばねの変形が大きくないと，ばねの弾力の大きさは変形の大きさに比例する．これを**フックの法則**という．この法則が成り立つと，力の向きまで考慮し $F=-kx$ と書ける．k はそのばねに固有な定数でこれを**ばね定数**という．

ばね定数が k のばね振り子の振動数 f，周期 T を求めよ．

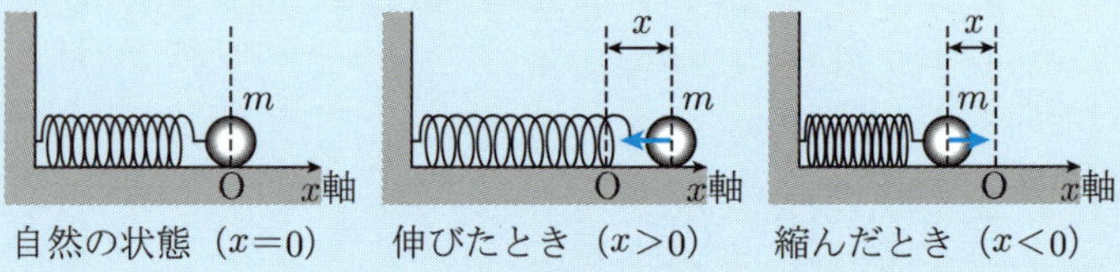

図 2.12 ばねの弾力

解答 $k=m\omega^2$ とおけば，運動方程式は (2.13) で記述され，次の結果が得られる．

$$\omega=\sqrt{\frac{k}{m}},\quad f=\frac{1}{2\pi}\sqrt{\frac{k}{m}},\quad T=2\pi\sqrt{\frac{m}{k}}$$

問 題

9.1 z を複素変数とするとき指数関数 e^z は

$$e^z=1+z+\frac{z^2}{2!}+\frac{z^3}{3!}+\cdots$$

で定義される．この定義を利用し，オイラーの公式を導け．

9.2 ばね定数 k のばねを天井からつるす．鉛直下向きに x 軸をとり，ばねに質量 m のおもりをつけばねを上下に振動させる．このときの振動数を求めよ．

9.3 ある物体に 20 g のおもりをつるしたところ，ばねは 1 cm 伸びたという．このおもりを上下振動させたときの周期は何 s か．

9.4 単振り子で φ が十分小さいときには $\sin\varphi\simeq\varphi$ と近似できる．この場合の単振動の周期を求めよ．また，$\varphi=15°$ でも上記の近似が十分成り立つことを示せ．

9.5 問題 9.4 の単振動の周期が 1 s のとき，糸の長さは何 m か．

2.5　強制振動と減衰振動

● 強制振動 ●　一直線 (x 軸) 上を運動する質量 m の質点に線形復元力 $-m\omega^2 x$ と外力 $F(t)$ とが同時に働くと，運動方程式は

$$m\ddot{x} = -m\omega^2 x + F(t) \tag{2.18}$$

と表される．このような運動を一般に**強制振動**という．とくに重要なのは，$F(t)$ が

$$F(t) = mF_0 \cos \omega_0 t \tag{2.19}$$

のように，角振動数 ω_0 で振動する場合である（F_0 は定数）．このときの解は，例題 10 で学ぶように，角振動数 ω の単振動と ω_0 の単振動の和として表される．とくに $\omega = \omega_0$ が実現すると単振動の振幅は時間とともに増加していく．この現象を**共振**（または**共鳴**）という．

● 減衰振動 ●　空気中で単振り子を振動させると，空気の抵抗とか支点における摩擦などの影響で，振動の振幅は次第に小さくなり，最後には振動が止まってしまう．このような振動を**減衰振動**という．減衰振動の一例として，x 軸上を運動する質量 m の質点に線形復元力 $-m\omega^2 x$ と抵抗力 $-2m\gamma\dot{x}$（γ は正の定数）とが働くとする．この場合の運動方程式は $m\ddot{x} = -m\omega^2 x - 2m\gamma\dot{x}$ となり

$$\ddot{x} + 2\gamma\dot{x} + \omega^2 x = 0 \tag{2.20}$$

と書ける．

● 方程式の解 ●　(2.20) の独立な解は $e^{-\gamma t} \sin \sqrt{\omega^2 - \gamma^2}\, t$，$e^{-\gamma t} \cos \sqrt{\omega^2 - \gamma^2}\, t$ で与えられることがわかる（例題 11）．したがって，微分方程式の一般解は a, b を任意定数として

$$x = e^{-\gamma t}\left(a \sin \sqrt{\omega^2 - \gamma^2}\, t + b \cos \sqrt{\omega^2 - \gamma^2}\, t\right) \tag{2.21}$$

と表される．$a = A \cos \alpha$，$b = A \sin \alpha$ とおけば

$$x = Ae^{-\gamma t} \sin\left(\sqrt{\omega^2 - \gamma^2}\, t + \alpha\right) \tag{2.22}$$

が得られる．

もしも，(2.22) で $e^{-\gamma t}$ の項がなければ，これは角振動数 $\sqrt{\omega^2 - \gamma^2}$ の単振動である．(2.22) の x は，この単振動の振幅が $Ae^{-\gamma t}$ というふうに時間とともに減衰していく振動を表すので (図 2.13)，これを減衰振動と呼ぶのである．

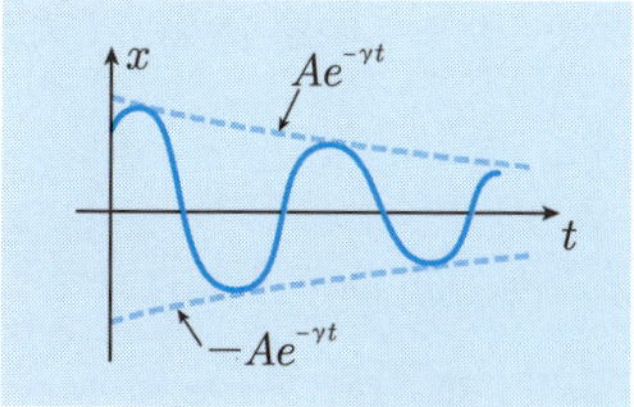

図 2.13　減衰振動

例題 10 **強制振動の解と共振**

x 軸上を運動する質量 m の質点に線形復元力 $-m\omega^2 x$ と外力 $mF_0 \cos \omega_0 t$ とが働くとし，以下の設問に答えよ．

(a) 質点に対する運動方程式の解を求めよ．

(b) $\omega_0 \to \omega$ の極限における解の性質について論じよ．

解答 (a) (2.18) により

$$\ddot{x} + \omega^2 x = F_0 \cos \omega_0 t \tag{1}$$

という微分方程式が得られる．これを解くため $x = x_1 + x_2$ とおき，とにかく x_2 は上式を満たす 1 つの解とする．これを**特殊解**という．一方，x_1 は (1) の右辺を 0 とおいた解となり単振動を表す．特殊解を求めるため，$x_2 = B \cos \omega_0 t$（B は定数）と仮定し (1) に代入する．その結果，$B(\omega^2 - {\omega_0}^2) \cos \omega_0 t = F_0 \cos \omega_0 t$ が得られ，$\omega \neq \omega_0$ の場合，B は $F_0/(\omega^2 - {\omega_0}^2)$ と求まる．こうして，$\omega \neq \omega_0$ なら運動方程式の解は次式のように書ける．

$$x = a \sin \omega t + b \cos \omega t + \frac{F_0}{\omega^2 - {\omega_0}^2} \cos \omega_0 t \tag{2}$$

ここで，a, b は初期条件によって決定される．上式から明らかなように，x は元来の調和振動子の角振動数 ω で振動する部分と，外部からの角振動数 ω_0 で振動する部分の和として表される．

(b) (2) で $\omega_0 = \omega$ とおくと，振幅が無限大となってしまい物理的に不合理である．$\omega_0 \to \omega$ の極限で意味のある特殊解は次式で与えられる（問題 10.1）．

$$\frac{F_0}{\omega^2 - {\omega_0}^2}(\cos \omega_0 t - \cos \omega t) \tag{3}$$

$\omega_0 \to \omega$ の極限をとるため (3) で $\omega_0 = \omega(1 + x)$ とし $x \to 0$ とする．その結果，(3) は

$$\frac{F_0 t}{2\omega} \sin \omega t \tag{4}$$

と表される（問題 10.2)．したがって，$\omega_0 = \omega$ だと方程式の一般解は

$$x = a \sin \omega t + b \cos \omega t + \frac{F_0 t}{2\omega} \sin \omega t \tag{5}$$

となり，$\sin \omega t$ の振幅は時間とともに大きくなっていく．これは共振を表す．

問 題

10.1 (3) の特殊解は (2) の a, b をどのように選んだことに相当するか．

10.2 $\omega_0 \to \omega$ の極限をとり (3) から (4) を導け．

例題 11　**減衰振動と過減衰**

(2.20) の方程式に対する以下の設問に答えよ．

(a)　$\omega > \gamma$ の場合，$e^{-\gamma t} \sin \sqrt{\omega^2 - \gamma^2}\, t$，$e^{-\gamma t} \cos \sqrt{\omega^2 - \gamma^2}\, t$ は方程式の解であることを示せ．

(b)　$\omega < \gamma$ だと振動を表す三角関数は現れず，方程式の解は非周期的な運動となることを確かめよ．このような運動を**過減衰**という．

解答　(a)　(2.20) を解くため $x = e^{\alpha t}$ とおくと，α に対する方程式は

$$\alpha^2 + 2\gamma\alpha + \omega^2 = 0$$

となる．この α に対する二次方程式を解いて，α は

$$\alpha = -\gamma \pm \sqrt{\gamma^2 - \omega^2}$$

と計算される．もし $\gamma < \omega$ だと，上の平方根中の量は負になり，α は

$$\alpha = -\gamma \pm \sqrt{\omega^2 - \gamma^2}\, i$$

となる．よって，x は平方根の前の $+$ 符号をとり

$$\begin{aligned} x &= e^{-\gamma t} e^{\sqrt{\omega^2 - \gamma^2}\, it} \\ &= e^{-\gamma t}\left(\cos \sqrt{\omega^2 - \gamma^2}\, t + i \sin \sqrt{\omega^2 - \gamma^2}\, t\right) \end{aligned}$$

と書ける．上式の実数部分と虚数部分とがそれぞれ (2.20) の解となる（問題 11.1）．

(b)　$\gamma > \omega$ だと α の式で平方根中は正となり α は実数である．このときの α を $\alpha = -\Gamma$ と書けば，Γ は

$$\Gamma_1 = \gamma + \sqrt{\gamma^2 - \omega^2}, \quad \Gamma_2 = \gamma - \sqrt{\gamma^2 - \omega^2}$$

と書け，Γ_1 も Γ_2 も正の実数である．$e^{-\Gamma_1 t}$ も $e^{-\Gamma_2 t}$ もともに (2.20) を満たすから，いまの場合，方程式の解は a, b を任意定数として

$$x = ae^{-\Gamma_1 t} + be^{-\Gamma_2 t}$$

で与えられる．

問　題

11.1　(2.20) を満たす複素数の解があるとき，その実数部分および虚数部分はそれぞれ方程式の解であることを証明せよ．

11.2　上の過減衰の問題で $\gamma = \omega$ が成り立つと $\Gamma_1 = \Gamma_2$ となり $e^{-\Gamma_1 t} = e^{-\Gamma_2 t}$ となってしまう．このような特別な場合の解は，a, b を任意定数として

$$x = (a + bt)e^{-\gamma t}$$

であることを示せ．ちなみにこの運動を**臨界制動**という．

例題 12 **外力が働くときの減衰振動**

減衰振動を示す体系にさらに (2.19) で与えられる外力が働くと，x を決めるべき方程式は

$$\ddot{x} + 2\gamma\dot{x} + \omega^2 x = F_0 \cos \omega_0 t \tag{1}$$

となる．(1) の解は右辺を 0 とした解と特殊解の和である．前者は時間の経過に伴い 0 となるので，事実上特殊解だけを考慮すればよい．(1) の右辺が $F_0 e^{i\omega_0 t}$ の実数部分であることに注意し，また z を複素数として

$$\ddot{z} + 2\gamma\dot{z} + \omega^2 z = F_0 e^{i\omega_0 t} \tag{2}$$

という方程式を考え，問題としている特殊解 x を求めよ．

解答 γ, ω は実数であるから，z を実数部分と虚数部分にわけ，(2) の実数部分をとると (1) が導かれる．すなわち，$x = \mathrm{Re}\, z$ と書ける．ただし，Re の記号は実数部分をとるという意味である．(2) を解くため，B を t に依存しない適当な複素数として $z = Be^{i\omega_0 t}$ と仮定する．$\dot{z} = Bi\omega_0 e^{i\omega_0 t}$，$\ddot{z} = -B{\omega_0}^2 e^{i\omega_0 t}$ であるから，(2) に代入して $-B{\omega_0}^2 + 2\gamma Bi\omega_0 + \omega^2 B = F_0$ となり，これから B は

$$B = \frac{F_0}{\omega^2 - {\omega_0}^2 + 2\gamma\omega_0 i} \tag{3}$$

と求まる．また，A, α を実数として B を

$$B = Ae^{-i\alpha} \tag{4}$$

とおけば，A, α は

$$A = \frac{F_0}{\sqrt{(\omega^2 - {\omega_0}^2)^2 + 4\gamma^2 {\omega_0}^2}} \tag{5}$$

$$\tan \alpha = \frac{2\gamma\omega_0}{\omega^2 - {\omega_0}^2} \tag{6}$$

と計算される（問題 12.1）．

このようにして，x は

$$x = \mathrm{Re}\,(Be^{i\omega_0 t}) = \mathrm{Re}\,[Ae^{i(\omega_0 t - \alpha)}]$$

と書ける．上式から x は

$$x = A \cos(\omega_0 t - \alpha)$$

と表され，x は外力と同じように，角振動数 ω_0 の単振動として記述されることがわかる．

問　題

12.1 (3), (4) の関係から (5), (6) が導かれることを示せ．

2.6 運動量と力積

• 運動量 •　図 2.14 に示すように，質量 m の質点が速度 $\boldsymbol{v}$ で運動しているとき

$$\boldsymbol{p} = m\boldsymbol{v} \tag{2.23}$$

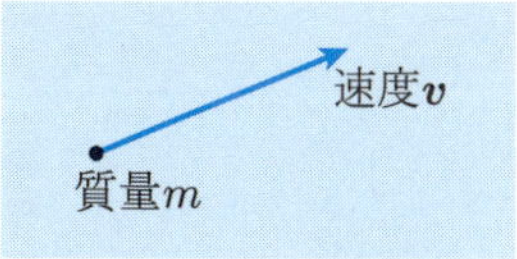

図 2.14　運動量

で定義される $\boldsymbol{p}$ をその質点の**運動量**という．m が一定の場合，ニュートンの運動方程式は

$$\frac{d\boldsymbol{p}}{dt} = \boldsymbol{F} \tag{2.24}$$

と表される．したがって，運動の第二法則は運動量の時間微分はその質点に働く力に等しいとも表現される．(2.24) で $\boldsymbol{F} = 0$ のとき，すなわち質点に力が働かないときには，運動量は時間 t によらず一定となる．このような性質をもつ量を**運動の定数**という．これからわかるように，質点に力が働かないとその運動量は運動の定数となる．なお，$\boldsymbol{F} \neq 0$ の場合でも $\boldsymbol{p}$ のある成分が運動の定数となることもある．すなわち，(2.24) の成分をとると

$$\dot{p}_x = F_x, \quad \dot{p}_y = F_y, \quad \dot{p}_z = F_z \tag{2.25}$$

であるが，例えば $F_y = 0$，$F_z = 0$ で F_x が 0 でないとき，p_y と p_z とはともに運動の定数となる．

• 力積 •　(2.24) の両辺を時刻 t_1 から時刻 t_2 まで時間に関して積分すると

$$\boldsymbol{p}_2 - \boldsymbol{p}_1 = \boldsymbol{I} \tag{2.26}$$

が得られる．ただし，$\boldsymbol{p}_1, \boldsymbol{p}_2$ はそれぞれ時刻 t_1, t_2 で質点がもつ運動量を表し，また $\boldsymbol{I}$ は

$$\boldsymbol{I} = \int_{t_1}^{t_2} \boldsymbol{F} dt \tag{2.27}$$

で定義される．この $\boldsymbol{I}$ を**力積**という．(2.26)，(2.27) からわかるように，ある時間内の運動量の増加はその時間内に質点に作用する力積に等しい．

• 撃力 •　力積を考えるととくに便利なのは大きな力が瞬間的に働く場合で，このような力を**撃力**という．撃力は日常的にもよく現れるもので，例えば，金づちで釘を打ち込むとき，野球のバットでボールを打ち返すとき，自動車が衝突するときなどに働く力は撃力である．撃力が働くとき，力 $\boldsymbol{F}$ は非常に大きくても，力の働いている時間 Δt は非常に短いので，その結果，力積の大きさ $F\Delta t$ は有限になると考えられる．

例題 13 **撃力に伴う運動量の不連続的変化**

撃力の x 成分 F_x が時間 t の関数として図 2.15 のようにパルス的であるとする．$\Delta t \to 0$ の極限で p_x は図 2.17 のように不連続的に振る舞うことを説明せよ．

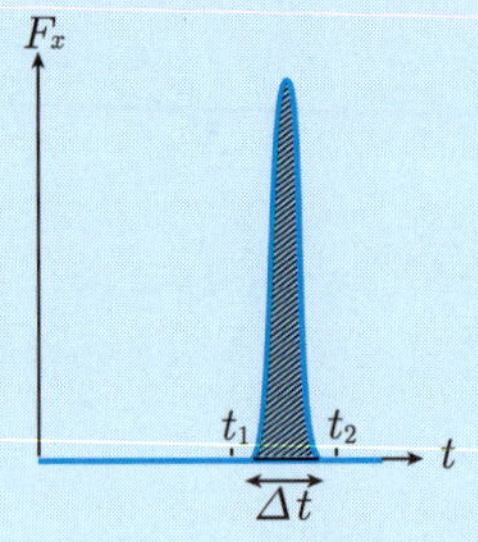

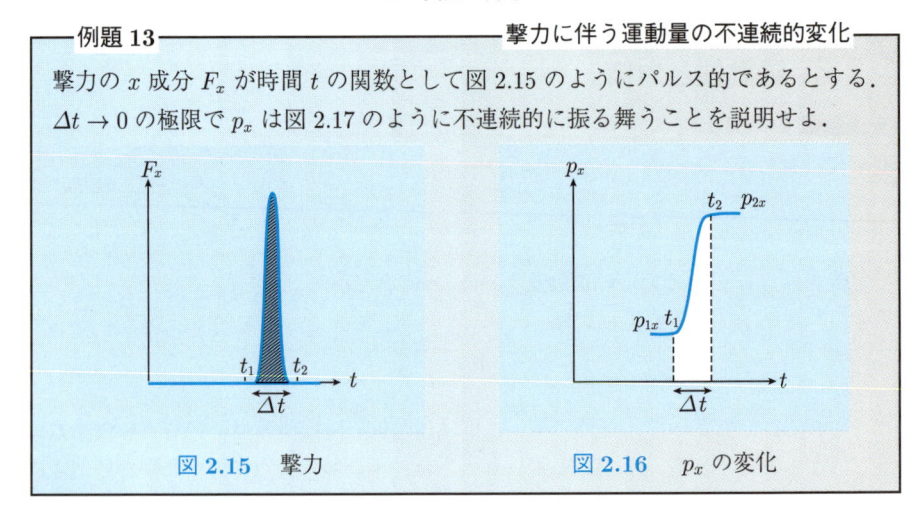

図 2.15 撃力

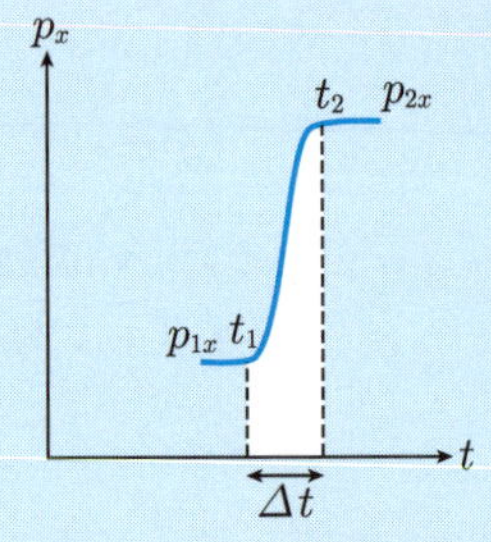

図 2.16 p_x の変化

解答 (2.26) の x 成分をとり，t_1 は撃力の働く直前，t_2 は撃力の働く直後とすれば

$$p_{2x} - p_{1x} = I_x$$

と書け，I_x は図 2.15 で斜線を引いた部分の面積に等しい．撃力が質点に働くとき，この面積は有限であるとし，最後に $\Delta t \to 0$ の極限をとる．この極限で図 2.15 のピークの高さは無限に大きくなる．図 2.16 で示すように，p_x は Δt の前後で急激に変化するが，$\Delta t \to 0$ の極限で p_x は t の関数として，撃力の前後で事実上不連続的に変化すると考えてよい（図 2.17）．しかし，速度の変化は有限であるから，撃力の働く場合，質点の位置は変わらず（問題 13.2），運動量だけが不連続的に変化する．

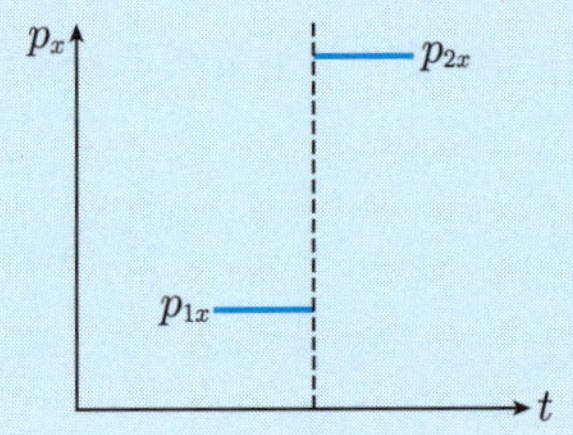

図 2.17 p_x の不連続的変化

問 題

13.1 体重 60 kg の人が 6 m/s の速さで走っているとき，人のもつ運動量の大きさを求めよ．

13.2 撃力の前後で質点の位置は連続的であることを示せ．

13.3 20 m/s の速さで水平に投げられた質量 200 g の球をバントして，水平方向で球速を完全に 0 にするために必要な力積はいくらか．

13.4 速さ v で運動している質量 m の質点に撃力を加えたところ，質点は速さを変えずに運動方向を角 θ だけ変えたという．質点に働いた撃力の力積を求めよ．

3　仕事とエネルギー

3.1　仕事と仕事率

● 仕事の定義 ●　物体に力が加わり物体が動いたとき，力は物体に**仕事**をしたという．または逆に，物体は力によって仕事をされたという．質点に $\boldsymbol{F}$ の力を加えながら，この質点を微小距離 Δs だけ移動させたとし，$\boldsymbol{F}$ と移動方向とのなす角を θ とする（図 3.1）．このとき，質点を Δs だけ移動させるのに力がした仕事 ΔW を

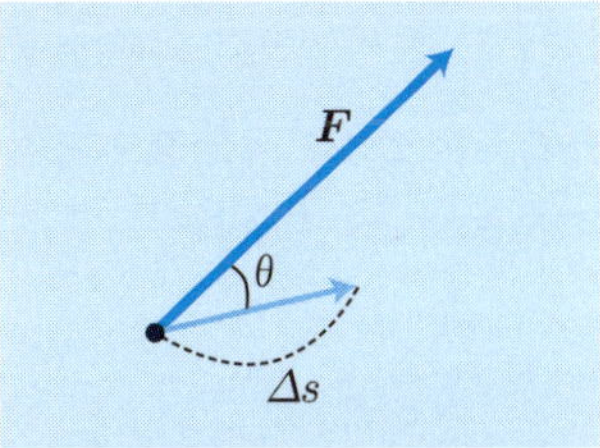

図 3.1　仕事の定義

$$\Delta W = F \cos\theta \cdot \Delta s \tag{3.1}$$

で定義する．あるいは，Δs に進行方向まで考慮し変位ベクトル $\Delta\boldsymbol{r}$ で変位を表せば，スカラー積の定義を使い，ΔW は次のように書ける．

$$\Delta W = \boldsymbol{F} \cdot \Delta\boldsymbol{r} \tag{3.2}$$

● 仕事の単位 ●　1 N の力を加えてその力の向きに質点を 1 m 移動させたときの仕事を単位に使い，これを 1 ジュール (J) という．すなわち，次式が成り立つ．

$$1\,\mathrm{J} = 1\,\mathrm{N \cdot m} \tag{3.3}$$

● 重力のする仕事 ●　質量 m の質点には mg の重力が働くので，質点が鉛直下方に h だけ落下したとき重力のする仕事 W は次のように書ける．

$$W = mgh \tag{3.4}$$

例えば，1 kg の質点に働く重力の大きさは 9.81 N であるから，この質点が鉛直下方に 2 m 落下するとき，重力のする仕事は $9.81 \times 2\,\mathrm{N \cdot m} = 19.62\,\mathrm{J}$ と計算される．

● 仕事率 ●　あるものが (例えば人やモーターが) 仕事をしているとき，単位時間当たりにする仕事のことを**仕事率**という．1 s 間に 1 J の仕事をする場合を仕事率の単位とし，これを 1 ワット (W) という．すなわち，次の関係

$$1\,\mathrm{W} = 1\,\mathrm{J/s} \tag{3.5}$$

が成り立つ．仕事率の単位として，例えば自動車の出力を表すのに馬力を使うことがある．1 馬力はほぼ 3/4 kW に等しい ($1\,\mathrm{kW} = 10^3\,\mathrm{W}$).

例題 1 **曲線に沿う移動**

空間中の1つの曲線Cに沿って質点を点Aから点Bまで移動させるとき，力のする仕事 W を求めよ．

解答 W を求めるため，図3.2のようにCを n 個の微小部分に分割し，i 番目の部分に対応する変位ベクトルを $d\boldsymbol{r}_i$，またそこで力はほぼ一定であると仮定しこれを $\boldsymbol{F}_i$ とする．質点を $d\boldsymbol{r}_1$ だけ移動させるときの仕事は $\boldsymbol{F}_1 \cdot d\boldsymbol{r}_1$, $d\boldsymbol{r}_2$ だけ移動させるときの仕事は $\boldsymbol{F}_2 \cdot d\boldsymbol{r}_2$ となり，以下同様にして，全体の仕事 W はこれらの和をとり

$$W = \boldsymbol{F}_1 \cdot d\boldsymbol{r}_1 + \boldsymbol{F}_2 \cdot d\boldsymbol{r}_2 + \cdots + \boldsymbol{F}_n \cdot d\boldsymbol{r}_n$$

となる．ここで，分割を無限に細かくし $n \to \infty$ の極限をとると，上の和は積分の形で表される．すなわち，質点を曲線Cに沿って移動させたとき力のする仕事 W は

$$W = \int_{\mathrm{C}} \boldsymbol{F} \cdot d\boldsymbol{r}$$

で与えられる．ここで，積分記号の下のCの添字は曲線Cに沿っての積分を明記したものである．このように，ある曲線についての積分を一般に**線積分**という．

問 題

1.1 図3.3のように水平面と角 θ をなす斜面上を質量 m の質点が点Aから点Bまで距離 s だけ移動するとして，以下の設問に答えよ．

(a) 図のように斜面上を ds だけ移動したとき重力のする仕事 dW を求めよ．

(b) 質点が点Aから点Bまで移動したとき重力のした仕事 W は $W = mgs\sin\theta = mgh$ であることを示せ．

1.2 質点がなめらかな束縛を受けているとき，束縛力のする仕事は0であることを証明せよ．

1.3 あらい床を質点が運動するときに，摩擦力は運動を妨げるよう働くが，摩擦力のする仕事は常に負であることを示せ．

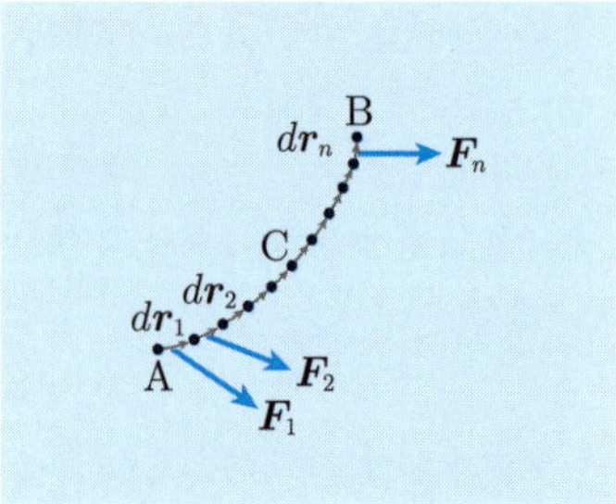

図 3.2　Cに沿う移動

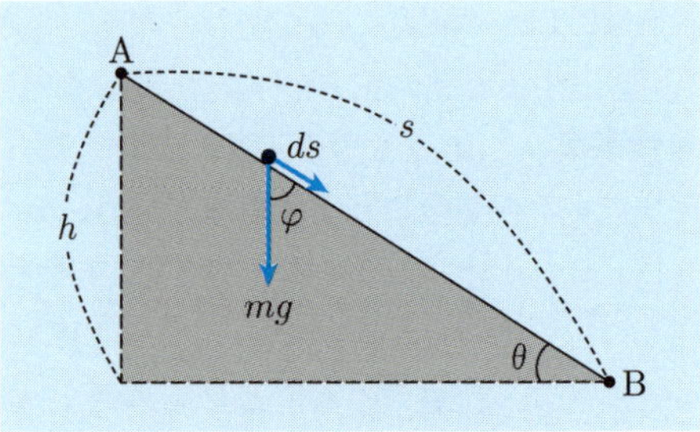

図 3.3　斜面上の移動

例題 2　**自動車のエンジンと推進力**

一定の仕事率 P のエンジンをもつ質量 M の自動車が一直線上を運動する．自動車の速度を v とし，また自動車には R の抵抗力が働くものとして，次の各問に答えよ．

(a)　自動車の推進力 F は $F = P/v$ と書けることを示せ．

(b)　自動車の運動方程式はどのように表されるか．ただし，自動車を質点とみなしてよいとする．

(c)　自動車の達し得る最大速度 V_0 を求めよ．

(d)　$t = 0$ で自動車が静止状態から動き出すとして，速度 V に達するまでの時間 T を計算せよ．

解答　(a)　微小時間 Δt の間にエンジンのする仕事は $P\Delta t$ に等しい．この時間の間に自動車が距離 Δs だけ進んだとすれば，推進力のする仕事は $F\Delta s$ と書ける．両者の仕事は等しいから $P\Delta t = F\Delta s$　$\therefore\ F = P\Delta t/\Delta s = P/v$ となる．

(b)　推進力，抵抗力を考慮し，運動方程式は次式のように表される．

$$M\frac{dv}{dt} = \frac{P}{v} - R$$

(c)　自動車が最大速度になると $dv/dt = 0$ となる．したがって $P/V_0 = R$ で，これから $V_0 = P/R$ が得られる．

(d)　運動方程式は

$$M\frac{dv}{dt} = \frac{P}{v} - \frac{P}{V_0} = P\frac{V_0 - v}{vV_0}$$

と書け，これを変形すると次のようになる．

$$dt = \frac{M}{P}\frac{V_0 v}{V_0 - v}dv = \frac{MV_0}{P}\left(\frac{V_0}{V_0 - v} - 1\right)dv$$

これを t については 0 から T, v については 0 から V まで積分し次のようになる．

$$T = \frac{MV_0}{P}\left(V_0\int_0^V \frac{dv}{V_0 - v} - V\right) = \frac{MV_0}{P}\left(V_0 \ln\frac{V_0}{V_0 - V} - V\right)$$

問　題

2.1　200 馬力のエンジンをもつ自動車が時速 30 km で走っている．エンジンが自動車を推進させようとする力は何 N か．

2.2　ダイエットのため体重 60 kg の人が動摩擦係数 0.5 の道路上を 3 m/s の等速でジョギングしている．200 kcal 消費するため必要な所要時間を求めよ．ただし，1 cal = 4.19 J である．

例題 3 ―――― **坂を上る人の仕事率**

人が同じ速さで平坦な道を歩く場合と坂を上る場合を比べると，当然後者の方が疲れを覚える．その力学的な仕組みを探るため図 3.4 のように水平面と θ の角をなす斜面を考え，斜面に沿い上向きに x 軸をとる．簡単のため人を質量 M の質点とみなし，人の仕事率を P，質点と斜面との間の動摩擦係数を μ' として以下の問に答えよ．

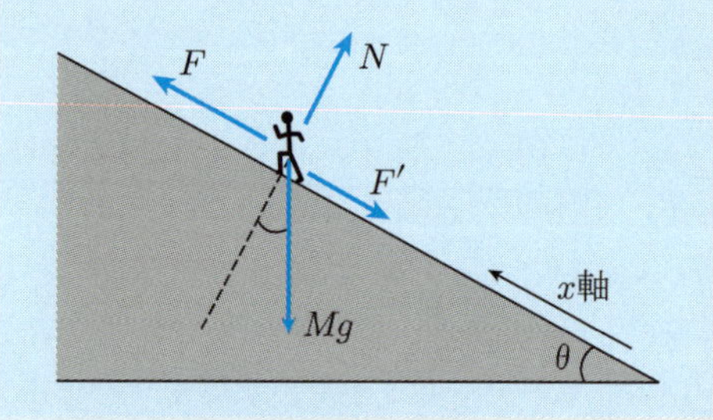

図 3.4　坂を上る人

(a)　人に対する運動方程式はどのように表されるか．

(b)　人は同じ速さ v で運動するとして，人の仕事率を求めよ．

(c)　$\theta=0$ に対する P を P_0 と書く．v は変わらないとして P/P_0 を計算せよ．

解答　(a)　x 方向で人（質点）に働く力は次の 3 種類である．第 1 に人の推進力 F でこれは $F=P/v$ と書ける．第 2 は動摩擦力 $F'=\mu' N$，第 3 は重力の斜面方向の成分 $Mg\sin\theta$ である．$N=Mg\cos\theta$ が成り立つので，人の運動方程式は

$$M\frac{dv}{dt}=\frac{P}{v}-\mu' Mg\cos\theta-Mg\sin\theta$$

と表される．

(b)　人が等速 v で運動していると $dv/dt=0$ とおける．よって，上式から P は

$$P=Mgv(\mu'\cos\theta+\sin\theta)$$

となる．

(c)　$\theta=0$ とおくと $P_0=Mgv\mu'$ となり，したがって次の結果が得られる．

$$\frac{P}{P_0}=\frac{\mu'\cos\theta+\sin\theta}{\mu'}$$

問　題

3.1　問題 2.2 で扱った場合を 20° の傾斜をもつ坂道に拡張したとき，人の仕事率は何倍となるか．また，200 kcal 消費するための時間を求めよ．

3.2　体重 50 kg の人が 0.4 m/s の速さで鉛直に立てたはしごを登るとする．この人の仕事率は何 W か．また，それは何馬力か．

3.2 保存力とポテンシャル

• 保存力 • 点 A，B を結ぶ曲線 C に沿って質点を移動させるとき，力のする仕事 W は一般に C のとり方に依存する．しかし，特別な場合として，W は A，B の選び方だけで決まり，途中の経路 C に無関係なことがある．このような性質をもつ力には後述のように力学的エネルギー保存則が成り立つので，この種の力を**保存力**という．

• ポテンシャル • 空間座標 x, y, z の適当な関数 U があり，力 $\boldsymbol{F}$ が

$$F_x = -\frac{\partial U}{\partial x}, \quad F_y = -\frac{\partial U}{\partial y}, \quad F_z = -\frac{\partial U}{\partial z} \tag{3.6}$$

と書けるとする．ただし，$\partial/\partial x$ の記号は y, z を固定して x で微分することを意味しこれを x に関する**偏微分**という（$\partial/\partial y$, $\partial/\partial z$ も同様）．(3.6) の U を**ポテンシャル**あるいは**位置エネルギー**という．これらの式を一括し，ベクトル記号で

$$\boldsymbol{F} = -\nabla U, \quad \boldsymbol{F} = -\mathrm{grad}\, U, \quad \boldsymbol{F} = -\partial U/\partial \boldsymbol{r} \tag{3.7}$$

と表す．∇ は**ナブラ記号**と呼ばれる．(3.6) あるいは (3.7) で与えられる $\boldsymbol{F}$ は保存力である．ポテンシャル U に任意の定数を加えても (3.6) の関係は変わらない．したがって，ポテンシャルは一義的に決まらず，不定性がある．ふつうは適当な基準を決めてこの不定性を除去する．

• 仕事とポテンシャル • 力がポテンシャルから導かれるとして，(3.7) の関係 $\boldsymbol{F} = -\nabla U$ を例題 1 の W の式に代入すると

$$W = -\int_{\mathrm{C}} \nabla U \cdot d\boldsymbol{r} \tag{3.8}$$

である．ここで被積分関数を成分で表すと

$$\nabla U \cdot d\boldsymbol{r} = \frac{\partial U}{\partial x}dx + \frac{\partial U}{\partial y}dy + \frac{\partial U}{\partial z}dz = dU \tag{3.9}$$

が得られる．ただし，dU は U の全微分を表す（問題 4.2）．(3.9) を (3.8) に代入すると W は

$$W = -\int_{\mathrm{A}}^{\mathrm{B}} dU = U(\mathrm{A}) - U(\mathrm{B}) \tag{3.10}$$

と書ける．ただし，$U(\mathrm{A})$，$U(\mathrm{B})$ はそれぞれ点 A, B における U の値を意味する．上式から力が (3.7) で与えられるときそれは実際，保存力であることがわかる．保存力の場合，質点を A→B へと移動するとき，どんな経路をとっても力のする仕事は同じである．この性質を**仕事の原理**という．

例題 4 **保存力に対する必要条件**

ある力が保存力であるための必要条件を導け.

解答 ある力 $\boldsymbol{F}$ が保存力であるとする. そのための必要条件を導くため, 図 3.5 で点 A は固定しておき, 点 B の位置を変えるとする. B の座標を x, y, z とし, A から B まで質点が移動するとき力のする仕事 W を考察しよう. $\boldsymbol{F}$ が保存力であるならば, 定義により W は x, y, z の関数 $W(x, y, z)$ と表されるはずである. すなわち

$$W(x, y, z) = \int_{\mathrm{C}} \boldsymbol{F} \cdot d\boldsymbol{r}$$

と書け, 右辺は C のとり方に依存しない. 図 3.5 のように, $x + \Delta x, y, z$ を座標とする点を B′ とする. A → B′ と質点を動かすときに力のする仕事は

$$W(x + \Delta x, y, z) = \int_{\mathrm{C}'} \boldsymbol{F} \cdot d\boldsymbol{r}$$

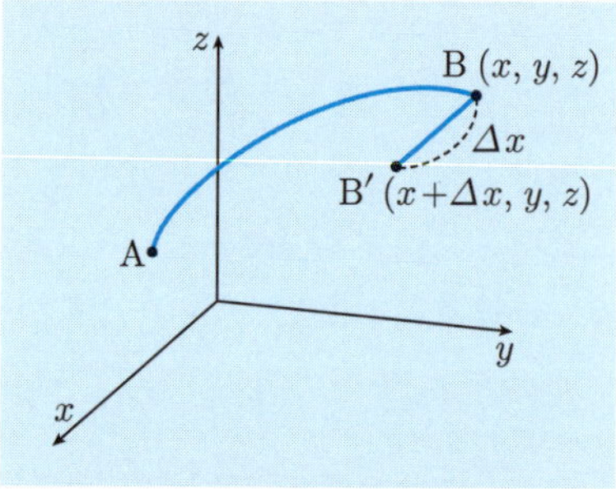

図 3.5 保存力の必要条件

と表される. ここで C′ は A から B′ へ至る任意の経路である. とくに, C′ として図 3.5 のように A から B へ達し, B から B′ まで直線で行く経路を考えると

$$W(x + \Delta x, y, z) - W(x, y, z) = F_x \Delta x$$

が得られる. 両辺を Δx で割り, $\Delta x \to 0$ の極限をとると, 偏微分の定義を使い

$$F_x = \partial W / \partial x$$

となる. 同様な議論により $F_y = \partial W/\partial y$, $F_z = \partial W/\partial z$ が導かれる. ここで $U(x, y, z) = -W(x, y, z) +$ 定数 とおけば (3.6) が得られる. すなわち, $\boldsymbol{F}$ が保存力であるための必要条件はそれがポテンシャルから導かれることである.

参考 **保存力に対する必要十分条件** これまでの議論からわかるように, ある力が保存力であるための必要十分条件は, それがポテンシャルから導かれることである.

問 題

4.1 地表に座標原点 O, 鉛直上向きに z 軸, 水平面を xy 面に選ぶ. そうすると, 質量 m の質点に働く重力は $U = mgz +$ 定数 というポテンシャルから導かれることを示せ. この U を**重力ポテンシャル**とか**重力の位置エネルギー**という.

4.2 $dU = U(x + dx, y + dy, z + dz) - U(x, y, z)$ で定義される dU を**全微分**という. dx, dy, dz の高次の項を無視すれば $dU = \nabla U \cdot d\boldsymbol{r}$ と書けることを証明せよ.

3.3 力学的エネルギー保存則

• 力学的エネルギー •　質量 m の質点が $\boldsymbol{v}$ の速度で運動しているとき

$$K = \frac{1}{2}mv^2 \tag{3.11}$$

で定義される K をその質点の**運動エネルギー**という．一方，質点に働く力 $\boldsymbol{F}$ が $\boldsymbol{F} = -\nabla U$ と表されるとき，前に述べたように U を**位置エネルギー**と呼ぶ．ここで

$$E = K + U \tag{3.12}$$

で与えられる E を**力学的エネルギー**という．すなわち，力学的エネルギーは運動エネルギーと位置エネルギーの和である．

• 運動エネルギーと位置エネルギーの単位 •　運動エネルギーの単位は，(3.11) からわかるように $\mathrm{kg \cdot m^2/s^2}$ で与えられる．一方 $\mathrm{J = N \cdot m}$，$\mathrm{N = kg \cdot m/s^2}$ であるから，$\mathrm{kg \cdot m^2/s^2 = N \cdot m = J}$ となる．また，位置エネルギーは（力）×（長さ）という形をもち，よってその単位も J である．力学的エネルギーは運動エネルギーと位置エネルギーの和であるから，当然その単位は J である．このように力学的エネルギーも仕事も同じ J で測られる．

• 運動エネルギーと仕事 •　質点が点 A から C の経路をへて点 B に到達したとするとき，一般に次の関係

$$K(\mathrm{B}) - K(\mathrm{A}) = W = \int_{\mathrm{C}} \boldsymbol{F} \cdot d\boldsymbol{r} \tag{3.13}$$

が成立する（例題 5）．ただし，$K(\mathrm{A})$，$K(\mathrm{B})$ は A，B における運動エネルギーである．(3.13) からわかるように，質点の運動エネルギーの増加は，質点に働く力のした仕事に等しい．あるいは，同じことであるが，力のした仕事の分だけ運動エネルギーが増加する，と表現してもよい．

• 力学的エネルギー保存則 •　力が保存力だと，(3.10) により

$$W = U(\mathrm{A}) - U(\mathrm{B})$$

である．よって，(3.13) から

$$K(\mathrm{B}) + U(\mathrm{B}) = K(\mathrm{A}) + U(\mathrm{A})$$

となる．あるいは，(3.12) により

$$E(\mathrm{B}) = E(\mathrm{A}) \tag{3.14}$$

が得られる．B は軌道上の任意の点であるから，保存力の場合，質点の力学的エネルギーは一定に保たれることがわかる．(3.14) を**力学的エネルギー保存則**という．

例題 5　　運動エネルギーと仕事との関係

質点の運動エネルギーの増加は，質点に働く力のした仕事に等しいことを証明せよ．

解答　質量 m の質点に力 $\boldsymbol{F}$ が働くとき，運動方程式は

$$m\ddot{\boldsymbol{r}} = \boldsymbol{F} \tag{1}$$

と書ける．質点は時刻 t_{A} において空間中の 1 点 A を出発し，C の軌道をへて時刻 t_{B} において点 B に達するとし，A，B における速度をそれぞれ $\boldsymbol{v}_{\mathrm{A}}$，$\boldsymbol{v}_{\mathrm{B}}$ とする（図 3.6）．(1) の両辺と $\dot{\boldsymbol{r}}$ とのスカラー積を作ると $m\dot{\boldsymbol{r}}\cdot\ddot{\boldsymbol{r}} = \boldsymbol{F}\cdot\dot{\boldsymbol{r}}$ が成り立つが $d\dot{\boldsymbol{r}}^2/dt = 2\dot{\boldsymbol{r}}\cdot\ddot{\boldsymbol{r}}$ に注意すると

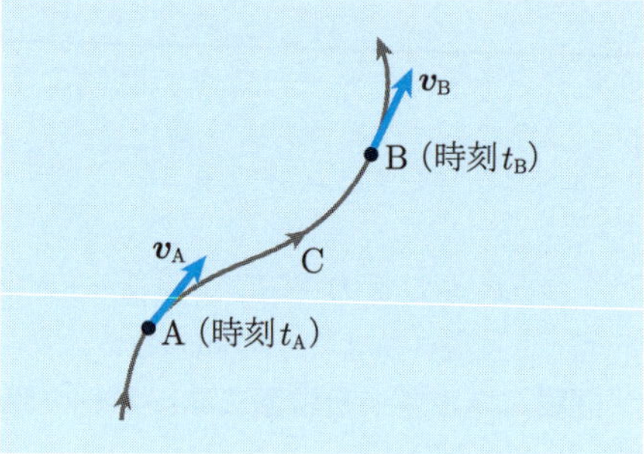

図 3.6　質点の軌道

$$\frac{d}{dt}\left(\frac{1}{2}m\dot{\boldsymbol{r}}^2\right) = \boldsymbol{F}\cdot\dot{\boldsymbol{r}} \tag{2}$$

と書ける．(2) を t に関し t_{A} から t_{B} まで積分し質点の速度 $\boldsymbol{v}$ が $\boldsymbol{v} = \dot{\boldsymbol{r}}$ であることを利用すると

$$\frac{1}{2}m{v_{\mathrm{B}}}^2 - \frac{1}{2}m{v_{\mathrm{A}}}^2 = \int_{t_{\mathrm{A}}}^{t_{\mathrm{B}}} \boldsymbol{F}\cdot\dot{\boldsymbol{r}}\,dt \tag{3}$$

となる．(3) の右辺で $\dot{\boldsymbol{r}}dt = d\boldsymbol{r}$ とすれば，この積分は A→B と質点が運動したとき力のする仕事 W に等しいことがわかる．よって，(3.11) を使うと，(3) は $K(\mathrm{B}) - K(\mathrm{A}) = W$ と表される．

問　題

5.1　60 kg の体重の人が 4 m/s の速さで走っているとき，その人のもつ運動エネルギーは何 J か．

5.2　初速度 v_0 で鉛直下方に距離 x だけ落下したとき質点のもつ速度を v とすれば第 2 章の問題 2.1 により $2gx = v^2 - {v_0}^2$ が成り立つ．(3.13) を利用してこの関係を導け．

5.3　質量 0.15 kg の弾丸を固定された材木に打ち込むとき，材木からの抵抗力は一定であると仮定して，次の問に答えよ．

(a)　弾丸の速さが 120 m/s のとき弾丸は 3 cm 材木にくいこんだ．材木からの抵抗力はいくらか．

(b)　材木に 5 cm くいこませるための弾丸の速さを求めよ．

例題 6 **力学的エネルギー保存則の導出**

力学的エネルギー保存則に関する以下の設問に答えよ．

(a) ポテンシャル U はあらわには時間を含まず，$U = U(x, y, z)$ と書けるとする．質点がある軌道に沿って運動するとき，質点の座標 x, y, z は t の関数となり，したがって U も t の関数となる．このとき

$$\frac{d}{dt}U(x, y, z) = \frac{\partial U}{\partial x}\dot{x} + \frac{\partial U}{\partial y}\dot{y} + \frac{\partial U}{\partial z}\dot{z} = \dot{\boldsymbol{r}} \cdot \nabla U$$

の関係が成り立つことを示せ．

(b) 力が保存力から導かれ $\boldsymbol{F} = -\nabla U$ と表される場合，運動方程式から $dE/dt = 0$ の関係を証明せよ．

解答 (a) 多変数のテイラー展開を利用すると

$$\frac{U(x+dx, y+dy, z+dz) - U(x, y, z)}{dt}$$
$$= \frac{\partial U}{\partial x}\frac{dx}{dt} + \frac{\partial U}{\partial y}\frac{dy}{dt} + \frac{\partial U}{\partial z}\frac{dz}{dt} + \frac{O[(dx)^2, dxdy, \cdots]}{dt}$$

であるが，右辺の最後の項は $dt \to 0$ の極限で 0 となり，題意の関係が得られる．

(b) 保存力の場合，例題 5 の (2) の右辺は $-\dot{\boldsymbol{r}} \cdot \nabla U$ となる．これに (a) の結果を適用すると

$$\frac{d}{dt}\left[\frac{1}{2}m\dot{\boldsymbol{r}}^2 + U(x, y, z)\right] = 0$$

が導かれる．上式は

$$\frac{dE}{dt} = 0$$

を意味し，E が時間 t によらず一定であることを示す．2.6 節で述べたように，運動の間中，一定となっている量を運動の定数という．すなわち，E は運動の定数となり，力学的エネルギー保存則が導かれたことになる．

問 題

6.1 質点がなめらかな束縛を受けていると，質点には U から導かれる力以外に束縛力 $\boldsymbol{R}$ が働く．いまの場合，$\boldsymbol{R} \cdot \dot{\boldsymbol{r}} = 0$ が成り立つことを示せ．

6.2 なめらかな束縛を受ける質点の運動方程式と $\dot{\boldsymbol{r}}$ とのスカラー積をとり，問題 6.1 の結果を利用して，いまの場合にも力学的エネルギー保存則が成立することを確かめよ．

3.4　力学的エネルギー保存則の応用

力学的エネルギー保存則は，それ自身物理学における 1 つの重要な法則であるが，それと同時に，以下のような観点から力学の具体的な問題に適用されている．

● 運動方程式の解 ●　x 軸上を運動する質点に働く力 F が保存力であれば F は

$$F = -\frac{dU}{dx} \tag{3.15}$$

と表される．ただし，1 変数を考えるので，偏微分の記号でなく通常の微分記号を用いた．質点の速度は $\dot{x}$ と書けるので，力学的エネルギー保存則は

$$\frac{1}{2}m\dot{x}^2 + U(x) = E \tag{3.16}$$

となる．元来の運動方程式は二階の微分方程式であるから，その解は積分定数を 2 個含む．E はそのうちの 1 個であり，他の定数については例題 7 で論じる．

● 運動の定性的な様子 ●　具体的に運動方程式を解かなくても，運動の定性的な様子は (3.16) からわかる．いま，$U(x)$ を x の関数として図示したとき，例えば図 3.7 のような曲線で表されるとする．(3.16) を $E - U(x) = (1/2)m\dot{x}^2$ と書けば

$$E \geq U(x) \tag{3.17}$$

の成り立つことがわかる．したがって，質点の運動は (3.17) の条件を満たすような領域で起こる．

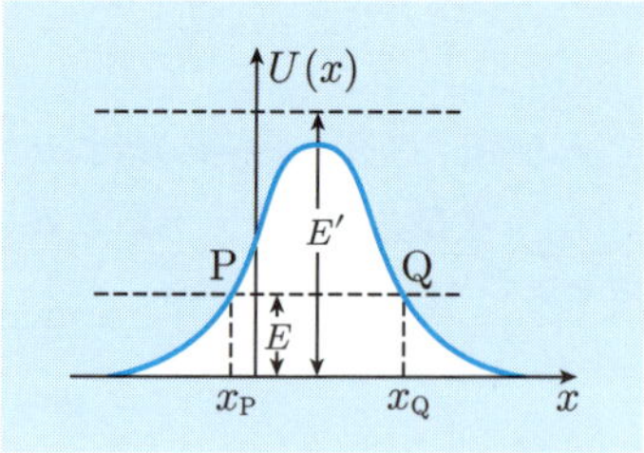

図 3.7　$U(x)$ の x 依存性

この点に注意し，図 3.7 の縦軸に定数 E をとり，図のように x 軸に平行な直線を引く．この曲線と $U(x)$ との交点を P，Q とし，その座標を x_P，x_Q とすれば，(3.17) を満たす範囲は $x \leq x_P$ あるいは $x \geq x_Q$ で，運動はこのうちのどちらかの領域でおこる．前者では $x = -\infty$ にいた質点が右向きに運動し x_P に達したとき速度は 0 となる．その後左向きに運動し $-\infty$ に戻る．後者では $x = \infty$ にいた質点が左向きに運動し x_Q で折り返して右向きに戻って行く．一方，力学的エネルギーが図 3.7 に示した E' のような値をもつと，運動は x の全領域（$-\infty < x < \infty$）で起こる．この場合，質点は一方向き（右向きあるいは左向き）に運動する．

● 束縛力の決定 ●　力学エネルギー保存則と運動方程式とを組み合わせると束縛力が求まる．具体例については以下の例題を参照せよ．

例題 7　　**x 軸上を運動する質点**

x 軸上を運動する質量 m の質点があり，これにはポテンシャル $U(x)$ から導かれる力が働くとする．力学的エネルギーが E で与えられるとき，この質点の運動を決定せよ．

解答　(3.16) から $\dot{x} = \pm\sqrt{2/m}\sqrt{E-U(x)}$，すなわち

$$\pm\sqrt{\frac{m}{2}}\frac{dx}{\sqrt{E-U(x)}} = dt$$

が導かれる．これを積分すると C を任意定数として

$$\pm\sqrt{\frac{m}{2}}\int\frac{dx}{\sqrt{E-U(x)}} = t + C$$

となり，左辺の積分が計算できれば，質点の運動を決めることができる．E と C は運動方程式の解に現れる積分定数である．

問　題

7.1　線形復元力 $F = -m\omega^2 x$ に対するポテンシャルは

$$U(x) = \frac{1}{2}m\omega^2 x^2$$

であることを示し，例題 7 の方法により運動（単振動）を決めよ．

7.2　単振動の力学的エネルギー E に対する表式を導け．また，図 3.7 に相当する図は図 3.8 のようになるが，この図から次の関係を導け．

$$E = \frac{1}{2}m\omega^2 A^2$$

ただし，A は振動の振幅である．上のエネルギーを**振動のエネルギー**という場合がある．さらに，単振動に対する $x = A\sin(\omega t + \alpha)$ から力学的エネルギーを計算し上の結果を確かめよ．

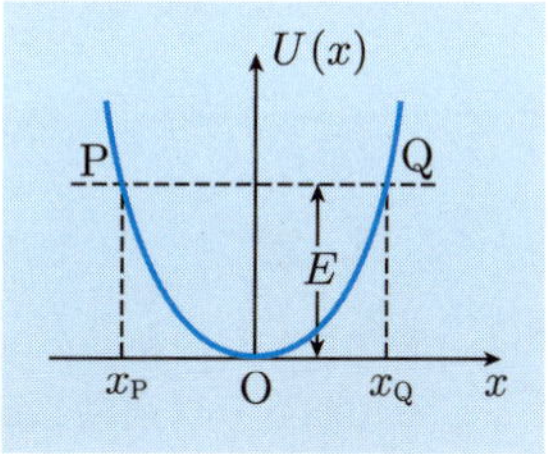

図 3.8　単振動の $U(x)$

7.3　質量 0.2 kg の質点が振動数 5 Hz，振幅 0.2 m の単振動をしている．その振動のエネルギーは何 J か．

7.4　地表から v_0 の初速度で質点を投げ上げたとき，放物運動に対する力学的エネルギー保存則はどのように表されるか．また，真上に投げ上げた場合，最高の高さ z_0 を求めよ．

例題 8　　**単振り子の糸の張力**

図 3.9 のように，長さ l の糸の先端に質量 m のおもりをつけた単振り子を考える．おもりが最下点にあるときの速さを v_0 とすれば，糸が鉛直方向から角 φ だけ傾いたとき糸の張力 T は次のように表されることを示せ．

$$T = m\frac{{v_0}^2}{l} - 2mg + 3mg\cos\varphi$$

解答　糸の張力はおもりの運動方向と垂直であるから仕事をせず，空気の抵抗などがなければ，力学的エネルギー保存則が適用できる．図のようにおもりの高さが y のときのおもりの速さを v とする．おもりの最下点 $(\varphi = 0)$ をエネルギーの基準にとると，重力の位置エネルギーは $U = mgy$ で与えられる．したがって，力学的エネルギー E は $E = (1/2)mv^2 + mgy$ と表される．また，最下点では $E = m{v_0}^2/2$ である．図からわかるように，$y = l(1-\cos\varphi)$ が成り立つので，力学的エネルギー保存則から次式が得られる．

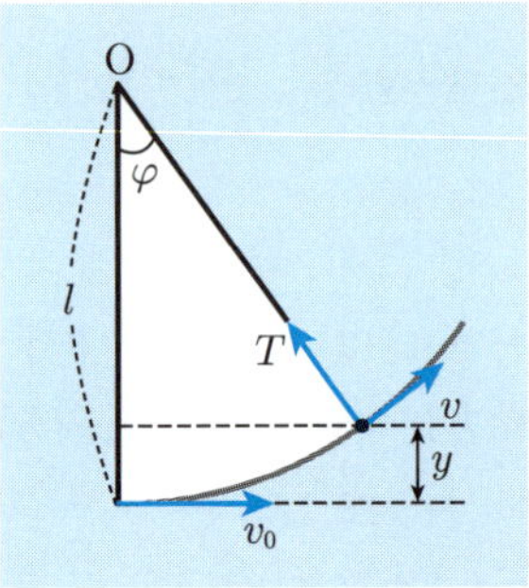

図 3.9　単振り子の糸の張力

$$v^2 = {v_0}^2 - 2gl(1-\cos\varphi) \tag{1}$$

一方，法線方向の運動方程式は

$$m\frac{v^2}{l} = T - mg\cos\varphi \tag{2}$$

と書け，(1)，(2) から与式が求まる．

問　題

8.1　単振り子のおもりが $\varphi = 0$ で静止しているとし，これに水平方向の速さ v_0 を与えるとおもりは運動し最高点に達する．このときの φ の値を φ_{m} とする．${v_0}^2 \leq 2gl$ の条件が満たされると $\varphi_{\mathrm{m}} \leq \pi/2$ で，糸がたるまず振動が起こることを示せ．また，$l = 1\,\mathrm{m}$ のとき，このような振動が可能なための v_0 の範囲を求めよ．

8.2　糸がおもりを束縛するためには $T > 0$ でないといけない．$T < 0$ は糸がおもりを押すことを意味し，糸の場合このような状況は起こり得ない．したがって $T = 0$ のところで糸がたるんでしまう．この点を考慮に入れ次のことを示せ．

(a)　T は $\varphi = \pi$（図 3.9 で半径 l の円の最上点）で最小になる．

(b)　${v_0}^2 > 5gl$ が満たされるとおもりは回転運動を続ける．

8.3　$2gl < {v_0}^2 < 5gl$ の場合のおもりの運動について論じよ．

例題 9　**なめらかな球面上の質点**

半径 a のなめらかな球面上に束縛されている質量 m の質点がある．この質点が球の頂上から図 3.10 のように初速度 v_0 ですべり落ちるとして，以下の設問に答えよ．

(a)　質点が鉛直方向から角 θ だけ傾いたときの質点の速さ v を求めよ．

(b)　そのときの垂直抗力 N はいくらか．

(c)　質点が球面から離れるときの θ の値を計算せよ．

解答　(a)　なめらかな束縛であるから力学的エネルギー保存則が適用できる．したがって，中心 O を重力の位置エネルギーの基準にとると次式が成り立つ．

$$\frac{1}{2}mv^2 + mga\cos\theta = \frac{1}{2}m{v_0}^2 + mga$$

$$\therefore \quad v = \sqrt{{v_0}^2 + 2ga(1-\cos\theta)}$$

(b)　法線方向の運動方程式から $mv^2/a = mg\cos\theta - N$ となり (a) で求めた v を代入し次式が得られる．

$$N = mg(3\cos\theta - 2) - \frac{m{v_0}^2}{a}$$

(c)　$N=0$ とおけば，質点が球面から離れる次のような θ が求まる．

$$\cos\theta = \frac{2}{3} + \frac{{v_0}^2}{3ga} \qquad \therefore \quad \theta = \cos^{-1}\left(\frac{2}{3} + \frac{{v_0}^2}{3ga}\right)$$

問　題

9.1　v_0 がある値より大きいと，質点は球面をすべり落ちず，球の頂上からただちに球面を離れてしまう．そのような v_0 を求めよ．

9.2　初速度が 0 のとき球面を離れる角は何度か．

9.3　図 3.11 のように半径 a のなめらかな円輪に束縛された質量 m の質点がある．円輪は鉛直方向の直径を軸として等角速度 ω で回転しているとする．この円輪上で質点が静止しているための条件を導け．

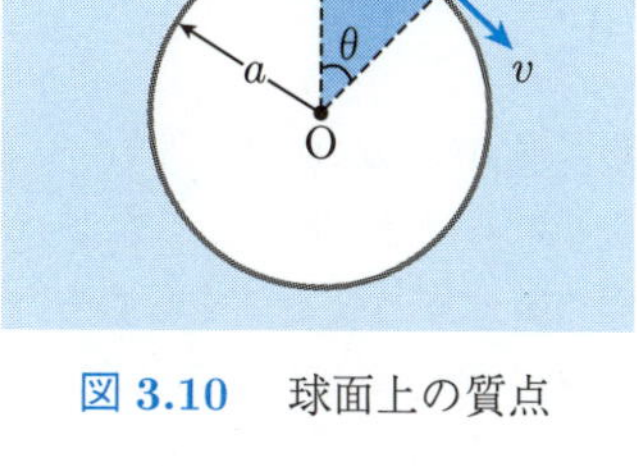

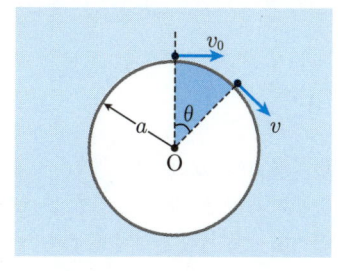

図 3.10　球面上の質点

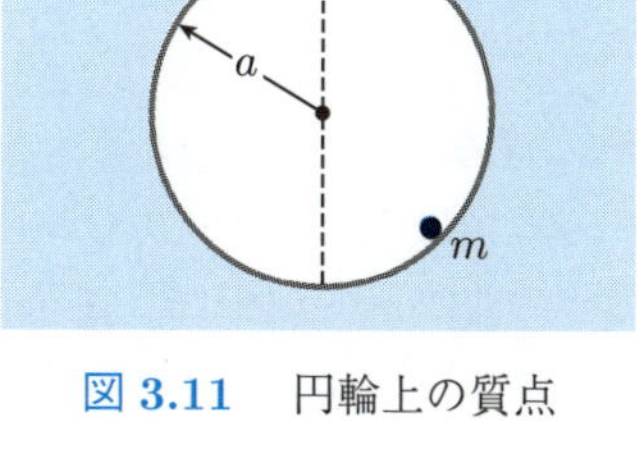

図 3.11　円輪上の質点

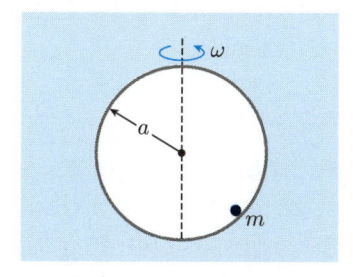

3.5　力学的エネルギーの散逸

• 保存力と非保存力 •　保存力の場合，力学的エネルギー保存則が成り立つ．ところが，現実の力がいつも保存力であるとは限らない．例えば，静止摩擦力，動摩擦力，空気の抵抗力などは物体の位置だけでなくその進行方向に依存し保存力ではあり得ない．このような力は非保存力である．

• 力学的エネルギーの散逸 •　非保存力が働くと，体系の力学的エネルギーが減少していく．このような現象を力学的エネルギーの**散逸**という．この失われたエネルギーは，熱エネルギー，音のエネルギーなど他の種類のエネルギーに変わる．力学的エネルギーの散逸を調べるため，質量 m の質点に，保存力 $-\nabla U$ と非保存力（摩擦力とか抵抗力など）$\boldsymbol{F}'$ が同時に働くとする．運動方程式は

$$m\ddot{\boldsymbol{r}} = -\nabla U + \boldsymbol{F}' \tag{3.18}$$

と書けるが，上式と $\dot{\boldsymbol{r}}$ とのスカラー積をとりその結果を変形すると

$$\frac{d}{dt}\left[\frac{1}{2}m\dot{\boldsymbol{r}}^2 + U(x,y,z)\right] = \boldsymbol{F}' \cdot \dot{\boldsymbol{r}} \tag{3.19}$$

と表される．[　] 内の量は力学的エネルギーであるからこれを E と書く．非保存力が働く場合には (3.19) の右辺は 0 でないから，E は定数とならず力学的エネルギー保存則が破れてしまう．なお，質点がなめらかな束縛を受けるとき，束縛力 $\boldsymbol{R}$ に対して $\boldsymbol{R}\cdot\dot{\boldsymbol{r}} = 0$ が成り立つので，以下の議論はこのような場合にも適用できる．

• 力学的エネルギーの時間変化 •　(3.19) を時刻 t_{A} から t_{B} まで t に関して積分し

$$E(\mathrm{B}) - E(\mathrm{A}) = \int_{t_{\mathrm{A}}}^{t_{\mathrm{B}}} \boldsymbol{F}' \cdot \dot{\boldsymbol{r}}\,dt \tag{3.20}$$

となる．ただし，$E(\mathrm{B})$，$E(\mathrm{A})$ はそれぞれ t_{B}，t_{A} における力学的エネルギーである．(3.20) の右辺は t_{A} から t_{B} まで質点が運動したとき力 $\boldsymbol{F}'$ のした仕事 W' に等しい．したがって，(3.20) は

$$E(\mathrm{B}) - E(\mathrm{A}) = W' \tag{3.21}$$

と書ける．すなわち，力学的エネルギーの増加は非保存力のした仕事に等しい．質点が運動する際，摩擦力とか抵抗力は，必ずその運動を妨げる向きに働く．したがって，力 $\boldsymbol{F}'$ は質点の変位 $d\boldsymbol{r}$ と逆向きとなり，このため $\boldsymbol{F}'\cdot d\boldsymbol{r} < 0$ となる．すなわち，(3.21) の W' は常に負で，力学的エネルギーは摩擦などが働くと必ず減少することがわかる．

例題 10　あらい斜面をすべり落ちる質点

水平面と角 θ ($\theta >$ 摩擦角) をなすあらい斜面上で，質量 m の質点が点 A から初速度 v_0 ですべり落ち，斜面に沿って距離 s だけ進み点 B に到達したとする（図 3.12）．点 B に対する点 A の高さを h，質点と斜面との間の動摩擦係数を μ' として，次の問に答えよ．

(a)　質点が点 A から点 B まで移動した間に非保存力のした仕事 W' はいくらか．

(b)　点 B における質点の速さ v を求めよ．

解答　(a)　斜面に垂直な力のつり合いから垂直抗力 N は $N = mg\cos\theta$ と書け，動摩擦力の大きさ F' は $F' = mg\mu'\cos\theta$ と求まる．したがって，W' は次のように表される．

$$W' = -mg\mu' s\cos\theta$$

(b)　点 B を通る水平面を重力の位置エネルギーの基準にとると，点 B，A における力学的エネルギーは，それぞれ

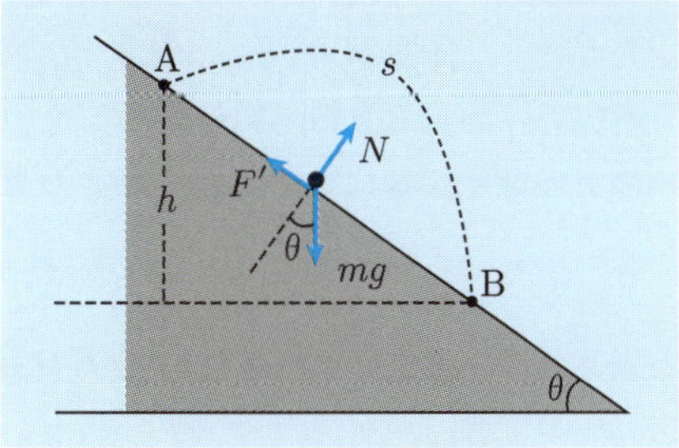

図 3.12　あらい斜面

$$E(\mathrm{B}) = \frac{1}{2}mv^2, \quad E(\mathrm{A}) = \frac{1}{2}m{v_0}^2 + mgh$$

と表される．(3.21) ならびに $s = h/\sin\theta$，$\cot\theta = \cos\theta/\sin\theta$ の関係を利用すると

$$v = \sqrt{{v_0}^2 + 2gh(1 - \mu'\cot\theta)}$$

が得られる．

問　題

10.1　水平面と 30° の角をなす高さ 30 m のスキーのジャンプ台がある．ジャンパーと斜面との間の動摩擦係数を 0.1 であるとし，次の設問に答えよ．

(a)　初速度 0 ですべり出したジャンパーが飛び出すときの速さは斜面をなめらかと仮定したときの α 倍とする．α を求めよ．

(b)　ジャンパーが飛び出すときの速さは時速何 km か．

10.2　質量 m の質点が鉛直線上を自由落下するとき，その速さ v に比例する大きさ $m\gamma v$ の抵抗力が働くとする．初速度 0 で落下を始めた質点が時間 T の間に失なった力学的エネルギーの量 Q を求めよ．また，$T \to \infty$ の極限を考え，得られる結果の物理的な意味について論じよ．

10.3　2 台の質量 1 トン，速さ 30 km/h のトラック同士が正面衝突し両者とも静止した．衝突で失われた力学的エネルギーは何 J か．

4 万有引力

4.1 万有引力の法則

• 万有引力 •　質量をもつ 2 つの物体の間には互いに引き合う力が働き，これを**万有引力**という．質量 M の質点と質量 m の質点とが距離 r だけ離れているとき（図 4.1），万有引力は両質点を結ぶ線に沿い，その大きさ F は質量の積 mM に比例し質点間の距離 r の 2 乗に反比例する．これを**万有引力の法則**という．この法則により F は

$$F = G\frac{mM}{r^2} \tag{4.1}$$

と表される．上式で比例定数 G を**万有引力定数**あるいは**重力定数**という．その数値は

$$G = 6.67 \times 10^{-11}\,\mathrm{N \cdot m^2/kg^2} \tag{4.2}$$

である．質量 M の質点が質量 m の質点に万有引力 $\boldsymbol{F}$ を及ぼすと，作用反作用の法則により，質量 m の質点は質量 M の質点に $-\boldsymbol{F}$ の力を及ぼす（図 4.1）．

• 万有引力の例 •　質量 2 kg の質点と質量 3 kg の質点が 0.3 m 離れているとしたとき，両者の質点間に働く万有引力の大きさ F は次のように計算される．

$$F = 6.67 \times 10^{-11} \times \frac{2 \times 3}{(0.3)^2}\,\mathrm{N} = 4.45 \times 10^{-9}\,\mathrm{N}$$

• 万有引力のポテンシャル •　質量 M の質点の位置ベクトルを $\boldsymbol{R}$，質量 m の質点の位置ベクトルを $\boldsymbol{r}$ とすると（図 4.2），万有引力のポテンシャル U は

$$U = -\frac{GmM}{|\boldsymbol{r} - \boldsymbol{R}|} \tag{4.3}$$

で与えられる（例題 1）．

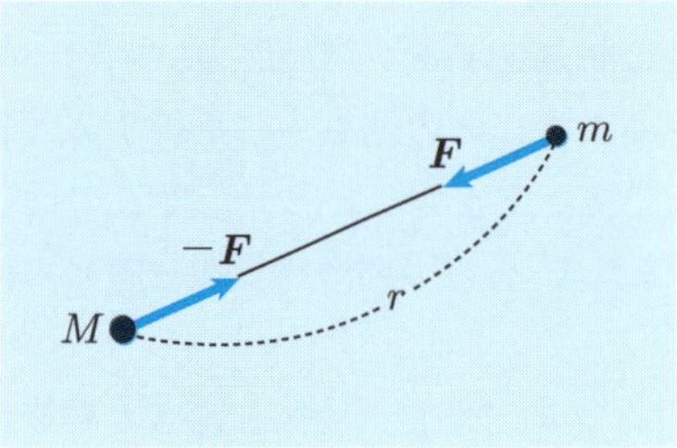

図 4.1　万有引力

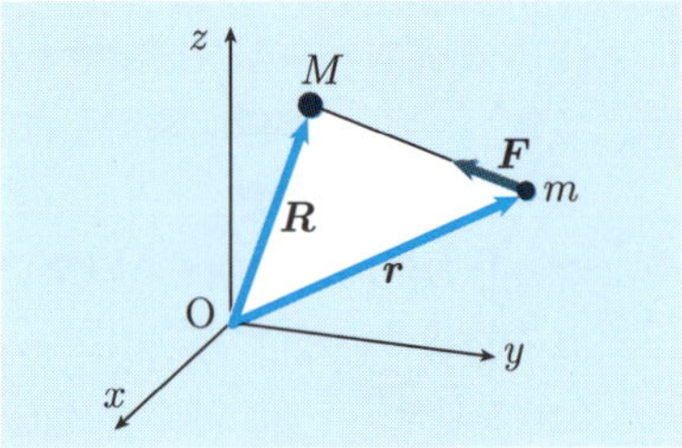

図 4.2　万有引力のポテンシャル

例題 1　**万有引力のポテンシャル**

図 4.2 で示すように，質量 M の質点（位置ベクトル $\boldsymbol{R}$）が質量 m（位置ベクトル $\boldsymbol{r}$）の質点に及ぼす万有引力を $\boldsymbol{F}$ と書く．次の問に答えよ．

(a)　$\boldsymbol{F}$ は次のように表されることを証明せよ．

$$\boldsymbol{F} = -\frac{GmM}{|\boldsymbol{r}-\boldsymbol{R}|^2}\frac{\boldsymbol{r}-\boldsymbol{R}}{|\boldsymbol{r}-\boldsymbol{R}|} \tag{1}$$

(b)　上の $\boldsymbol{F}$ は (4.3) のポテンシャルから導かれることを示せ．

解答　(a)　M の質点から m の質点へ向かう単位ベクトル（大きさ 1 のベクトル）は $(\boldsymbol{r}-\boldsymbol{R})/|\boldsymbol{r}-\boldsymbol{R}|$ で与えられる．$\boldsymbol{F}$ は向き，大きさを考え (1) のように表される．

(b)　空間内に適当な座標原点 O を選び，座標系 x, y, z を導入し，$\boldsymbol{R}, \boldsymbol{r}$ の座標を

$$\boldsymbol{R} = (X, Y, Z), \quad \boldsymbol{r} = (x, y, z)$$

と書く．定義により (1) の各成分は，x, y, z の関数のポテンシャル U により

$$F_x = -\frac{\partial U}{\partial x}, \quad F_y = -\frac{\partial U}{\partial y}, \quad F_z = -\frac{\partial U}{\partial z} \tag{2}$$

と表される．ただし，X, Y, Z は固定しておくと考える．(1) の x 成分をとると

$$F_x = -\frac{GmM(x-X)}{|\boldsymbol{r}-\boldsymbol{R}|^3} \tag{3}$$

が得られる．一方，$|\boldsymbol{r}-\boldsymbol{R}|$ に対する次の関係

$$|\boldsymbol{r}-\boldsymbol{R}| = [(x-X)^2+(y-Y)^2+(z-Z)^2]^{1/2} \tag{4}$$

に注意すると，(4.3) から

$$-\frac{\partial U}{\partial x} = GmM\frac{\partial}{\partial x}\frac{1}{[(x-X)^2+(y-Y)^2+(z-Z)^2]^{1/2}}$$
$$= -GmM\frac{x-X}{[(x-X)^2+(y-Y)^2+(z-Z)^2]^{3/2}} = -\frac{GmM(x-X)}{|\boldsymbol{r}-\boldsymbol{R}|^3}$$

となり，(3) の F_x と比べ $F_x = -\partial U/\partial x$ の成り立つことがわかる．y, z 方向でもまったく同様で，こうして (4.3) の U が万有引力のポテンシャルであることが示された．なお，この U では，質点間の距離が ∞ になったとき，ポテンシャルが 0 になるよう基準を決めている．

問　題

1.1　$F_X = -\partial U/\partial X$ とすれば $F_X = -F_x$ であることを示せ．同様に y, z 方向を考え $F_Y = -F_y$, $F_Z = -F_z$ となる．

1.2　上の結果は物理的に何を意味しているか．

例題 2　力の和とポテンシャルの和

1 つの質点に $\boldsymbol{F}_1, \boldsymbol{F}_2, \cdots, \boldsymbol{F}_n$ という力が同時に働き，これらの力はそれぞれ適当なポテンシャルから導かれるとし

$$\boldsymbol{F}_1 = -\nabla U_1, \quad \boldsymbol{F}_2 = -\nabla U_2, \quad \cdots, \quad \boldsymbol{F}_n = -\nabla U_n$$

と書けるとする．このとき合力に対するポテンシャルはどのように表されるか．

解答　合力 $\boldsymbol{F}$ は

$$\boldsymbol{F} = \boldsymbol{F}_1 + \boldsymbol{F}_2 + \cdots + \boldsymbol{F}_n = -\nabla(U_1 + U_2 + \cdots + U_n)$$

で与えられる．したがって，全体のポテンシャル U を

$$U = U_1 + U_2 + \cdots + U_n$$

で定義すれば，合力 $\boldsymbol{F}$ は $\boldsymbol{F} = -\nabla U$ と書ける．すなわち，個々のポテンシャルの和が全体のポテンシャルとなる．力はベクトルであるためその和を計算するのはやっかいだが，ポテンシャルはスカラーなので和をとるのは簡単である．

問　題

2.1　図 4.3 で示すように n 個の質点があり，i 番目の質点の質量を M_i，位置ベクトルを $\boldsymbol{R}_i$ とする．以下の設問に答えよ．

(a)　i 番目の質点が位置ベクトル $\boldsymbol{r}$ にある質量 m の質点に及ぼすポテンシャル U_i は次のように書けることを示せ．

$$U_i = -\frac{GmM_i}{|\boldsymbol{r} - \boldsymbol{R}_i|}$$

(b)　n 個全体の質点が作るポテンシャルは次式で与えられることを確かめよ．

$$U = -\sum_{i=1}^{n} \frac{GmM_i}{|\boldsymbol{r} - \boldsymbol{R}_i|}$$

2.2　xy 面上，質量 M の質点 A が $(a, 0)$ に，また同質量の質点 B が $(-a, 0)$ におかれている（図 4.4）．座標 x, y にある質量 m の質点 C が受ける万有引力のポテンシャルおよび万有引力の x, y 成分を求めよ．

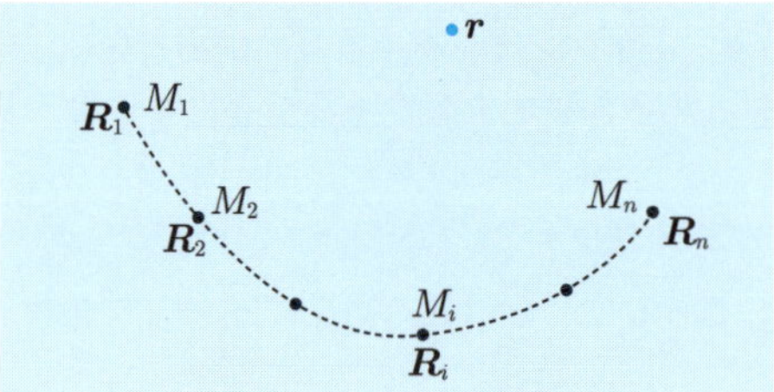

図 4.3　n 個の質点

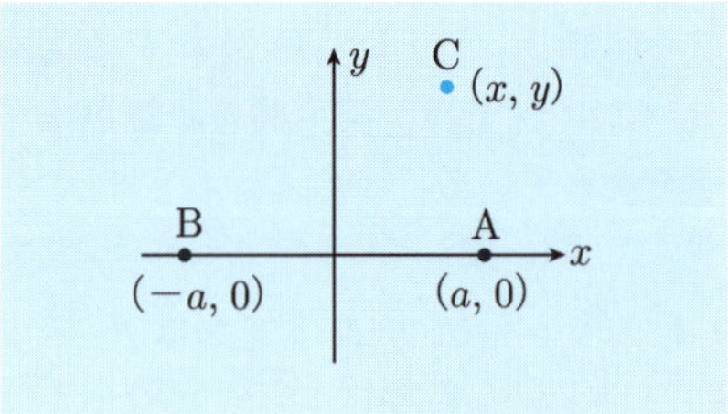

図 4.4　2 個の質点

4.2 球による万有引力

● **質量の連続分布** ●　図 4.5 のように，領域 V を占める物体を考え $\boldsymbol{r}'$ 近傍の微小体積 dV をとって，dV 部分の質量を $\rho(\boldsymbol{r}')dV$ と書く［$\rho(\boldsymbol{r}')$ は**密度**］．dV 部分が質量 m の質点（位置ベクトル $\boldsymbol{r}$）に及ぼすポテンシャル dU は (4.3) により

$$dU = -Gm\frac{\rho(\boldsymbol{r}')dV}{|\boldsymbol{r}-\boldsymbol{r}'|} \tag{4.4}$$

と表される．したがって，物体全体が及ぼす全ポテンシャル U は次のように書ける．

$$U = -Gm\int_{\mathrm{V}}\frac{\rho(\boldsymbol{r}')dV}{|\boldsymbol{r}-\boldsymbol{r}'|} \tag{4.5}$$

ここで積分記号の添字 V は領域 V にわたる体積積分を明記したものである．

● **一様な球** ●　(4.5) の応用例として，密度の一様な球が外部に及ぼす万有引力を考える．図 4.6 のような半径 a の球の中心 O を座標原点にとり，z 軸上で O から距離 R の点 P に質量 m の質点があるとする．O の周りでの球対称性を考慮すると，z 軸上の点をとっても一般性を失わない．球は一様としたので密度 ρ は一定値となる．図 4.6 のように，dV 部分と点 P との間の距離を r' とすれば (4.5) により，U は

$$U = -Gm\rho\int_{\mathrm{V}}\frac{dV}{r'} \tag{4.6}$$

と表される．dV 部分を表すのに極座標 r, θ, φ を導入すると上の積分が具体的に実行でき，$R \geq a$ の場合，次の結果が得られる（例題 3）．

$$U = -\frac{GmM}{R} \tag{4.7}$$

ただし，M は球の全質量で，(4.7) は球の全質量が球の中心に集中すると考えたときのポテンシャルに等しい．

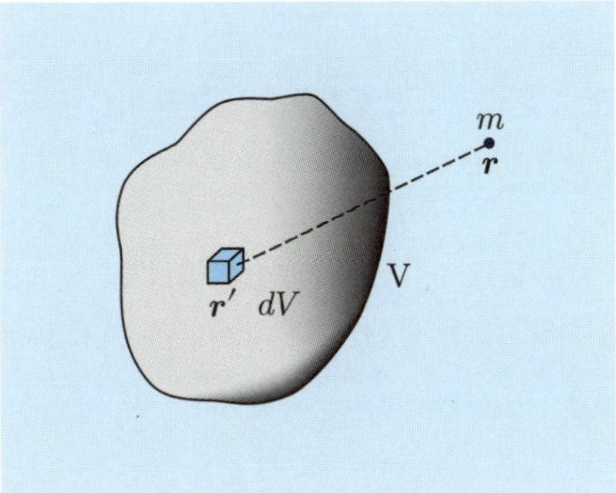

図 4.5　質量の連続分布

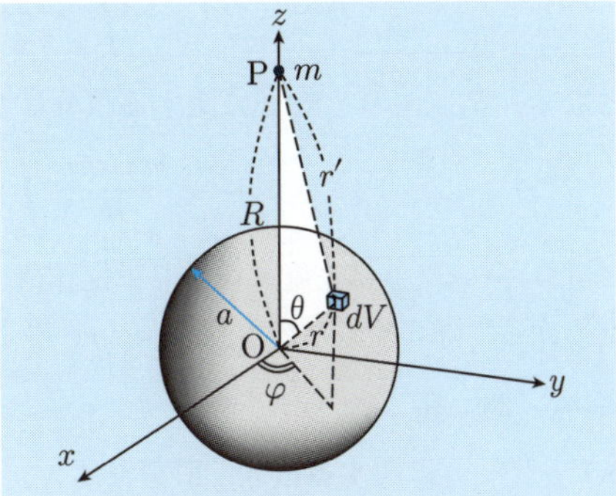

図 4.6　球による万有引力

例題 3 **球による万有引力**

一様な球が生じる万有引力を求めるため，以下の設問に答えよ．

(a) 極座標を用いると微小体積 dV は次のように書けることを証明せよ．

$$dV = r^2 \sin\theta dr d\theta d\varphi$$

(b) 球の生じる全ポテンシャル U に対する次の表式を導け．

$$U = -Gm\rho \int \frac{r^2 \sin\theta dr d\theta d\varphi}{(R^2 + r^2 - 2Rr\cos\theta)^{1/2}}$$

(c) 上の積分を実行し $R \geq a$ で (4.7) の結果を確かめよ．

解答 (a) $r \sim r + dr$, $\theta \sim \theta + d\theta$, $\varphi \sim \varphi + d\varphi$ の範囲は図 4.7 のような微小立体で表される．この微小部分は各辺の長さが $dr, rd\theta, r\sin\theta d\varphi$ の直方体に近似的に等しいので，これらの積をとり与式が得られる．

(b) O から dV に向かう位置ベクトルを $\boldsymbol{r}$, dV から P に向かうものを $\boldsymbol{r}'$, O から P に向かうものを $\boldsymbol{R}$ とすれば $\boldsymbol{r}' = \boldsymbol{R} - \boldsymbol{r}$ で $r'^2 = R^2 + r^2 - 2\boldsymbol{R}\cdot\boldsymbol{r}$ となる．$\boldsymbol{R}$ と $\boldsymbol{r}$ とのなす角は θ に等しいので $\boldsymbol{R}\cdot\boldsymbol{r} = Rr\cos\theta$ と書け

$$r' = (R^2 + r^2 - 2Rr\cos\theta)^{1/2}$$

である．上式を (4.6) に代入し (a) の結果を利用すると U の表式が得られる．

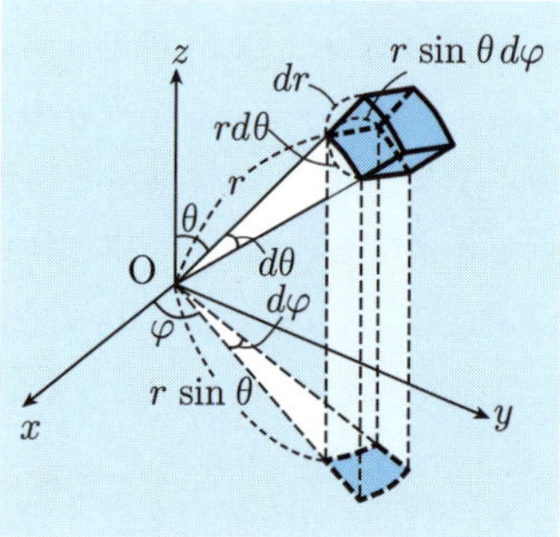

図 4.7 極座標における微小体積

(c) 積分範囲は $0 \leq \varphi \leq 2\pi$, $0 \leq \theta \leq \pi$, $0 \leq r \leq a$ である．φ の積分は直ちにできて因数 2π が現れる．また $\cos\theta = x$ の変数変換を行うと $-\sin\theta d\theta = dx$ が得られ，θ が $0 \to \pi$ と変わるとき，x は $1 \to -1$ と変化する．こうして，U は

$$U = -2\pi Gm\rho \int_0^a r^2 dr \int_{-1}^1 \frac{dx}{(R^2 + r^2 - 2Rrx)^{1/2}}$$

となる．$R \geq a$ のとき x に関する積分は $2/R$ に等しいことを利用し (問題 3.1)

$$U = -\frac{4\pi Gm\rho}{R} \int_0^a r^2 dr = -\frac{4\pi Gm\rho a^3}{3R}$$

と計算される．ρ は密度すなわち単位体積当たりの質量で，一方，球の体積は $4\pi a^3/3$ であるから，球の質量 M は $M = 4\pi\rho a^3/3$ と書ける．これを利用すると (4.7) が求まる．

問題

3.1 上の x に関する積分を計算せよ．

3.2 球の内部を考えたとき，すなわち $R \leq a$ の場合に U はどのように表されるか．

例題 4 **一様な球の間の万有引力**

2 つの一様な球が互いに重ならないとして，両球の間に働く万有引力を求めよ．

解答 図 4.8(a) に示したように，一様な球 A（中心 O，半径 a，質量 M）と一様な球 B（中心 O′，半径 b，質量 M'）があるとし，OO′ 間の距離を R とする．ただし，両球は重ならないとしたので，$R > a + b$ が成り立つ．球 A が球 B に及ぼす万有引力を考えると，球 A を点 O にある質量 M の質点におきかえてよい［同図 (b)］．同様な議論により，球 B を点 O′ にある質量 M' の質点におきかえることができ［同図 (c)］，結局，ポテンシャルは $-GMM'/R$ と表される．すなわち，一様な球同士に働く万有引力は，各球の全質量がそれぞれの中心に集中したと考えたときの質点間に働く万有引力に等しい．

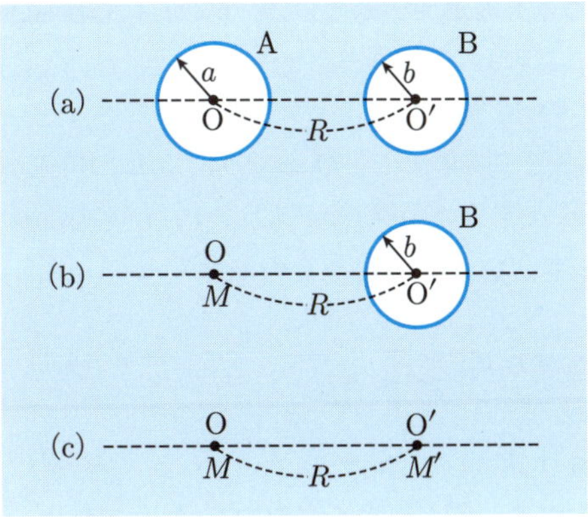

図 4.8 一様な球の間の万有引力

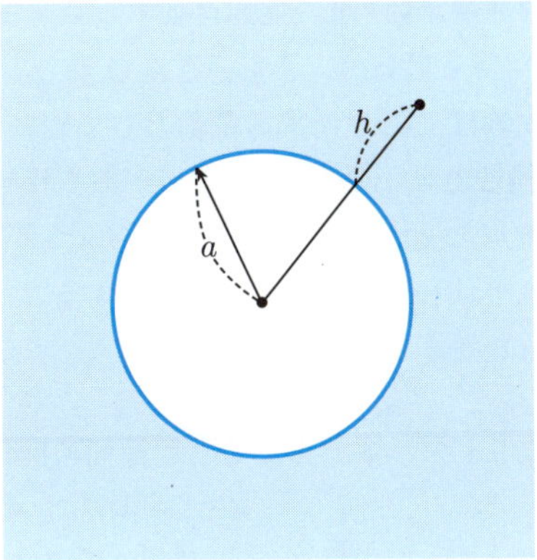

図 4.9 地表からの高さと重力

問 題

4.1 地球は大きな球（半径 6.37×10^6 m）で，地球の外部にある物体は地球の各部分から万有引力を受け，これらの力を加えたものが物体に働く重力となる．地球を一様な球（質量 5.98×10^{24} kg）とみなし，地表にある質量 1 kg の質点に働く重力の大きさを求めよ．また，それを重力加速度と比較せよ．

4.2 物体に働く重力の大きさは物体が高い位置にあるほど小さくなる．図 4.9 のように地表からの高さが h の点で重力が地表の $(1/b)$ 倍であるとする $(b > 1)$．h を地球の半径 a と b で表せ．また，$b = 5$ のとき h は何 km か．

4.3 仮に地球の中心を通る直径に沿って穴を作り，その中で質点を運動させたとする．質点はどのような運動を行うか．

5 相対運動

5.1 並進座標系における運動方程式

• 並進座標系 • 原点をOとする x, y, z の座標系が慣性系であると仮定する．簡単のため，この座標系をO系または静止系と呼ぶ．原点を O′ とし，それぞれ x, y, z 軸に平行な x', y', z' 軸をもつような座標系を導入し，点 O′ はO系からみたとき適当な運動を行うとする（図 5.1）．各座標軸は平行を保ったまま運動すると考えるので，この種の運動を**並進運動**，また並進運動するような座標系を**並進座標系**という．以後，この座標系を O′ 系と呼ぼう．また，原点Oからみたときの O′ の位置ベクトルを $\boldsymbol{r}_0 = (x_0, y_0, z_0)$ とすれば，$\boldsymbol{r}_0$ は時間の関数として変わっていく．

• 慣性力 • 質量 m の質点がある時刻に点Pにあるとし，O系でみた点Pの位置ベクトルを $\boldsymbol{r}$，O′ 系でみた位置ベクトルを $\boldsymbol{r}'$ とする（図 5.1）．また，$\boldsymbol{r}$，$\boldsymbol{r}'$ の成分をそれぞれ (x, y, z)，(x', y', z') とする．後者は O′ 系からみた質点の座標である．図 5.1 からわかるように

$$\boldsymbol{r} = \boldsymbol{r}_0 + \boldsymbol{r}' \tag{5.1}$$

が成り立ち，成分をとると座標間の関係として

$$x = x_0 + x', \quad y = y_0 + y', \quad z = z_0 + z' \tag{5.2}$$

と書ける．仮定によりO系は慣性系であるので，質点に働く力を力を $\boldsymbol{F}$ とすれば，ニュートンの運動方程式は $m\ddot{\boldsymbol{r}} = \boldsymbol{F}$ と表される．(5.1) から $\ddot{\boldsymbol{r}} = \ddot{\boldsymbol{r}}_0 + \ddot{\boldsymbol{r}}'$ となるので

$$m\ddot{\boldsymbol{r}}' = \boldsymbol{F} - m\ddot{\boldsymbol{r}}_0 \tag{5.3}$$

が得られる．これからわかるように，O′ 系で力学の問題を考えるときには，実際の力 $\boldsymbol{F}$ の他に見かけ上の力 $-m\ddot{\boldsymbol{r}}_0$ も働いているとすれば，形式上ニュートンの運動方程式が成り立つ．この見かけ上の力 $-m\ddot{\boldsymbol{r}}_0$ を**慣性力**という．とくに $\ddot{\boldsymbol{r}}_0 = \boldsymbol{a}$（= 定数ベクトル）の場合，すなわち O′ 系が等加速度運動をしているときには，慣性力は $-m\boldsymbol{a}$ で時間によらない一定の力となる．

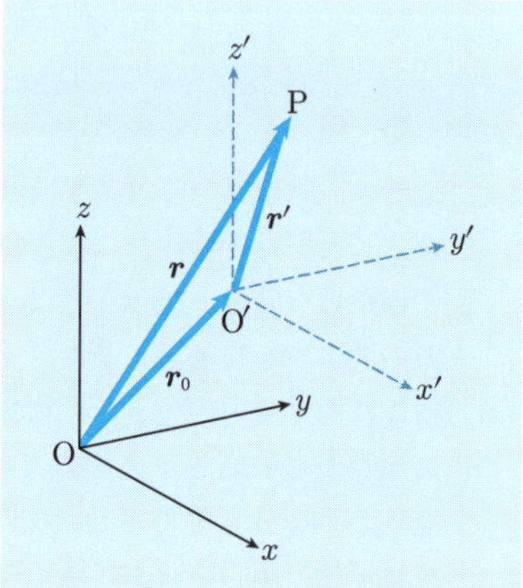

図 5.1　並進座標系

例題 1　一定の加速度で直線運動する電車

等加速度 α で水平面上を直線運動する電車を想定し，以下の設問に答えよ．
(a)　車内の天井から質量 m の質点を軽い糸でつるした単振り子を考え，糸が鉛直方向となす角を φ とする．車内でみて単振り子が静止しているときの φ_0 を求めよ．
(b)　糸の張力はどのように表されるか．
(c)　電車の床におかれた質点がまさにすべり出そうとしてつり合っている．このとき，質点と床との間の静止摩擦係数はいくらか．

解答　(a)　電車が左向きに動くとすれば，図 5.2 で示すように，質点には右向きの慣性力 $m\alpha$，糸の張力 T，重力 mg が働く．電車とともに動く座標系での力のつり合いを考慮すると $T\sin\varphi_0 = m\alpha$，$T\cos\varphi_0 = mg$ となるので，次の結果が得られる．

$$\tan\varphi_0 = \frac{\alpha}{g} \qquad \therefore \quad \varphi_0 = \tan^{-1}\frac{\alpha}{g}$$

(b)　$T^2 = m^2(\alpha^2 + g^2)$ と書け，これから

$$T = m\sqrt{\alpha^2 + g^2}$$

と求まる．

(c)　床におかれた質点の質量を M とすれば，質点に働く垂直抗力は Mg に等しく，最大静止摩擦力 F は μMg と表される．質点がまさにすべり出そうとしているから，$F = M\alpha$ が成り立ち，$\mu = \alpha/g$ となる．

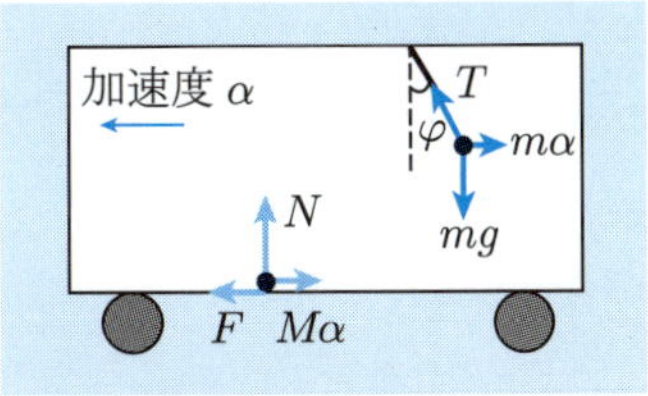

図 5.2　等加速度運動する電車

問　題

1.1　静止していた電車が一定の加速度で走りだし，5 s 後に時速 60 km に達した．床におかれた質点がまさにすべり出す状況のとき，質点と床との間の静止摩擦係数を求めよ．

1.2　水平面と角 θ をなすなめらかな斜面上に質量 m の質点が束縛されている．この斜面が静止系に対し，図 5.3 のように一定の加速度 α で運動するとして以下の問に答えよ．
(a)　$\alpha > \alpha_c$ だと質点は斜面から離れてしまう．α_c の値を求めよ．
(b)　$\alpha < \alpha_c$ のとき，質点は斜面上でどんな運動を行うか．

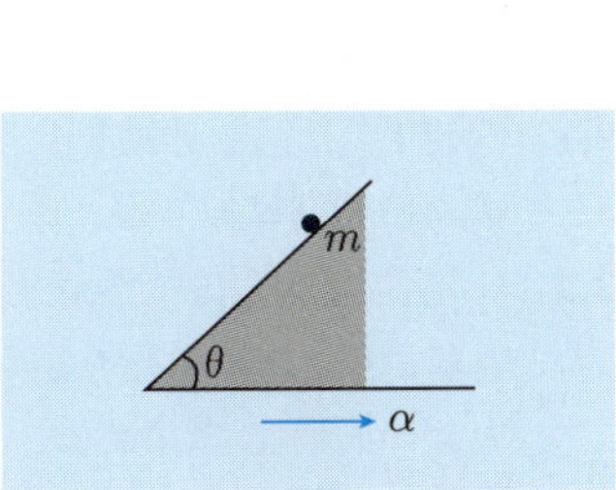

図 5.3　等加速度運動する斜面

例題 2 ―――― **慣性力が働くときの単振り子の振動**

例題1と同様な電車内の単振り子（長さ l）を考え，φ は φ_0 の周りで微小振動を行うとする．この振動が十分小さいとき，それは単振動として記述されることを示し，振動の周期 T を求めよ．

解答 電車に固定した座標系を O′ 系とし，第2章の例題7と同様，振動の起こる鉛直面内で鉛直下方に x' 軸，水平方向に y' 軸をとる．y' 方向の慣性力 $m\alpha$ を考慮すると，運動方程式は $m\ddot{x}' = mg - T\cos\varphi$，$m\ddot{y}' = m\alpha - T\sin\varphi$ と表される．これから T を消去すると $\ddot{x}'\sin\varphi - \ddot{y}'\cos\varphi = g\sin\varphi - \alpha\cos\varphi$ となる．$x' = l\cos\varphi$，$y' = l\sin\varphi$ を使うと，第2章の例題7と同様な計算で

$$\ddot{\varphi} = -\frac{g}{l}\sin\varphi + \frac{\alpha}{l}\cos\varphi \tag{1}$$

となる．$\varphi = \varphi_0 + \varphi'$ とおき，φ' は微小量とし，φ'^2 以上の高次の項を無視すると $\cos\varphi' \simeq 1$，$\sin\varphi' \simeq \varphi'$ という近似式が適用できる．その結果

$$\sin\varphi = \sin(\varphi_0 + \varphi') = \sin\varphi_0\cos\varphi' + \cos\varphi_0\sin\varphi' \simeq \sin\varphi_0 + \varphi'\cos\varphi_0$$
$$\cos\varphi = \cos(\varphi_0 + \varphi') = \cos\varphi_0\cos\varphi' - \sin\varphi_0\sin\varphi' \simeq \cos\varphi_0 - \varphi'\sin\varphi_0$$

が導かれる．こうして，φ' に対する方程式は

$$\ddot{\varphi}' = -\frac{g}{l}\sin\varphi_0 + \frac{\alpha}{l}\cos\varphi_0 - \left(\frac{g}{l}\cos\varphi_0 + \frac{\alpha}{l}\sin\varphi_0\right)\varphi' \tag{2}$$

と書ける．φ_0 に対して $\sin\varphi_0 = \alpha/(g^2+\alpha^2)^{1/2}$，$\cos\varphi_0 = g/(g^2+\alpha^2)^{1/2}$ の関係が成り立つので (2) 右辺の第1，2項は互いに消し合う．また，φ' は角振動数 ω の単振動を行い $\omega^2 = (g^2+\alpha^2)^{1/2}/l$ であることがわかる．したがって，振動の周期 T は次式のように表される．

$$T = 2\pi\frac{\sqrt{l}}{(g^2+\alpha^2)^{1/4}} \tag{3}$$

問題

2.1 問題1.1と同じ運動をする電車の車内に長さ 0.5 m の単振り子があるとき，その振動の周期は何 s か．

2.2 一定の加速度 α で鉛直上方に上昇するエレベーターがあり，エレベーターの天井には長さ l の単振り子がつるされているとする．この単振り子が微小振動するときの周期 T を求めよ．また，β の加速度で降下する場合はどうか．

2.3 2 m/s^2 の加速度で降下するエレベーター内で観測される単振り子の振動の周期は静止した場合の何倍か．

例題 3 **単振動する台につるされた単振り子**

水平面上を単振動する台の1点O′から長さlの単振り子がつるされているとする．図5.4のように，O系として鉛直方向にx軸，水平方向にy軸をとる．また，O′系として台に固定された座標系x', y'を選ぶ．点O′はOの周りで振幅B，角振動数ω_0の単振動を行うとして，O系からみたO′の座標は

$$x_0 = 0, \quad y_0 = B\cos\omega_0 t$$

で与えられるとする．単振り子は微小振動を行うとして，角φに対する運動方程式を導け．

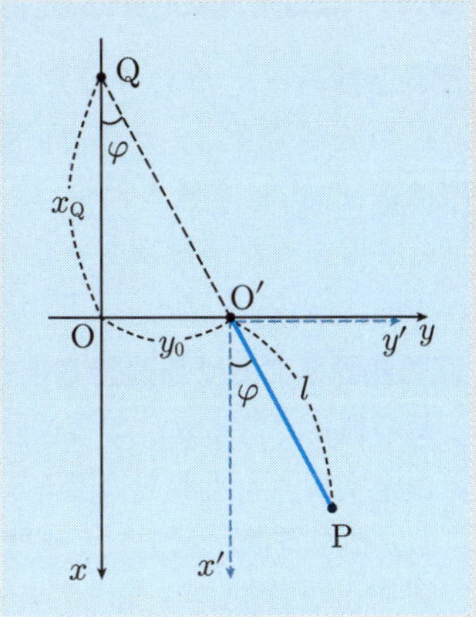

図 5.4 単振動する台

解答 $\ddot{y}_0 = -\omega_0{}^2 B\cos\omega_0 t$ となるので慣性力のy'成分は$m\omega_0{}^2 B\cos\omega_0 t$と書ける．したがって，運動方程式は

$$m\ddot{x}' = mg - T\cos\varphi, \quad m\ddot{y}' = -T\sin\varphi + m\omega_0{}^2 B\cos\omega_0 t$$

と表される．両式からTを消去すると

$$\ddot{x}'\cos\varphi - \ddot{y}'\cos\varphi = g\sin\varphi - \omega_0{}^2 B\cos\omega_0 t\cos\varphi$$

が得られ，前と同様，$x' = l\cos\varphi$，$y' = l\sin\varphi$を使うと次式が求まる．

$$\ddot{\varphi} = -\frac{g}{l}\sin\varphi + \frac{\omega_0{}^2 B}{l}\cos\omega_0 t\cos\varphi$$

とくに微小振動の場合には$\sin\varphi \simeq \varphi$，$\cos\varphi \simeq 1$と近似し次のようになる．

$$\ddot{\varphi} = -\frac{g}{l}\varphi + \frac{\omega_0{}^2 B}{l}\cos\omega_0 t$$

問 題

3.1 上の例題で$\varphi = A\cos\omega_0 t$と書けると仮定して振幅$A$を求めよ．

3.2 図5.4のように単振り子のおもりの位置を点P，PO′を延長しx軸との交点をQ，Qのx座標をx_Qとする．また，φは問題3.1のように与えられるとする．

(a) x_Qは時間によらない定数であり，$\omega > \omega_0$，$\omega < \omega_0$でx_Qの符号が違うことを確かめよ．ただし，ωは単振り子の角振動数である$(\omega^2 = g/l)$．

(b) (a)のような現象はどんな場合，日常生活で観測されるか．

3.3 電車内のつり革を長さが30 cmの単振り子とみなす．$\omega_0 = 2\omega$の場合，x_Qは何cmとなるか．

5.2 二次元の回転座標系

• 回転座標系 • 点 O を原点とする x, y, z の座標系（O 系）は慣性系であるとする．同じ点 O を原点とし，z' 軸は z 軸と共通であるが，x', y' 軸は xy 面内で回転するような座標系 x', y', z' を考えよう．この座標系を O′ 系と呼ぶ．このように，慣性系に対して回転するような座標系を一般に**回転座標系**という．いまの場合には，$z' = z$ が成り立つので，(x, y) と (x', y') との関係について考えていけばよい．

• 回転座標系における運動方程式 • O′ 系は z 軸の周りで角速度 ω の等速回転運動を行うと仮定する．すなわち，図 5.5 に示すように，x, y 軸を空間に固定した座標軸としたとき，時刻 0 で x' 軸は x 軸と一致しているが，時刻 t においては x' 軸は x 軸と回転角 ωt をなすものとする．同様に，時刻 t において，y' 軸と y 軸とのなす角は ωt に等しい．O′ 系での運動方程式は

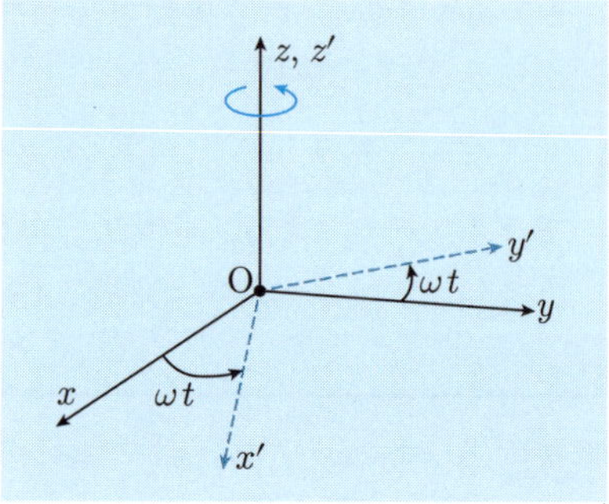

図 5.5 回転座標系

$$m\ddot{x}' = X' + 2m\omega\dot{y}' + m\omega^2 x' \tag{5.4}$$

$$m\ddot{y}' = Y' - 2m\omega\dot{x}' + m\omega^2 y' \tag{5.5}$$

と表される（例題 4）．ただし，m は質点の質量，X', Y' はそれぞれ力の x', y' 成分である．

• コリオリ力と遠心力 • (5.4)，(5.5) からわかるように，回転座標系で質点の力学を考えるとき，実際に働く力の他に，右辺第 2 項，第 3 項で与えられる見かけ上の力が働くとすれば，運動方程式が成り立つことになる．このうち x', y' 成分が

$$(2m\omega\dot{y}', -2m\omega\dot{x}') \tag{5.6}$$

で与えられる力を**コリオリ力**という．また，x', y' 成分が

$$(m\omega^2 x', m\omega^2 y') \tag{5.7}$$

で与えられる力を**遠心力**という．遠心力は，原点 O から質点の位置 P に向かうような向きをもち，その大きさは $mr\omega^2$ に等しい．ただし，r は OP 間の距離である．コリオリ力と違って，遠心力は回転座標系に対して静止している質点にも働く．

以上の議論からわかるように，質点に実際に働く力以外に，コリオリ力と遠心力という見かけ上の力が働くとすれば，回転座標系においても運動の法則が成り立つと考えてよい．

例題 4　　**回転座標系における運動方程式の導出**

二次元の回転座標系における運動方程式を次のような手続きで導出せよ．

(a)　O′ 系は z 軸の周りで角速度 ω の等速回転運動を行うとし，x, y 軸に沿う単位ベクトルを $\boldsymbol{i}, \boldsymbol{j}$，また x', y' 軸に沿う単位ベクトルを $\boldsymbol{i}', \boldsymbol{j}'$ とする（図 5.6）．$\boldsymbol{i}', \boldsymbol{j}'$ の時間変化は次のように表されることを示せ．

$$\dot{\boldsymbol{i}}' = \omega \boldsymbol{j}', \quad \dot{\boldsymbol{j}}' = -\omega \boldsymbol{i}' \qquad (1)$$

(b)　点 P に質量 m の質点があるとし，その位置ベクトルを $\boldsymbol{r} = x'\boldsymbol{i}' + y'\boldsymbol{j}'$ と書く．これを t で 2 回微分し O′ 系における運動方程式を導け．

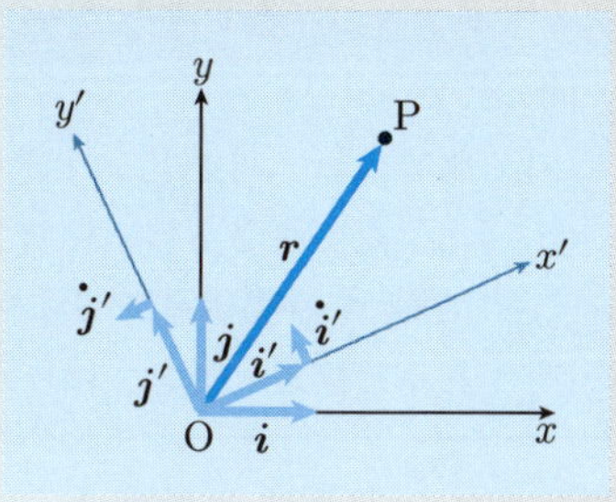

図 5.6　$\boldsymbol{i}', \boldsymbol{j}'$ の時間変化

解答　(a)　$\boldsymbol{i}', \boldsymbol{j}'$ をそれぞれ位置ベクトルとするような質点を想定すると，これらは点 O の周りで半径 1 の等速円運動を行う．したがって，その速さは ω で，前者の速度 $\dot{\boldsymbol{i}}'$ は $\boldsymbol{j}'$ の向き，後者の $\dot{\boldsymbol{j}}'$ は $-\boldsymbol{i}'$ の向きをもつ．これから (1) が得られる．

(b)　$\boldsymbol{r} = x'\boldsymbol{i}' + y'\boldsymbol{j}'$ を時間で微分すると $\dot{\boldsymbol{r}} = \dot{x}'\boldsymbol{i}' + \dot{y}'\boldsymbol{j}' + x'\dot{\boldsymbol{i}}' + y'\dot{\boldsymbol{j}}'$ と書け，これをもう 1 回時間で微分すると

$$\ddot{\boldsymbol{r}} = \ddot{x}'\boldsymbol{i}' + \ddot{y}'\boldsymbol{j}' + 2(\dot{x}'\dot{\boldsymbol{i}}' + \dot{y}'\dot{\boldsymbol{j}}') + x'\ddot{\boldsymbol{i}}' + y'\ddot{\boldsymbol{j}}'$$

が得られる．(1) から $\ddot{\boldsymbol{i}}' = \omega\dot{\boldsymbol{j}}' = -\omega^2\boldsymbol{i}'$，$\ddot{\boldsymbol{j}}' = -\omega\dot{\boldsymbol{i}}' = -\omega^2\boldsymbol{j}'$ となり

$$\ddot{\boldsymbol{r}} = \ddot{x}'\boldsymbol{i}' + \ddot{y}'\boldsymbol{j}' + 2\omega(\dot{x}'\boldsymbol{j}' - \dot{y}'\boldsymbol{i}') - \omega^2(x'\boldsymbol{i}' + y'\boldsymbol{j}') \qquad (2)$$

と表される．(2) に m を掛けると，左辺は質点に働く力 $\boldsymbol{F}$ に等しい．$\boldsymbol{F}$ の x', y' 成分を X', Y' とし $\boldsymbol{F} = X'\boldsymbol{i}' + Y'\boldsymbol{j}'$ と書けば，両辺の $\boldsymbol{i}', \boldsymbol{j}'$ の係数を等しいとおき (5.4)，(5.5) が導かれる．

問　題

4.1　点 O を中心とし xy 面内で一定の加速度 ω をもって回転している直線（x' 軸）がある（図 5.7）．直線上でなめらかに束縛されている質点の運動を論じよ．

4.2　前問で $t = 0$ のとき，質点は O から a の距離にあり初速度は 0 と仮定する．t における質点の位置と垂直抗力 N を求めよ．

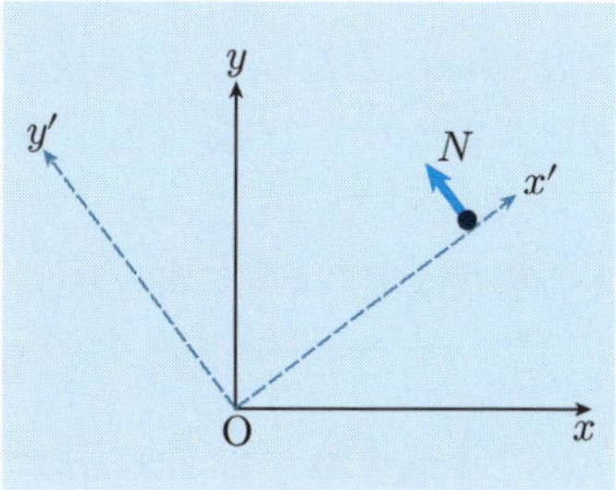

図 5.7　回転する直線

例題 5 **フーコー振り子**

フランスの物理学者フーコーは 1851 年，長さ 67 m の鋼鉄線に 28 kg のおもりをつるした振り子の振動面が回転することを示し，地球の自転を実証した．この振り子を**フーコー振り子**という．北極点でこの振り子の原理を考えるとし，次の設問に答えよ．

(a) 地球自転の角速度 ω を求めよ．

(b) 北極点で長さ l の糸に質量 m のおもりをつるした単振り子を考え，地球とともに回転する座標系でおもりに対する運動方程式を導け．

(c) 上の方程式を解き，得られる結果の物理的な意味について論じよ．

解答 (a) 地球は 24 時間（$= 24 \times 60 \times 60\,\mathrm{s}$）で 1 回転（回転角 2π）するので自転の角速度 ω は次のように計算される．

$$\omega = \frac{2\pi}{24 \times 60 \times 60}\,\mathrm{s}^{-1} = 7.27 \times 10^{-5}\,\mathrm{s}^{-1}$$

(b) 北極点で地球が自転する軸を z 軸にとり，図 5.5 で x, y 軸は宇宙空間に固定された座標系（慣性系），x', y' 軸は地球に固定された座標系とする．おもりに働く糸の張力を T とすれば，T は第 2 章の問題 7.3 のように書ける．φ は微小量で $\cos\varphi \simeq 1$ とおけるし，v^2 はいま扱う量より高次なので無視できる．こうして，$T \simeq mg$ としてよい．

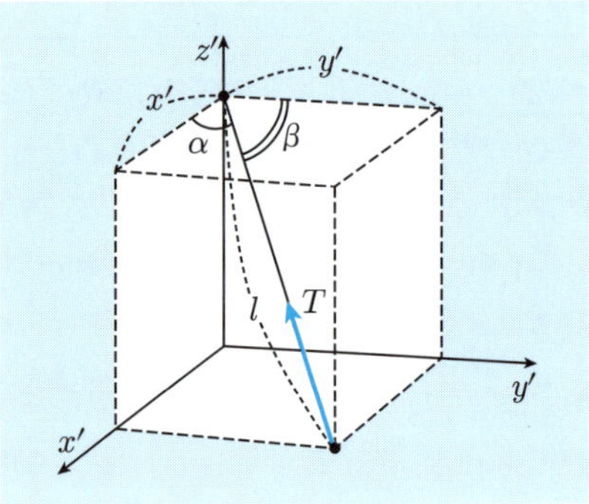

図 5.8 張力の x', y' 成分

図 5.8 のように糸と x' 軸，y' 軸とのなす角をそれぞれ α, β とすれば $l\cos\alpha = x'$, $l\cos\beta = y'$ となり，質点に働く力に対し $X' = -mgx'/l$，$Y' = -mgy'/l$ が得られる．すなわち，O′ 系での運動方程式は (5.4)，(5.5) により

$$\ddot{x}' = -{\omega_0}^2 x' + 2\omega\dot{y}' + \omega^2 x', \quad \ddot{y}' = -{\omega_0}^2 y' - 2\omega\dot{x}' + \omega^2 y'$$

と表される．ただし，ω_0 は単振り子の角振動数で ${\omega_0}^2 = g/l$ で定義される．通常，$\omega_0 \gg \omega$ が成り立つので（問題 5.2），上式右辺の第 3 項は無視できる．あるいは ${\omega_0}^2 - \omega^2$ をあらたに ${\omega_0}^2$ であるとみなしてもよい．とにかく，このような措置により x', y' に対する方程式は次のように書ける．

$$\ddot{x}' = -{\omega_0}^2 x' + 2\omega\dot{y}', \quad \ddot{y}' = -{\omega_0}^2 y' - 2\omega\dot{x}'$$

(c) 上式を解く 1 つの方法として

$$z = x' + iy'$$

という複素数を導入し，上の 2 式を 1 個の微分方程式にまとめよう．もちろん，この z は空間座標とは無関係である．$z = x' + iy'$ を複素平面で表示したとき，実数部分が x'，虚数部分が y' となり，この平面上の 1 点が質点の位置と一対一対応をもつので便利である．上記の x', y' に対する式から次式が得られる．

$$\ddot{z} = -{\omega_0}^2 z - 2\omega i \dot{z}$$

上の微分方程式を解くため，$z = e^{i\lambda t}$ と仮定して代入すると，λ を決めるべき

$$\lambda^2 + 2\omega\lambda - {\omega_0}^2 = 0$$

という二次方程式が求まる．これから λ は

$$\lambda = -\omega \pm \sqrt{{\omega_0}^2 + \omega^2}$$

と計算される．前述のように $\omega_0 \gg \omega$ が成り立ち λ は

$$\lambda = -\omega \pm \omega_0$$

と書ける．このようにして，z の一般解は A, B を任意定数として

$$z = e^{-i\omega t}(Ae^{i\omega_0 t} + Be^{-i\omega_0 t})$$

で与えられる．上式で,（　）内の複素数は単振り子の単振動を表す．これを z_0 と書けば z は $z = e^{-i\omega t} z_0$ で与えられる．この z は複素平面で z_0 を角 ωt だけ負の向き（時計回り）に回転させた点で表される．このようにして，時間が経つにつれ，振り子の振動面が角速度 ω で負の向きに回転していくことがわかる．

慣性系からみると，振り子の振動は 1 つの宇宙空間で固定された平面内で起こる．ところが，地球に固定された水平面は回転するので，水平面上の人からみると，振動面は地球の自転とは逆向きに回転し，これがフーコー振り子の原理である．

問　題

5.1 フーコーが使った単振り子では $l = 67\,\mathrm{m}$ である．この場合の ω_0 を求めよ．

5.2 北極点でフーコー振り子を観測したとき，ω/ω_0 の比はどの程度になるか．

5.3 次の節で学ぶように角速度はベクトル（角速度ベクトル）$\boldsymbol{\omega}$ として表される．地球の自転の $\boldsymbol{\omega}$ は図 5.9 のように南極から北極へ向かうようなベクトルで記述される．緯度が φ の地点における鉛直方向の $\boldsymbol{\omega}$ の成分を考慮し，東京（$\varphi = 35°40'$）でフーコー振り子が一周する時間を求めよ．

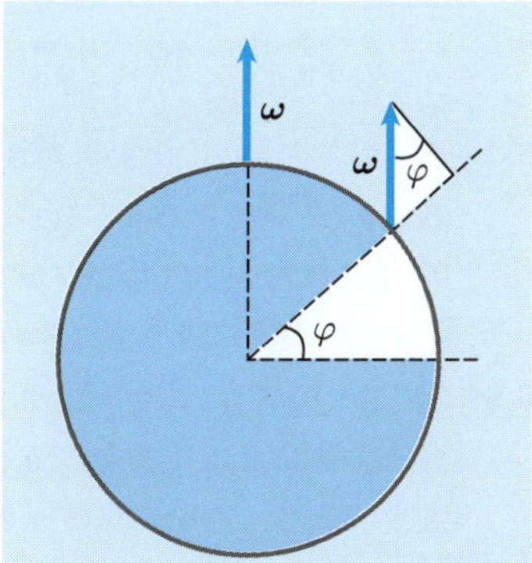

図 5.9　角速度ベクトルと緯度

例題 6 **円すい振り子**

糸の一端を固定し他端におもりをつるして，おもりを水平面内で等速円運動させるようにした振り子を**円すい振り子**という．この振り子の周期 T は

$$T = 2\pi\sqrt{\frac{h}{g}}$$

であることを示せ．ただし，h は糸の一端と水平面との間の距離である [図 5.10(a)].

解答 糸の長さを l，糸と鉛直方向とのなす角を θ，円運動の半径を r とする．円運動の中心 O とおもりとを結ぶ直線を x' 軸にとり，おもりに固定された回転座標系からみると，おもりには重力 mg，糸の張力 T，遠心力 $mr\omega^2$ が働く（m はおもりの質量）．これら 3 つの力のつり合いから次式が得られる [図 5.10(b)].

$$T\cos\theta = mg$$

$$T\sin\theta = mr\omega^2$$

上の両式から T を消去すると

$$\tan\theta = r\omega^2/g$$

となり，$\tan\theta = r/h$ に注意すると $\omega^2 = g/h$ と書ける．これから与式が得られる．

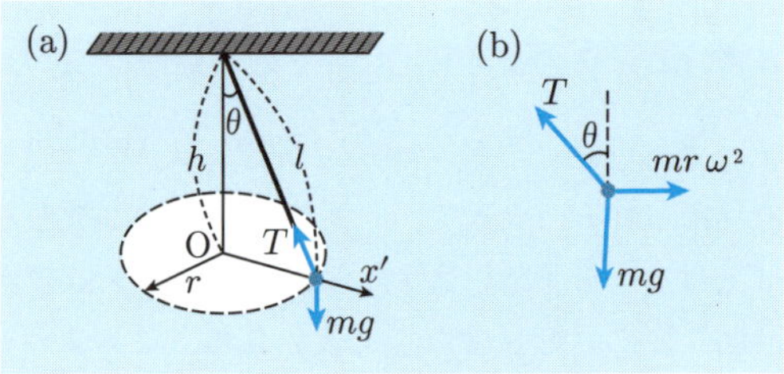

図 5.10 円すい振り子

問 題

6.1 $l = 0.5\text{m}$，$\theta = 30°$，$m = 0.01\,\text{kg}$ の円すい振り子に対し，周期，糸の張力を求めよ．

6.2 xy 面で半径 a の円上を角速度 ω で等速円運動する質量 m の質点がある．質点には，常に円の中心を向く一定の大きさの向心力 F が働くものとする．m，a, ω, F の間に成り立つ関係を求めよ．

6.3 図 5.11 のように頂角 2θ の円すいの頂点を下にし，軸を垂直に立ててある．質点が内面に沿って，水平面上（高さ h）を一定の速さ v で回っている．束縛はなめらかとし，このような運動が可能なための v の大きさを求めよ．

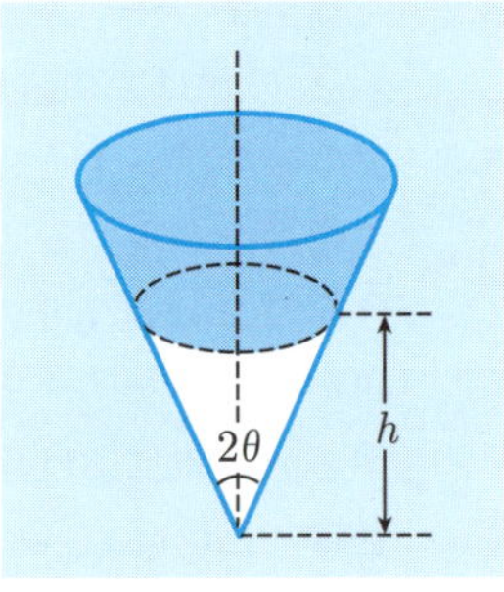

図 5.11 円すい面上の質点

5.3　ベクトル積

• **ベクトル積の定義** •　2つのベクトル $\boldsymbol{A}$ と $\boldsymbol{B}$ とがあるとき

$$\boldsymbol{C} = \boldsymbol{A} \times \boldsymbol{B} \tag{5.8}$$

という記号を導入し，$\boldsymbol{C}$ の x, y, z 成分は

$$C_x = A_y B_z - A_z B_y, \quad C_y = A_z B_x - A_x B_z, \quad C_z = A_x B_y - A_y B_x \tag{5.9}$$

で与えられるとする．このようにして定義されるベクトル $\boldsymbol{C}$ を $\boldsymbol{A}$ と $\boldsymbol{B}$ との**ベクトル積**または**外積**という．ベクトル積はコリオリ力を理解するのに有用だが，それ以外，物理学の諸分野で有効に利用される．

• **ベクトル積の性質** •　(5.8)，(5.9) からわかるように

$$\boldsymbol{B} \times \boldsymbol{A} = -\boldsymbol{A} \times \boldsymbol{B} \tag{5.10}$$

が成り立つ．したがって，とくに $\boldsymbol{B} = \boldsymbol{A}$ とおけば次のようになる．

$$\boldsymbol{A} \times \boldsymbol{A} = 0 \tag{5.11}$$

また，ベクトル積の定義から次の分配則が導かれる（例題 7）．

$$(\boldsymbol{A} + \boldsymbol{B}) \times \boldsymbol{C} = \boldsymbol{A} \times \boldsymbol{C} + \boldsymbol{B} \times \boldsymbol{C}, \quad \boldsymbol{A} \times (\boldsymbol{B} + \boldsymbol{C}) = \boldsymbol{A} \times \boldsymbol{B} + \boldsymbol{A} \times \boldsymbol{C}$$

• **ベクトル積の意味** •　$\boldsymbol{A}$ と $\boldsymbol{B}$ とを含む平面を xy 面に選び，ベクトル $\boldsymbol{A}$ が x 軸を向くようにする（図 5.12）．また，$\boldsymbol{A}$ と $\boldsymbol{B}$ とのなす角を図のように θ とする（ただし，$0 \leq \theta \leq \pi$）．このような座標系をとると $\boldsymbol{A} = (A, 0, 0)$，　$\boldsymbol{B} = (B\cos\theta, B\sin\theta, 0)$ と書け，したがって，(5.9) から

$$C_x = 0, \quad C_y = 0, \quad C_z = A_x B_y = AB\sin\theta$$

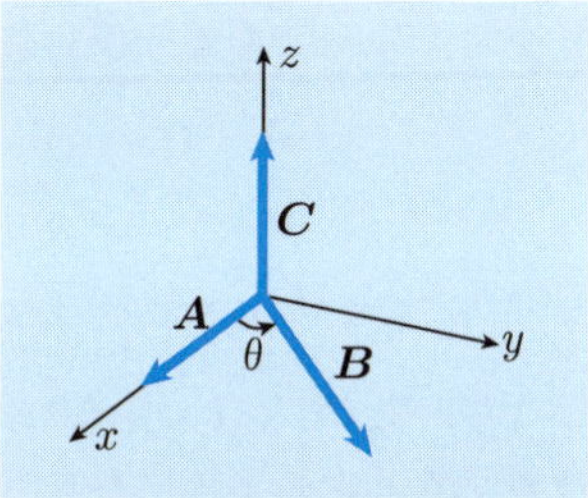

図 5.12　ベクトル積

が得られる．すなわち，ベクトル $\boldsymbol{C}$ は z 方向，いいかえると $\boldsymbol{A}$ と $\boldsymbol{B}$ の両方に垂直な方向をもつ．またその大きさは $AB\sin\theta$ に等しい．図 5.12 では $B_y > 0$ としたが，$B_y < 0$ の場合には $\boldsymbol{C}$ は $-z$ 方向を向く．すなわち一般に $\boldsymbol{A} \times \boldsymbol{B}$ は $\boldsymbol{A}$ から $\boldsymbol{B}$ へと π より小さい角度で右ねじを回すときそのねじの進む向きをもつ．なお，$\boldsymbol{A}$ と $\boldsymbol{B}$ とが平行だと両者のなす角は 0 で，このため $\boldsymbol{A} \times \boldsymbol{B} = 0$ となる．(5.11) はこの関係の特別な場合に相当する．

• **ベクトル積の時間微分** •　次の微分の公式が成立する．

$$\frac{d}{dt}(\boldsymbol{A} \times \boldsymbol{B}) = (\dot{\boldsymbol{A}} \times \boldsymbol{B}) + (\boldsymbol{A} \times \dot{\boldsymbol{B}}) \tag{5.12}$$

例題 7　　**ベクトル積の性質**

ベクトル積に関する次の設問に答えよ．

(a)　分配則を証明せよ．

(b)　基本ベクトルに関する次の結果を導け．

$$\boldsymbol{i} \times \boldsymbol{j} = \boldsymbol{k}, \quad \boldsymbol{j} \times \boldsymbol{k} = \boldsymbol{i}, \quad \boldsymbol{k} \times \boldsymbol{i} = \boldsymbol{j}$$

(c)　(a)，(b) の性質を利用して $\boldsymbol{A} \times \boldsymbol{B}$ を $\boldsymbol{A}$, $\boldsymbol{B}$ の各成分で表す式を導出せよ．

解答　(a)　$(\boldsymbol{A} + \boldsymbol{B}) \times \boldsymbol{C}$ の x 成分は $(A_y + B_y)C_z - (A_z + B_z)C_y = (A_yC_z - A_zC_y) + (B_yC_z - B_zC_y)$ となり，これは $\boldsymbol{A} \times \boldsymbol{C} + \boldsymbol{B} \times \boldsymbol{C}$ の x 成分に等しい．y, z 成分も同様で $(\boldsymbol{A} + \boldsymbol{B}) \times \boldsymbol{C} = \boldsymbol{A} \times \boldsymbol{C} + \boldsymbol{B} \times \boldsymbol{C}$ の等式が証明される．同じように $\boldsymbol{A} \times (\boldsymbol{B} + \boldsymbol{C}) = \boldsymbol{A} \times \boldsymbol{B} + \boldsymbol{A} \times \boldsymbol{C}$ が示される．

(b)　図 5.13 からわかるように，$\boldsymbol{i} \times \boldsymbol{j}$ は z 方向を向き，大きさは 1 となる．このため $\boldsymbol{i} \times \boldsymbol{j} = \boldsymbol{k}$ が成り立つ．同様な考察により $\boldsymbol{j} \times \boldsymbol{k} = \boldsymbol{i}$，$\boldsymbol{k} \times \boldsymbol{i} = \boldsymbol{j}$ の関係が導かれる．

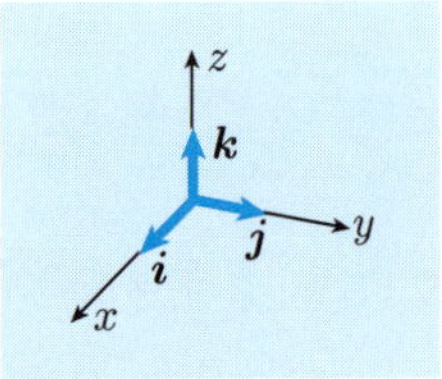

図 5.13　基本ベクトル

(c)　$\boldsymbol{A}$，$\boldsymbol{B}$ を成分で表し

$$\boldsymbol{A} = A_x\boldsymbol{i} + A_y\boldsymbol{j} + A_z\boldsymbol{k}$$

$$\boldsymbol{B} = B_x\boldsymbol{i} + B_y\boldsymbol{j} + B_z\boldsymbol{k}$$

とする．分配則を繰り返し適用すると

$$\begin{aligned} \boldsymbol{A} \times \boldsymbol{B} &= (A_x\boldsymbol{i} + A_y\boldsymbol{j} + A_z\boldsymbol{k}) \times (B_x\boldsymbol{i} + B_y\boldsymbol{j} + B_z\boldsymbol{k}) \\ &= A_xB_y(\boldsymbol{i} \times \boldsymbol{j}) + A_xB_z(\boldsymbol{i} \times \boldsymbol{k}) + A_yB_x(\boldsymbol{j} \times \boldsymbol{i}) \\ &\quad + A_yB_z(\boldsymbol{j} \times \boldsymbol{k}) + A_zB_x(\boldsymbol{k} \times \boldsymbol{i}) + A_zB_y(\boldsymbol{k} \times \boldsymbol{j}) \end{aligned}$$

となる．ただし，$\boldsymbol{i} \times \boldsymbol{i} = 0$ などの関係を用いた．ここで $\boldsymbol{j} \times \boldsymbol{i} = -\boldsymbol{i} \times \boldsymbol{j} = -\boldsymbol{k}$ などに注意すると次のようになり，(5.9) の結果と一致する．

$$\boldsymbol{A} \times \boldsymbol{B} = (A_yB_z - A_zB_y)\boldsymbol{i} + (A_zB_x - A_xB_z)\boldsymbol{j} + (A_xB_y - A_yB_x)\boldsymbol{k}$$

問　題

7.1　図 5.5 のような二次元の回転座標系を考え，O′ 系でみた質点の速度を $\boldsymbol{v}'$ と書く．すなわち，$\boldsymbol{v}'$ は $\boldsymbol{v}' = (\dot{x}', \dot{y}', \dot{z}')$ と表される．ここで z 軸に沿い，z 成分が角速度 ω に等しいようなベクトル $\boldsymbol{\omega}$ を導入し，$\boldsymbol{\omega} = (0, 0, \omega)$ とする．質点に働くコリオリ力は $2m(\boldsymbol{v}' \times \boldsymbol{\omega})$ と書けることを示せ．

7.2　北極点で東向きに吹く風にはどちら向きのコリオリ力が働くか．次の①～④のうちから，正しいものを 1 つ選べ．

①　東向き　　②　南向き　　③　西向き　　④　北向き

例題 8 — **角速度ベクトル**

座標系あるいは物体がある軸の周りで回転しているときを考える．このとき角速度 ω の大きさをもち回転軸に沿うベクトルを導入し，このベクトルは回転の向きに右ねじを回すときそのねじの進む向きをもつとする．このようなベクトルを**角速度ベクトル**と呼び $\boldsymbol{\omega}$ の記号で表す．Δt の微小時間の間に $\boldsymbol{r}$ で表される点 P が $\Delta \boldsymbol{r}$ だけ変位したとして，次の問に答えよ．

(a) $\Delta \boldsymbol{r} = \Delta t(\boldsymbol{\omega} \times \boldsymbol{r})$ の関係を導け．

(b) 点 P における速度 $\boldsymbol{v}$ を求めよ．

解答 (a) 図 5.14 のように，点 P からベクトル $\boldsymbol{\omega}$ に下した垂線の足を O′ とすれば，時間の経過に伴い，点 P は O′ を通り $\boldsymbol{\omega}$ と垂直な面内で半径 $\overline{\mathrm{O'P}}$ の円運動を行う．時刻 t から微小時間 Δt 後に点 P は $\Delta \boldsymbol{r}$ だけ変位し点 Q に達するとする．$\boldsymbol{\omega}$ と $\boldsymbol{r}$ とのなす角を θ とすれば

$$\overline{\mathrm{O'P}} = r \sin\theta$$

である ($r = |\boldsymbol{r}|$)．また $\angle \mathrm{PO'Q} = \omega \Delta t$ が成り立つ．したがって

$$|\Delta \boldsymbol{r}| = r\omega \Delta t \sin\theta$$

と書ける．$\Delta t \to 0$ の極限で $\Delta \boldsymbol{r}$ は $\boldsymbol{\omega}$ と $\boldsymbol{r}$ の作る面と垂直となり，その向きは $\boldsymbol{\omega}$ から $\boldsymbol{r}$ へと右ねじを回すときねじの進む向きと一致する．こうして向き，大きさを考慮し $\Delta t \to 0$ の極限で $\Delta \boldsymbol{r} = \Delta t(\boldsymbol{\omega} \times \boldsymbol{r})$ となる．

(b) $\boldsymbol{v} = \boldsymbol{\omega} \times \boldsymbol{r}$ と表される．

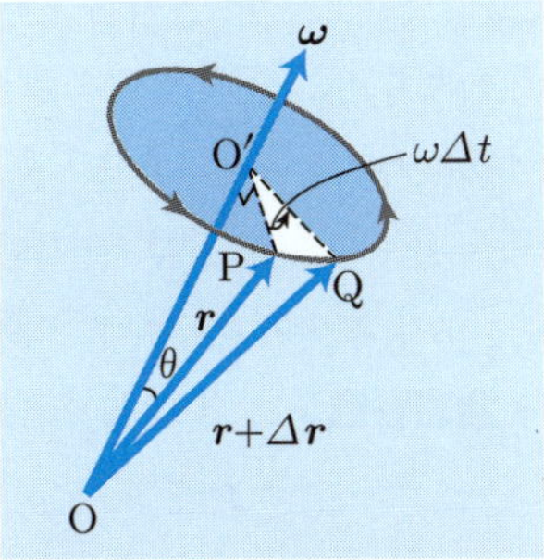

図 5.14 角速度ベクトル

問 題

8.1 原点 O を通る 2 つの角速度ベクトル $\boldsymbol{\omega}_1$, $\boldsymbol{\omega}_2$ があるとき，全体の変位を考察し，角速度ベクトルの和は通常のベクトル和として記述されることを証明せよ．

8.2 xy 面内で半径 a の等速円運動する質点の x, y 座標は $x = a\cos\omega t$, $y = a\sin\omega t$ で与えられる（図 5.15）．質点の速度を求め，例題 8 の (b) の結果を確かめよ．

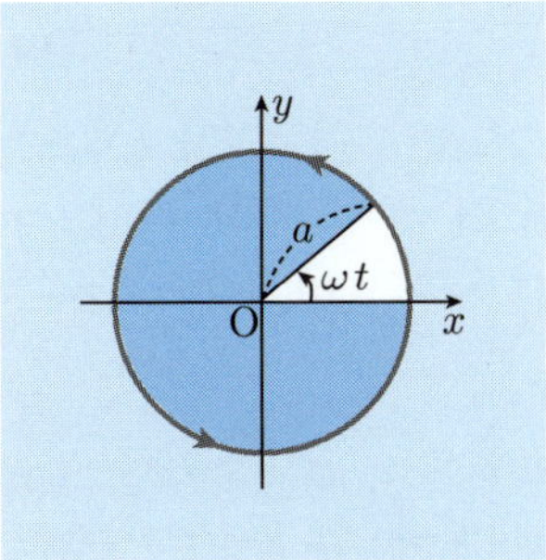

図 5.15 等速円運動

6 質点系の力学

6.1 質点系の運動方程式

• **質点系** • 質点の集まりを**質点系**という．n 個の質点から構成される質点系を考え，i 番目の質点の質量を m_i，その位置ベクトルを $\boldsymbol{r}_i$ とする $(i = 1, 2, \cdots, n)$．これらの質点は互いに相互作用を及ぼし合うし，また質点系以外のものからも力を受ける．一般に，注目している質点系の外部から作用する力を**外力**，質点系内の質点同士に働く力を**内力**という．i 番目の質点に働く外力を $\boldsymbol{F}_i$，j 番目の質点 $(j \neq i)$ がそれに及ぼす内力を $\boldsymbol{F}_{ij}$ と書く．そうすると，個々の質点に対するニュートンの運動方程式に基づき

$$m_1\ddot{\boldsymbol{r}}_1 + m_2\ddot{\boldsymbol{r}}_2 + \cdots + m_n\ddot{\boldsymbol{r}}_n = \boldsymbol{F}_1 + \boldsymbol{F}_2 + \cdots + \boldsymbol{F}_n \tag{6.1}$$

という方程式が導かれる（例題 1）．この方程式には外力だけが現れる点に注意せよ．

• **全運動量** • 各質点の運動量の総和をとり

$$\boldsymbol{P} = \boldsymbol{p}_1 + \boldsymbol{p}_2 + \cdots + \boldsymbol{p}_n = m_1\dot{\boldsymbol{r}}_1 + m_2\dot{\boldsymbol{r}}_2 + \cdots + m_n\dot{\boldsymbol{r}}_n \tag{6.2}$$

で定義される $\boldsymbol{P}$ を質点系の**全運動量**という．m_1，m_2，$\cdots$，m_n が時間によらないとすれば

$$\frac{d\boldsymbol{P}}{dt} = \boldsymbol{F} = \sum_{i=1}^{n} \boldsymbol{F}_i \tag{6.3}$$

が成立する．$\boldsymbol{F}$ は質点系に作用する外力の総和である．

• **重心** • 以下の式

$$\boldsymbol{r}_{\mathrm{G}} = \frac{m_1\boldsymbol{r}_1 + m_2\boldsymbol{r}_2 + \cdots + m_n\boldsymbol{r}_n}{m_1 + m_2 + \cdots + m_n} \tag{6.4}$$

の位置ベクトルで決まる点を質点系の**重心**という．質点系中に含まれる質点の全質量を M とすれば $M = m_1 + m_2 + \cdots + m_n$ で $m_1\boldsymbol{r}_1 + m_2\boldsymbol{r}_2 + \cdots + m_n\boldsymbol{r}_n = M\boldsymbol{r}_{\mathrm{G}}$ と書けるので，(6.1) から次式が導かれる．

$$M\ddot{\boldsymbol{r}}_{\mathrm{G}} = \boldsymbol{F} \tag{6.5}$$

すなわち，質点系の全質量が重心に集中したとし，各質点に働くすべての外力の和が重心に働くと考えると，あたかも重心を質点かのように扱ってニュートンの運動方程式を適用することができる．

例題 1 **質点系の運動方程式**

(6.1) を導け.

解答 各質点に対する運動方程式は

$$m_1\ddot{\boldsymbol{r}}_1 = \boldsymbol{F}_1 + \boldsymbol{F}_{12} + \boldsymbol{F}_{13} + \cdots + \boldsymbol{F}_{1n}$$
$$m_2\ddot{\boldsymbol{r}}_2 = \boldsymbol{F}_2 + \boldsymbol{F}_{21} + \boldsymbol{F}_{23} + \cdots + \boldsymbol{F}_{2n}$$
$$\vdots$$
$$m_n\ddot{\boldsymbol{r}}_n = \boldsymbol{F}_n + \boldsymbol{F}_{n1} + \boldsymbol{F}_{n2} + \cdots + \boldsymbol{F}_{n,n-1}$$

と表される．ただし，質点はそれ自身に力を及ぼすことはないので，上式で例えば $\boldsymbol{F}_{22}$ といった項は現れない．運動の第 3 法則により

$$\boldsymbol{F}_{ij} = -\boldsymbol{F}_{ji}$$

が成り立つから，上のすべての式を加え合わせると，例えば $\boldsymbol{F}_{12}$ は $\boldsymbol{F}_{21}$ と打ち消し合う．同様なことがすべての内力で起こり，(6.1) が導かれる．

参考 **有限な物体の運動方程式** (6.5) の運動方程式は有限な大きさをもつ物体に対しても成り立つ．なぜなら，図 6.1 に示すように，この物体を多数の微小部分に分割したと考え，各微小部分の質量をもつ質点でこの部分を代表させたとすれば，物体全体は一種の質点系とみなせるからである．分割を無限に細かくすれば，物体はいくらでも正確にこのような質点系で表現できる．したがって，有限の大きさをもつ物体に対し，質量を M，重心の位置ベクトルを $\boldsymbol{r}_{\mathrm{G}}$，全体に働く外力を $\boldsymbol{F}$ とすれば，(6.5) と全く同じ運動方程式が成立する．

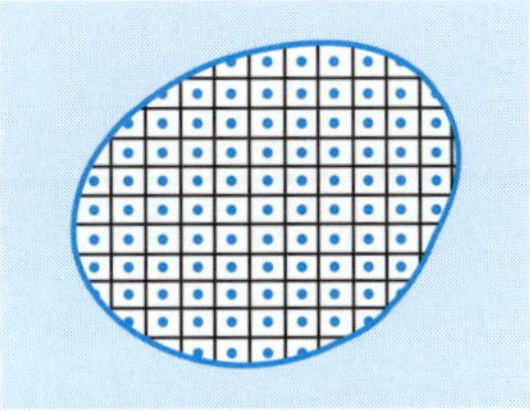

図 6.1　有限な物体の分割

問　題

1.1 一様な球を投げ上げたとき，空気の抵抗などがなければ，球の中心は放物運動を行うことを示せ．

1.2 小球 A（質量 m_{A}）に小球 B（質量 m_{B}）を接着剤で固定し，A に図 6.2 のように一定の力 $\boldsymbol{F}$ を加えながら，なめらかな水平な床の上を運動させる．体系全体の加速度 $\boldsymbol{a}$ と A，B 間に働く力を求めよ．

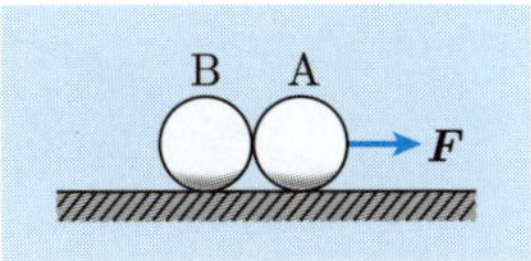

図 6.2　2 個の球

例題 2　　　　**板の上を歩く人と板の移動距離**

なめらかな水平面上におかれた自由に動く長さ l，質量 M の板を考え，その重心をQとする．また，この板の上を歩く質量 m の人をPとし，最初Pは板の左端にいるとする．Pが初速度0で歩きだし板の右端に達したとき，板はどれだけ動くか．ただし，板は一様でQは板の中心にあるものとする．

解答　板に沿って x 軸をとり，P，Qの座標を x_1, x_2 とする．x 方向では外力がないから $m\ddot{x}_1 + M\ddot{x}_2 = 0$ となり，初速度が0であることに注意すると $mx_1 + Mx_2 =$ 一定 となる．したがって，Pが板の左端，右端にいるときのP，Qの座標を図6.3の(a), (b)のようにとれば

$$m{x_1}^0 + M{x_2}^0 = m{x_1}' + M{x_2}'$$

となる．また，${x_2}^0 - {x_1}^0 = l/2,\ {x_1}' - {x_2}' = l/2$ で，これから ${x_1}^0 = {x_2}^0 - l/2,\ {x_1}' = {x_2}' + l/2$ と書ける．これを上式に代入すると，板の移動距離として次の結果が導かれる．

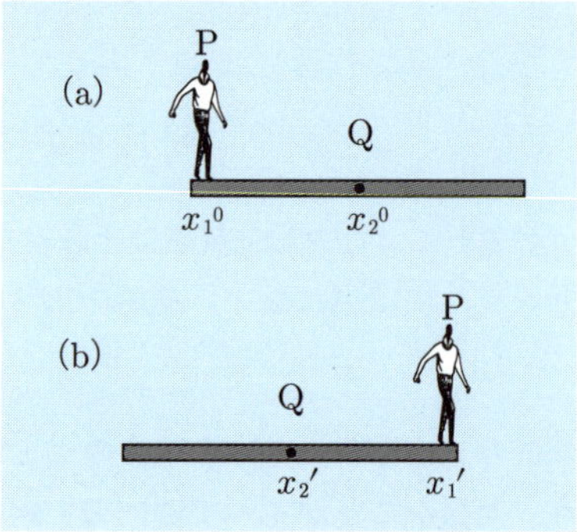

図 6.3　板の上の人

$$x_2{}^0 - x_2{}' = \frac{ml}{M+m}$$

問　題

2.1　水平面と角 θ をなすなめらかな斜面上の板（質量 M）の上を人（質量 m）が歩いたとき板はすべり動かないとする（図6.4）．このような運動が実現するためには，人はどのように歩けばよいか．

2.2　水平面と角 θ_1, θ_2 をなす固定した複斜面がある（図6.5）．質量が m_1, m_2 で斜面との動摩擦係数が μ_1', μ_2' である2つの質点を糸の両端につけ，その糸を複斜面の頂上にあるなめらかな釘にかけてある．質量 m_1 の質点が角 θ_1 の斜面上をすべり落ちるとして，質点の加速度を求めよ．

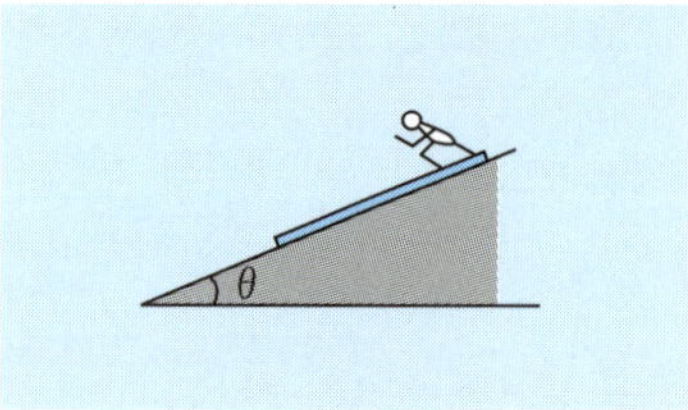

図 6.4　斜面上の板

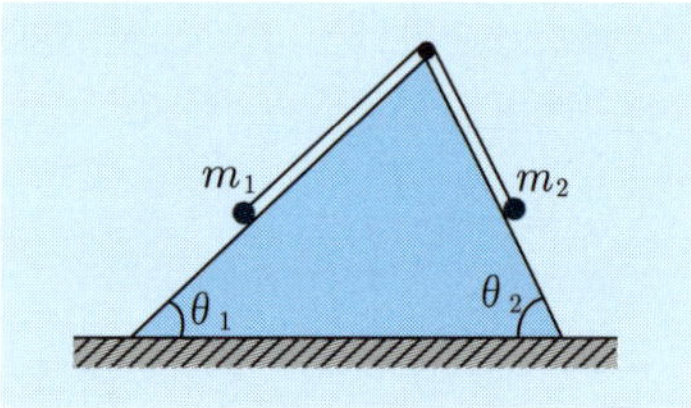

図 6.5　複斜面

6.2　運動量保存則

● 運動量の保存 ●　質点系に働く外力の総和が 0 の場合，すなわち

$$\boldsymbol{F} = \sum_{i=1}^{n} \boldsymbol{F}_i = 0 \tag{6.6}$$

の場合，(6.3) により

$$\frac{d\boldsymbol{P}}{dt} = 0 \qquad \therefore \quad \boldsymbol{P} = \text{一定のベクトル} \tag{6.7}$$

が成立する．これからわかるように，運動しているいくつかの質点の全運動量は，その質点系に外部から力が働かない限り一定に保たれ，運動の定数となる．これを**運動量保存則**という．

● ある方向の保存則 ●　$\boldsymbol{F}$ が 0 でなくても，例えばそれの x 成分が 0 であれば，$P_x =$ 一定 である．一般に，$\boldsymbol{F}$ のある方向の成分が 0 であれば，その方向にとった $\boldsymbol{P}$ の成分は運動の定数となる．運動量保存則は具体的な力学の問題に適用することができる．

● 運動量保存則の例 ●　滑らかな水平面上を n 個の質点が運動している場合を考える．各質点には，重力と面からの垂直抗力が働くが，これらの力は水平面と垂直であるから，水平面内の任意の方向で成分をもたない．したがって，水平面内の任意の方向にとった全運動量の成分は一定となる．一方，図 6.6 の示すように，質点の各運動量 $\boldsymbol{p}_1, \boldsymbol{p}_2, \cdots, \boldsymbol{p}_n$ はいずれも水平面内にあり，このため

$$\boldsymbol{p}_1 + \boldsymbol{p}_2 + \cdots + \boldsymbol{p}_n = \text{一定}$$

という関係が得られる．この関係は質点が何回か衝突したりしても成り立つ．一般に，質点間の相互作用により，個々の質点の運動量は時間の関数として変化していく．しかし，全運動量は運動の定数となり，時間の経過とは無関係な定数ベクトルとなる．

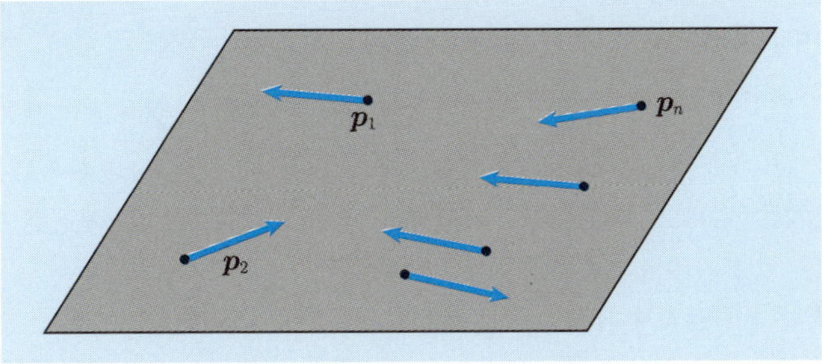

図 6.6　なめらかな水平面上の質点

例題 3　　**2 つの小球の衝突**

なめらかな水平面上を v の速さで運動する質量 m の小球 A が，前方に静止している質量 M の小球 B に衝突した結果，A の進路が角 θ だけ曲がり，その速さが v' になったとする．また．衝突前の A の進行方向と衝突後の B の進行方向とのなす角を φ とする．$\tan\varphi$ と衝突後の B の速さ V を求めよ．

解答　衝突前の A の速度を $\boldsymbol{v}$，衝突後の A，B の速度をそれぞれ $\boldsymbol{v}', \boldsymbol{V}$ とすれば，運動量保存則により $m\boldsymbol{v} = m\boldsymbol{v}' + M\boldsymbol{V}$ が成立する．この関係を図示すると図 6.7 のように表される．図からわかるように

$$mv'\sin\theta = MV\sin\varphi$$

$$mv'\cos\theta + MV\cos\varphi = mv$$

である．両式から $\tan\varphi$ は

$$\tan\varphi = \frac{v'\sin\theta}{v - v'\cos\theta}$$

と計算される．また，$M\boldsymbol{V} = m(\boldsymbol{v} - \boldsymbol{v}')$ と書き，スカラー積の定義を用いると $M^2\boldsymbol{V}^2 = m^2(\boldsymbol{v} - \boldsymbol{v}')^2 = m^2(\boldsymbol{v}^2 - 2\boldsymbol{v}\cdot\boldsymbol{v}' + \boldsymbol{v}'^2)$ となるので $\boldsymbol{v}\cdot\boldsymbol{v}' = vv'\cos\theta$ に注意すると V は下式のように表される．

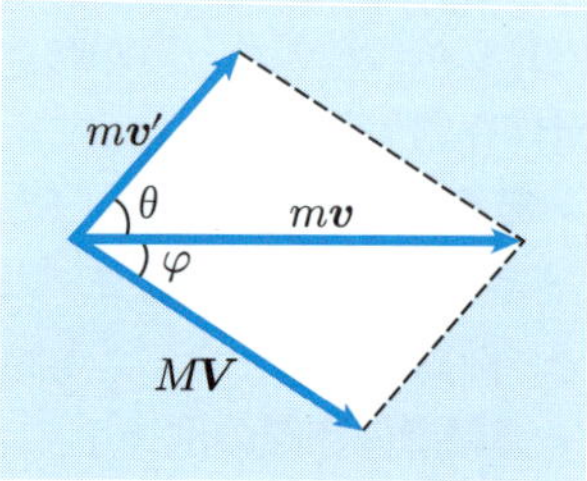

図 6.7　運動量保存則

$$V = \frac{m}{M}\sqrt{v^2 - 2vv'\cos\theta + v'^2}$$

問　題

3.1　質量 3 kg の砂袋が糸で天井からつるしてある．これに質量 20 g の弾丸が 300 m/s の速さで飛んできて衝突し，衝突した後に，衝突した弾丸は砂袋の中に止まったという（図 6.8）．砂袋が動きだすときの速さはいくらか．

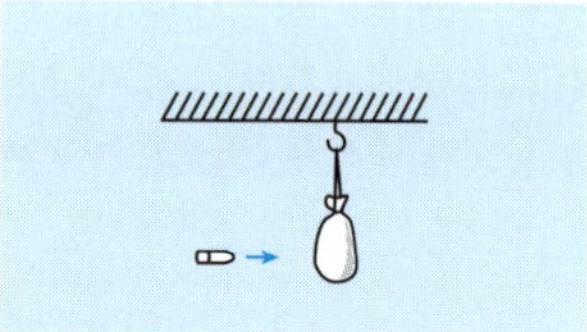
図 6.8　弾丸と砂袋

3.2　全質量 M のロケットが速さ v で飛んでいるとき，その後尾から質量 m の火薬を瞬間的に後方にふきだした．火薬はロケットに対して，V の速さで噴出されるとして，以下の設問に答えよ．

(a)　火薬をふきだす前にロケットのもっていた運動量はいくらか．

(b)　火薬をふきだした後，ロケットと火薬全体に対する全運動量を求めよ．

(c)　火薬をふきだした後のロケットの速さはいくらか．

例題 4　　**ばねの両端の質点の速さ**

なめらかな水平面におかれたばね定数 k のばねの両端に質点 A（質量 m_A），質点 B（質量 m_B）をつけ，ばねを自然長から a だけ伸ばしてから静かに手を放す．ばねが自然長になったときに A，B のもつ速さ v_A, v_B を求めよ．

解答　A，B のばねに沿った座標軸の向きの速度を v_1, v_2 とすれば

$$m_A v_1 + m_B v_2 = 0$$

となる．一方，力学的エネルギー保存則により，ばねが自然長になったときばねの位置エネルギー $(1/2)ka^2$ が質点の運動エネルギーに変わるので

$$\frac{1}{2}m_A {v_1}^2 + \frac{1}{2}m_B {v_2}^2 = \frac{1}{2}ka^2$$

が成り立つ．$v_A = |v_1|, v_B = |v_2|$ を使うと上の両式から次の結果が得られる．

$$v_A = \sqrt{\frac{m_B k}{(m_A + m_B)m_A}}\,a, \quad v_B = \sqrt{\frac{m_A k}{(m_A + m_B)m_B}}\,a$$

問　題

4.1　地表の点 A から θ の仰角，初速度 v_0 で打ち上げられた質量 m の物体が放物線軌道の頂点 D に達したとき，物体内の少量の火薬が爆発して，物体は質量 m_1 と質量 m_2 の 2 つの部分に分裂した（図 6.9）．質量 m_2 の部分は速度を全く失って点 D から初速度 0 で垂直に落下し点 B に達した．空気の抵抗，火薬の質量は無視できるとして，以下の問に答えよ．

(a)　質量 m_1 の部分が着地する点を C とする．$\overline{AB}, \overline{BC}$ の距離を求めよ．

(b)　2 つの部分のどちらが先に着地するか．

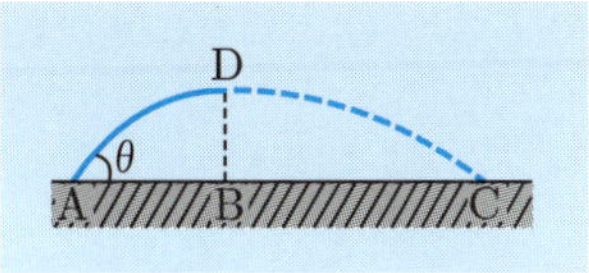

図 6.9　物体の分裂

4.2　図 6.10 のように一直線上を運動する質量 m_1, m_2 の小球が衝突するとき，衝突直前の速度を v_1, v_2 とし，また衝突直後の速度を v_1', v_2' とする．ここで

$$-\frac{v_2' - v_1'}{v_2 - v_1} = e$$

の e を**反発係数**という．e が既知であるとして v_1', v_2' に対する式を導出せよ．

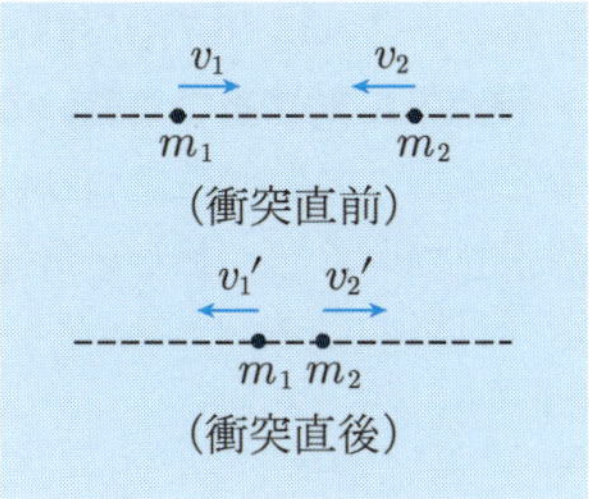

図 6.10　反発係数

6.3 角運動量とその保存則

● 質点の角運動量 ● 適当な原点 O から測った質点（質量 m）の位置ベクトルを $\boldsymbol{r}$，その運動量を $\boldsymbol{p}$ とするとき

$$\boldsymbol{L} = \boldsymbol{r} \times \boldsymbol{p} = m(\boldsymbol{r} \times \dot{\boldsymbol{r}}) \tag{6.8}$$

で定義される $\boldsymbol{L}$ を質点が点 O の周りにもつ**角運動量**という．ベクトル積の定義により，$\boldsymbol{L}$ は $\boldsymbol{r}$ と $\boldsymbol{p}$ の両者に垂直な方向をもつ

● 角運動量と力のモーメント ● 質点に働く力を $\boldsymbol{F}$ としたとき

$$\boldsymbol{N} = \boldsymbol{r} \times \boldsymbol{F} \tag{6.9}$$

で定義される $\boldsymbol{N}$ を点 O に関する**力のモーメント**という．角運動量の時間微分は力のモーメントに等しく，次の関係が成り立つ．

$$\frac{d\boldsymbol{L}}{dt} = \boldsymbol{N} \tag{6.10}$$

● 質点系の全角運動量 ● n 個の質点から成り立つ質点系を考え，i 番目の質点の質量を m_i，点 O から測ったその位置ベクトルを $\boldsymbol{r}_i$，運動量を $\boldsymbol{p}_i$，この質点に働く外力を $\boldsymbol{F}_i$ とする．点 O の周りにもつ i 番目の角運動量 $\boldsymbol{L}_i$ をすべての質点について加え

$$\boldsymbol{L} = \sum_i \boldsymbol{L}_i = \sum_i (\boldsymbol{r}_i \times \boldsymbol{p}_i) = \sum_i m_i (\boldsymbol{r}_i \times \dot{\boldsymbol{r}}_i) \tag{6.11}$$

の $\boldsymbol{L}$ を点 O の周りにもつ質点系の**全角運動量**という．また，$\boldsymbol{N}$ を

$$\boldsymbol{N} = \sum_i (\boldsymbol{r}_i \times \boldsymbol{F}_i) \tag{6.12}$$

とし，これを質点系に対する力のモーメントという．質点系の場合にも (6.10) と同じ関係が成り立つ（例題 6）．質点に対する (6.10) は質点系の特別な場合 ($i = 1$) である．なお，質点系で力のモーメントを求めるとき内力を考慮する必要はない．

● 角運動量保存則 ● (6.10) で $\boldsymbol{N} = 0$ であれば

$$\boldsymbol{L} = \text{一定のベクトル} \tag{6.13}$$

となる．これは (6.7) に対応する関係で，**角運動量保存則**と呼ばれる．

● 質点系に対するつり合いの条件 ● 質点系中に含まれるすべての質点が静止しているとき，この質点系は**つり合いの状態**にあるという．この状態では，質点系の重心は静止しているし，また全角運動量も 0 である．したがって，(6.5)，(6.10) により

$$\sum_i \boldsymbol{F}_i = 0 \tag{6.14}$$

$$\sum_i (\boldsymbol{r}_i \times \boldsymbol{F}_i) = 0 \tag{6.15}$$

がつり合いのための必要条件となる．

例題 5　**等速円運動する質点の角運動量**

質量 m の質点が xy 面上で点 O を中心として半径 A，角速度 ω の等速円運動をしている．質点は正の向きに回転しているとして角運動量を求めよ．

解答　質点の xy 座標は

$$x = A\cos\omega t, \quad y = A\sin\omega t$$

と書け，これから

$$\dot{x} = -A\omega\sin\omega t, \quad \dot{y} = A\omega\cos\omega t$$

である．一般に，平面上を運動する質点の角運動量はこの平面と垂直となることがわかる（問題 5.2）．いまの場合

$$L_x = L_y = 0$$

で，L_z は次のように計算される．

$$L_z = m(x\dot{y} - y\dot{x}) = mA^2\omega$$

問　題

5.1　角運動量の x, y, z 成分を座標 x, y, z および速度の x, y, z 成分で記述する式を導出せよ．

5.2　質点がある平面上で運動する場合，角運動量を表すベクトルはその平面と垂直になることを示せ．

5.3　図 6.11 のように，原点 O，質点の場所，質点の運動量 $\boldsymbol{p}$ を含む平面を xy 面にとるとして，次の問に答えよ．

(a)　角運動量のベクトル $\boldsymbol{L}$ は xy 面と垂直であることを示せ．

(b)　図 6.11 に示すように，O から $\boldsymbol{p}$ の延長線に垂線をおろし，その足を R とする．角運動量の z 成分は，一般に

$$L_z = \pm p \times \overline{\mathrm{OR}}$$

と書けることを証明し，± の符号の決め方について論じよ．

(c)　いまの方法で例題 5 を解き，L_z が + あるいは − になるのはどんな場合であるかを明らかにせよ．

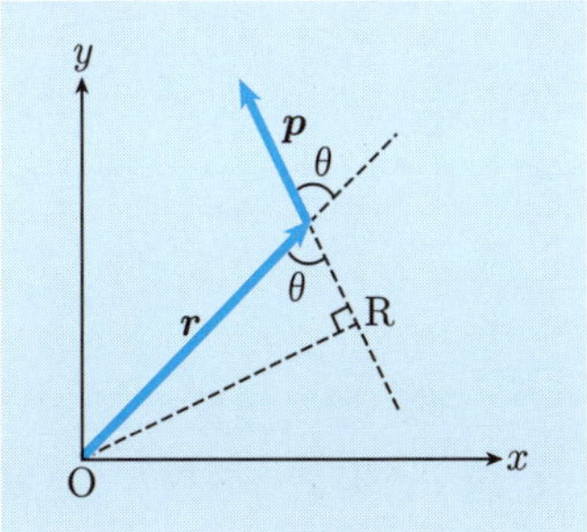

図 6.11　質点の角運動量

5.4　力のモーメントを求めるためには，上の問題 5.3 において，運動量 $\boldsymbol{p}$ を力 $\boldsymbol{F}$ で置き換えればよい．このような考察から，力のベクトルの延長線が点 O を通る場合，この点に関する力のモーメントは 0 になることを示せ．

例題 6 **質点系の角運動量**

質点系に対して (6.10) の関係を導け.

解答 i 番目の質点に対する運動方程式は

$$m_i \ddot{\boldsymbol{r}}_i = \boldsymbol{F}_i + \sum_{j \neq i} \boldsymbol{F}_{ij}$$

と表される．ここで $\boldsymbol{F}_i$ は i 番目の質点に対する外力，$\boldsymbol{F}_{ij}$ は j 番目の質点が i 番目の質点に及ぼす内力である．また $j \neq i$ は j で加えるとき $j = i$ の項は除くということを意味する．$\boldsymbol{r}_i$ と上式とのベクトル積をとり i について総和をとると

$$\sum_i m_i(\boldsymbol{r}_i \times \ddot{\boldsymbol{r}}_i) = \sum_i (\boldsymbol{r}_i \times \boldsymbol{F}_i) + \sum_i \sum_{j \neq i} (\boldsymbol{r}_i \times \boldsymbol{F}_{ij})$$

という関係が得られる．上式の右辺第 2 項で，例えば $\boldsymbol{F}_{12}$ と $\boldsymbol{F}_{21}$ とを含む項を考えると，$\boldsymbol{F}_{21} = -\boldsymbol{F}_{12}$ に注意して $(\boldsymbol{r}_1 - \boldsymbol{r}_2) \times \boldsymbol{F}_{12}$ という項が現れる．ところが，$\boldsymbol{F}_{12}$ は $(\boldsymbol{r}_1 - \boldsymbol{r}_2)$ と平行なのでベクトル積の性質によりこの項は 0 となる．同じことが任意の $\boldsymbol{F}_{ij}$ と $\boldsymbol{F}_{ji}$ とのペアに対して成り立ち，結局上式の右辺第 2 項は 0 で上式は

$$\sum_i m_i(\boldsymbol{r}_i \times \ddot{\boldsymbol{r}}_i) = \sum_i (\boldsymbol{r}_i \times \boldsymbol{F}_i)$$

と表される．一方，(6.11) の $\boldsymbol{L}$ を時間で微分すると（問題 6.1）

$$\frac{d\boldsymbol{L}}{dt} = \frac{d}{dt} \sum_i m_i(\boldsymbol{r}_i \times \dot{\boldsymbol{r}}_i) = \sum_i m_i(\dot{\boldsymbol{r}}_i \times \dot{\boldsymbol{r}}_i) + \sum_i m_i(\boldsymbol{r}_i \times \ddot{\boldsymbol{r}}_i)$$

となるが，$\dot{\boldsymbol{r}}_i \times \dot{\boldsymbol{r}}_i = 0$ に注意すると

$$\frac{d\boldsymbol{L}}{dt} = \sum_i (\boldsymbol{r}_i \times \boldsymbol{F}_i)$$

が得られる．すなわち，次式が成り立つ．

$$\frac{d\boldsymbol{L}}{dt} = \boldsymbol{N}$$

問　題

6.1 $\boldsymbol{b}, \boldsymbol{c}$ が時間の関数のとき $\boldsymbol{a} = \boldsymbol{b} \times \boldsymbol{c}$ の $\boldsymbol{a}$ も時間の関数となる．このとき

$$\frac{d\boldsymbol{a}}{dt} = \dot{\boldsymbol{b}} \times \boldsymbol{c} + \boldsymbol{b} \times \dot{\boldsymbol{c}}$$

が成り立つことを証明せよ．

6.2 n 個の質点から構成される質点系があり，各質点に重力が働くとする．ある点 O に関する重力のモーメントの総和は，重心に集中した全重力が点 O の周りにもつモーメントに等しいことを示せ．

6.3 質点系がつり合いの状態にあるとき，任意の点に関する力のモーメントの和が 0 となることを示せ．

例題 7　　**質点系の力学的エネルギーと平衡の条件**

$U(\boldsymbol{r}_1, \boldsymbol{r}_2, \cdots, \boldsymbol{r}_n)$ という関数から i 番目の質点に働く力（外力と内力）が $\boldsymbol{F}_i = -\nabla_i U$ の関係によって与えられるとする（∇_i は i 番目の質点の座標に関するナブラ記号）．この U が質点系に対するポテンシャル（位置エネルギー）である．

(a)　質点系の力学的エネルギー保存則について論じよ．

(b)　U を極小にするような位置ベクトルを $\boldsymbol{r}_1{}^0, \boldsymbol{r}_2{}^0, \cdots, \boldsymbol{r}_n{}^0$ とする．質点系がこの位置にあれば，すべての質点は平衡状態（つり合いの状態）にあることを示せ．

解答　(a)　i 番目の質点に対する運動方程式は $m_i \ddot{\boldsymbol{r}}_i = \boldsymbol{F}_i$ と書けるが，これと $\dot{\boldsymbol{r}}_i$ とのスカラー積を作り i について和をとると

$$\sum_{i=1}^{n} m_i \dot{\boldsymbol{r}}_i \cdot \ddot{\boldsymbol{r}}_i = -\sum_{i=1}^{n} \dot{\boldsymbol{r}}_i \cdot \nabla_i U \tag{1}$$

が得られる．ここで

$$\frac{d}{dt} U(\boldsymbol{r}_1, \boldsymbol{r}_2, \cdots, \boldsymbol{r}_n) = \sum_{i=1}^{n} (\nabla_i U) \cdot \dot{\boldsymbol{r}}_i \tag{2}$$

に注意すると（問題 7.1），(1) は

$$\frac{d}{dt}\left[\sum_{i=1}^{n} \frac{1}{2} m_i \dot{\boldsymbol{r}}_i{}^2 + U(\boldsymbol{r}_1, \boldsymbol{r}_2, \cdots, \boldsymbol{r}_n)\right] = 0 \tag{3}$$

となる．大括弧内の第 1 項は個々の質点の運動エネルギーの総和で全運動エネルギーを表す．これを K と書くと，(3) から $E = K + U$ の E は時間によらない定数となり，質点系に対する力学的エネルギー保存則が得られる．

(b)　各質点が $\boldsymbol{r}_1{}^0, \boldsymbol{r}_2{}^0, \cdots, \boldsymbol{r}_n{}^0$ という位置を占め，すべての質点が静止しているとする．このときの質点系の力学的エネルギーは

$$E = U(\boldsymbol{r}_1{}^0, \boldsymbol{r}_2{}^0, \cdots, \boldsymbol{r}_n{}^0)$$

で与えられる．この状態から質点が運動すると運動エネルギーの分だけ力学的エネルギーが増加し，力学的エネルギー保存則に反する．その事情は 1 変数の場合（図 6.12）を考えれば理解できるであろう．

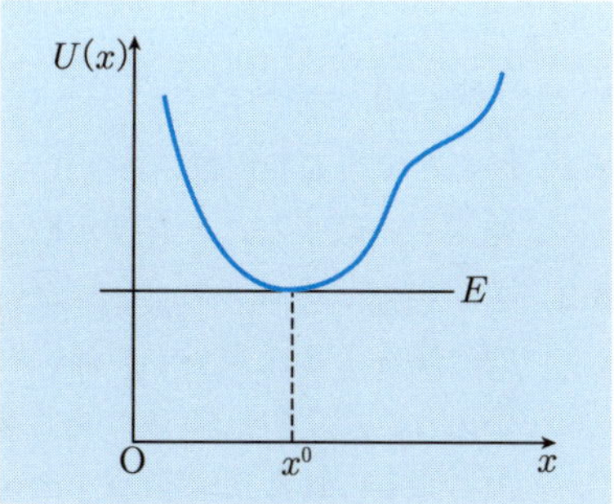

図 6.12　1 変数の場合

問　題

7.1　(2) の関係を導け．

7.2　質点系がなめらかな束縛を受けているときでも力学的エネルギー保存則が成り立つことを示せ．

例題 8 **円周上にある 2 個の質点のつり合い**

図 6.13 に示すように，鉛直面内に固定された半径 a のなめらかな円周上に，質点 A（質量 m_1）と質点 B（質量 m_2）の質点が束縛されている．この質点は長さ $2l\,(l \leq a)$ の質量の無視できる棒で結ばれ，$\angle\mathrm{OAB} = \angle\mathrm{OBA} = \alpha$ は一定に保たれている．この質点系がつり合いの位置にあるとき，棒は水平（x 軸）と角 θ をなすとする．点 O に関する力のモーメントを考察して $\tan\theta$ を求めよ．

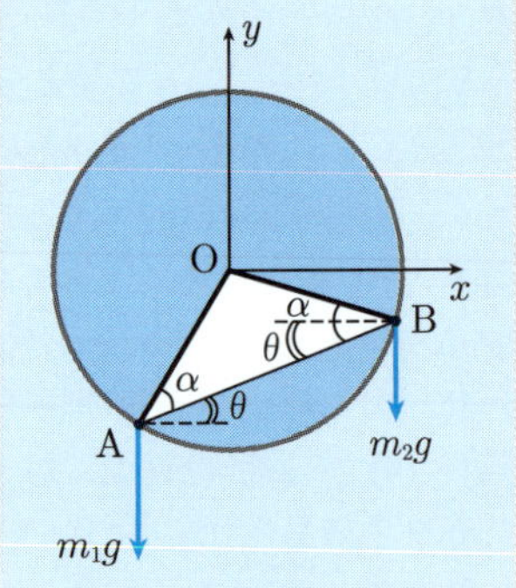

図 6.13　円周上の 2 個の質点

解答　質点には円からの束縛力が働くがこれらの延長線は点 O を通るので，O に関するモーメントをもたない．したがって，O の周りの重力のモーメントだけを考慮すれば十分である．O に関する力のモーメントの和を 0 とおき

$$m_1ga\cos(\alpha+\theta) - m_2ga\cos(\alpha-\theta) = 0$$

となる．三角関数の加法定理を利用すると

$$m_1(\cos\alpha\cos\theta - \sin\alpha\sin\theta) = m_2(\cos\alpha\cos\theta + \sin\alpha\sin\theta)$$

と書け，これから $\tan\theta$ は次のように求まる．

$$\tan\theta = \frac{m_1 - m_2}{(m_1+m_2)\tan\alpha}$$

問　題

8.1　例題 8 で重力の位置エネルギーを扱い，平衡の位置はモーメントの考えで導いた結果と一致することを確かめよ．

8.2　図 6.14 のように，ちょうつがい O で一端をとめた長さ l の軽いたながあり，たなの上に O から距離 s のところに質量 m の質点をのせるとする．また，たなの他端 P を糸でひっぱり，たなが水平になるとして図のように角 θ をとる．点 O における抗力 $\boldsymbol{R}$ と糸の張力 T を求めよ．

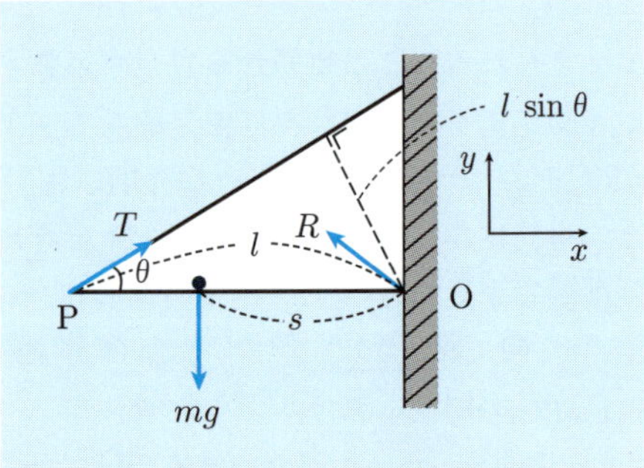

図 6.14　たなの上の質点

例題 9 **2個の質点のつり合い**

図 6.15 に示すように，へりを水平に固定したなめらかな半球（半径 a）の内部にある質量 m_1 の質点に糸をつけて，この糸をへりを越して外にたらし，糸の端に質量 m_2 の質点をつるす．糸は伸び縮みせずその質量は無視できるとする．球の中心 O から糸に下ろした垂線の足を B とし，図のように ∠AOB = ∠COB = θ とおく．束縛はすべてなめらかと仮定し，つり合いの場合の $\cos\theta$ を求めよ．

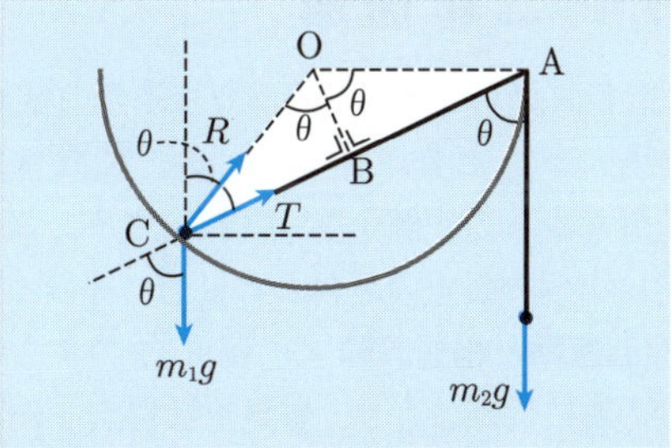

図 6.15　2 個の質点

解答　質量 m_1 の質点には糸の張力 $T\,(= m_2 g)$，重力 $m_1 g$，半球からの抗力 R が働く．この抗力は中心 O に向かうので，幾何学的な考察により図のように角度が決まる．AC と垂直方向，AC 方向の力のつり合いから

$$R\cos\theta = m_1 g\sin\theta, \quad m_2 g + R\sin\theta = m_1 g\cos\theta$$

が得られる．左式から $R = m_1 g\sin\theta/\cos\theta$ と書け，これを右式に代入すると

$$2m_1\cos^2\theta - m_2\cos\theta - m_1 = 0$$

が導かれる．この解は $\cos\theta = (m_2 \pm \sqrt{m_2{}^2 + 8m_1{}^2})/4m_1$ と求まるが，平方根の前の − 符号をとると $\cos\theta < 0$ となり物理的に不合理である．したがって，+ 符号をとり $\cos\theta$ は次のように表される．

$$\cos\theta = \frac{m_2 + \sqrt{m_2{}^2 + 8m_1{}^2}}{4m_1}$$

問題

9.1　力学的エネルギーの考えから上の例題を解き，同じ結果が得られることを示せ．

9.2　図 6.16 に示すように，ちょうつがい A の周りで鉛直面内に自由に回転する長さ $2l$，質量 M の一様な棒がある．棒の他端 B に糸をつけ，この糸を A の真上で距離 a のところにあるなめらかな釘 C にかけ，糸の先端に質量 m の質点 P をつるす．棒のつり合いを考慮し，A に関するモーメントを計算して平衡状態での $\cos\theta$ を計算せよ．また，エネルギーの考察からその結果が正しいことを示せ．

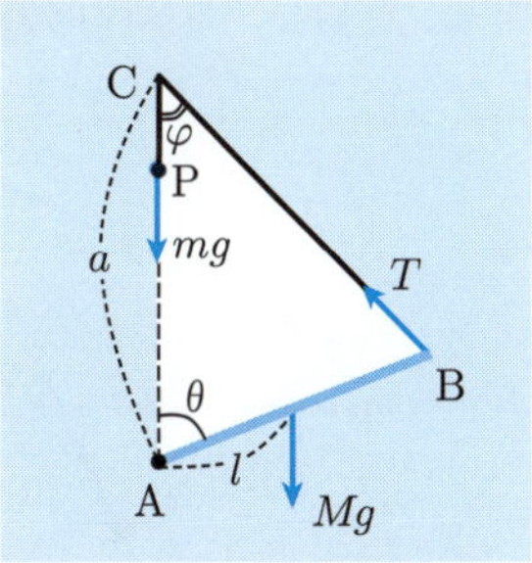

図 6.16　棒と質点

6.4 二体問題

2 個の質点から構成される質点系の力学を**二体問題**という．質点 1（質量 m_1，位置ベクトル $\boldsymbol{r}_1$）と質点 2（質量 m_2，位置ベクトル $\boldsymbol{r}_2$）を考え（図 6.17），この質点系には外部から力が働かないと仮定する．このような仮定下で，以下に示すように二体問題は 1 個の質点の運動と本質的に等価となる．

• 重心運動と相対運動 •　図 6.17 のように質点 1 が質点 2 に及ぼす力を $\boldsymbol{F}$ とする．運動の第三法則により，質点 1 は質点 2 から $-\boldsymbol{F}$ の力を受けるので，両者に働く外力を無視すると，運動方程式は $m_1\ddot{\boldsymbol{r}}_1 = -\boldsymbol{F}$, $m_2\ddot{\boldsymbol{r}}_2 = \boldsymbol{F}$ と書ける．これから両質点の重心は等速直線運動することがわかる（例題 10）．また，質点 1 からみた質点 2 の位置ベクトル $\boldsymbol{r}$ を導入し $\boldsymbol{r} = \boldsymbol{r}_2 - \boldsymbol{r}_1$ とすれば，$\boldsymbol{r}$ に対する運動方程式は

$$\mu\ddot{\boldsymbol{r}} = \boldsymbol{F} \tag{6.16}$$

と表される．ここで μ は**換算質量**で次のように定義される（例題 10）．

$$\frac{1}{\mu} = \frac{1}{m_1} + \frac{1}{m_2} \qquad \therefore \quad \mu = \frac{m_1 m_2}{m_1 + m_2} \tag{6.17}$$

こうして，質量 m が質量 μ に変わったと考えれば，二体問題は 1 個の質点の力学と同等となる．

• 中心力 •　太陽や地球を一様な球とみなすと，第 4 章で学んだように両者を質点として扱うことができる．質点 1 を座標原点に選んだとしこれを O とすれば，質点 2 の質量は見かけ上 μ となり，これに作用する万有引力 $\boldsymbol{F}$ は

$$\boldsymbol{F} = f(r)\boldsymbol{r} \tag{6.18}$$

という形に表される（図 6.18）．このように $\boldsymbol{r}$ に比例し大きさが r だけの関数であるような力を**中心力**，また点 O を**力の中心**という．中心力では O に関する力のモーメントが 0 であるため，O の周りの角運動量は運動の定数となる．その結果，質点は一平面上を運動し，単位時間当たりに軌道が描く面積（**面積速度**）は一定となる．

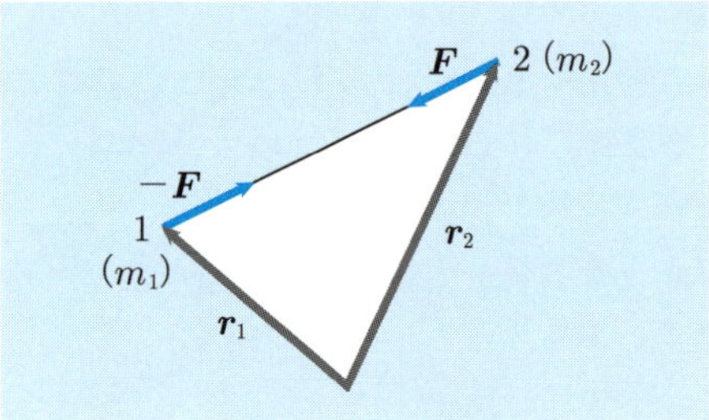

図 6.17　二体問題

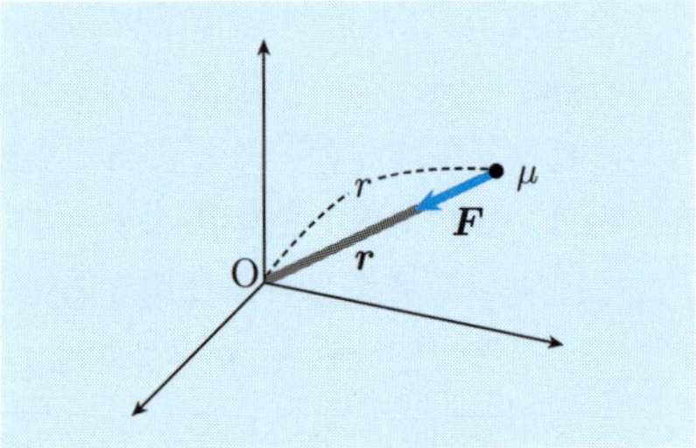

図 6.18　中心力

例題 10　**二体問題の運動方程式**

2 個の質点から構成される質点系の場合，質点系に働く外力がないとすれば，重心は等速直線運動すること，相対運動は換算質量をもつ 1 個の質点の運動方程式で記述されることを示せ．

解答　各質点に対する運動方程式は $m_1\ddot{\boldsymbol{r}}_1 = -\boldsymbol{F}$, $m_2\ddot{\boldsymbol{r}}_2 = \boldsymbol{F}$ と書ける．両者の和をとると $m_1\ddot{\boldsymbol{r}}_1 + m_2\ddot{\boldsymbol{r}}_2 = 0$ となり，質点系の重心の運動方程式は $\ddot{\boldsymbol{r}}_{\mathrm{G}} = 0$ と表される．すなわち，重心は等速直線運動を行う．また，$\ddot{\boldsymbol{r}}_1 = -\boldsymbol{F}/m_1$, $\ddot{\boldsymbol{r}}_2 = \boldsymbol{F}/m_2$ と書けるので，相対運動を表す位置ベクトル $\boldsymbol{r} = \boldsymbol{r}_2 - \boldsymbol{r}_1$ に対する運動方程式は $\ddot{\boldsymbol{r}} = \boldsymbol{F}/\mu$ となり，換算質量 μ は (6.17) で与えられることがわかる．質点 1 を太陽，質点 2 を地球としたとき $m_1 \gg m_2$ が成り立ち，このため $\mu \simeq m_2$ としてよい．

問　題

10.1　質点 2 からみた質点 1 の運動を考えるときの換算質量はどのように表されるか．

10.2　地球の質量を 1 とすれば，太陽，月の質量はそれぞれ 3.3×10^5，1.2×10^{-2} である．地球と太陽，地球と月の二体問題における換算質量はそれぞれいくらとなるか．

10.3　2 つの質点から構成される質点系の全運動エネルギー K は

$$K = \frac{M}{2}\dot{\boldsymbol{r}}_{\mathrm{G}}{}^2 + \frac{\mu}{2}\dot{\boldsymbol{r}}^2$$

と書けることを示せ．ただし，M は質点系の全質量で

$$M = m_1 + m_2$$

を表す．

10.4　質量 μ の 1 個の質点に中心力 $\boldsymbol{F} = f(r)\boldsymbol{r}$ が働くとき，運動方程式は

$$\mu\ddot{\boldsymbol{r}} = f(r)\boldsymbol{r}$$

と表される．この方程式を出発点として次の事実を証明せよ．

(a)　質点の角運動量 $\boldsymbol{L}$ は運動の定数であり，$\boldsymbol{L} =$ 一定 のベクトルとなる．

(b)　$\boldsymbol{L}$ の方向に z 軸をとると，$\boldsymbol{L}$ が 0 でない限り O を通り z 軸と垂直な平面内で質点は運動する．

(c)　上の平面内で原点 O と質点とを結ぶ線分が単位時間に描く面積は一定となる．この面積速度を $\dot{S}$ とすれば次の関係が成り立つ．

$$\dot{S} = \frac{L_z}{2\mu}$$

例題 11 **極座標（二次元）による表示**

中心力の働く質点は一平面内で運動するが，図6.19 のように力の中心を原点 O とする極座標 r, θ で質点の位置を記述する．以下の問に答えよ．

(a) 質点の角運動量はどのように表されるか．

(b) 原点に対する質点の面積速度 $\dot{S}$ を求めよ．

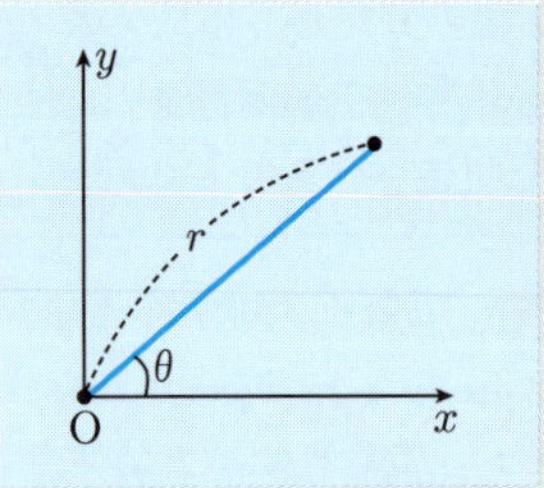

図 6.19 極座標

解答 (a) 質点の x, y 座標は

$$x = r\cos\theta, \quad y = r\sin\theta \tag{1}$$

と書けるので，これを t で微分し

$$\dot{x} = \dot{r}\cos\theta - r\dot{\theta}\sin\theta, \quad \dot{y} = \dot{r}\sin\theta + r\dot{\theta}\cos\theta \tag{2}$$

が得られる．角運動量 $\boldsymbol{L}$ は $\boldsymbol{L} = \mu(\boldsymbol{r} \times \dot{\boldsymbol{r}})$ と定義されるが，質点は xy 面内を運動するので，$\boldsymbol{L}$ は z 方向にだけ成分をもつ．L_z は (1), (2) を使い次のように求まる．

$$L_z = \mu(x\dot{y} - y\dot{x}) = \mu r^2\dot{\theta}$$

(b) 図6.20 に示すように，時刻 t に点 P にいた質点が微小時間 Δt の後に点 Q に達したとする．図のように OQ 上に $\overline{\mathrm{OP}} = \overline{\mathrm{OQ'}}$ となるような点 Q′ をとると，$\Delta t \to 0$ の極限で PQQ′ の面積は無視できる．また ΔOPQ′ で PQ′ $\simeq r\Delta\theta$，PQ′ を底辺とする三角形の高さ $\simeq r$ であるから，その面積は $\Delta S \simeq r^2\Delta\theta/2$ と書ける．よって面積速度は $\dot{S} = r^2\dot{\theta}/2$ と表される．

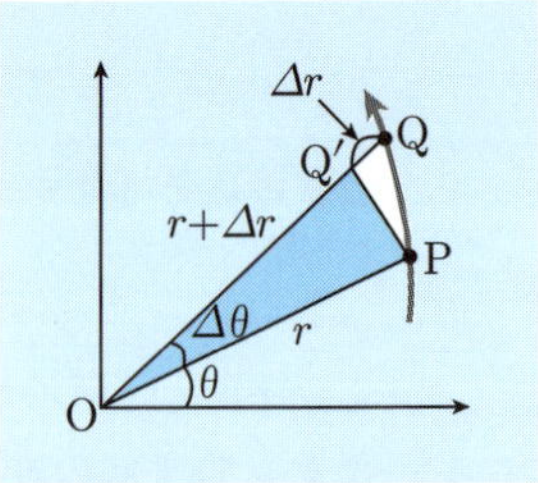

図 6.20 面積速度

問　題

11.1 $\dot{\boldsymbol{r}}^2 = \dot{x}^2 + \dot{y}^2$ を極座標で表せ．

11.2 力 $\boldsymbol{F}$ が位置エネルギー $U(r)$ から導かれるとし $\boldsymbol{F} = -\nabla U$ とする．また，L_z は運動の定数であるから，h を定数として $r^2\dot{\theta} = h$ とおく．重心の運動エネルギーを除く力学的エネルギー E は次のように表されることを示せ．

$$E = \frac{\mu}{2}\left(\dot{r}^2 + \frac{h^2}{r^2}\right) + U(r)$$

例題 12　　**質点の軌道に対する方程式**

問題 11.2 の結果に基づき次の問に答えよ．

(a)　力学的エネルギー E を決めたとき質点の運動はどのような範囲で起こるか．

(b)　質点の軌道を求めるには r を θ の関数として決めればよい．そのための方程式を導け．

解答　(a)　問題 11.2 の結果から

$$V(r) = U(r) + \frac{\mu h^2}{2r^2}$$

とおけば，力学的エネルギー保存則は $(\mu/2)\dot{r}^2 + V(r) = E$ と表される．したがって，質点の運動は $E \geq V(r)$ の条件を満たす範囲内に限定される．この関係は (3.17) と同じ形をもち，ポテンシャルに $\mu h^2/2r^2$ という項がつけ加わっただけである．この付加項は遠心力の効果を表し，遠心力ポテンシャルと呼ばれている．質点の軌道を考察する際，$r^2\dot{\theta} =$ 一定 という条件を考慮する必要がある（問題 12.1）．

(b)　問題 11.2 の E は運動の定数で時間に依存しないので，この式を時間で微分し $U'(r) = dU(r)/dr$ とおくと

$$\mu\left(\ddot{r} - \frac{h^2}{r^3}\right) + U'(r) = 0$$

という r に対する微分方程式が求まる．$r = r(\theta)$ の関数形を求めるため

$$\ddot{r} = \frac{h^2}{r^2}\frac{d}{d\theta}\left(\frac{1}{r^2}\frac{dr}{d\theta}\right) \tag{1}$$

に注意すると（問題 12.2），質点の軌道を決めるべき次式が導かれる．

$$\frac{1}{r^2}\frac{d}{d\theta}\left(\frac{1}{r^2}\frac{dr}{d\theta}\right) - \frac{1}{r^3} + \frac{U'(r)}{\mu h^2} = 0 \tag{2}$$

問　題

12.1　2 個の質点を含む質点系で質量 m_1 の質点の周りで起こる質量 m_2 の質点の相対運動を考える．中心力が働く場合，図 6.21 に示した①〜④の軌道のうちで，実現の可能性のあるものを 2 つ選べ．

12.2　中心力が働く二体問題で質点間の距離を r とする．$\ddot{r}$ に対する例題 12 中の (1) の関係を証明せよ．

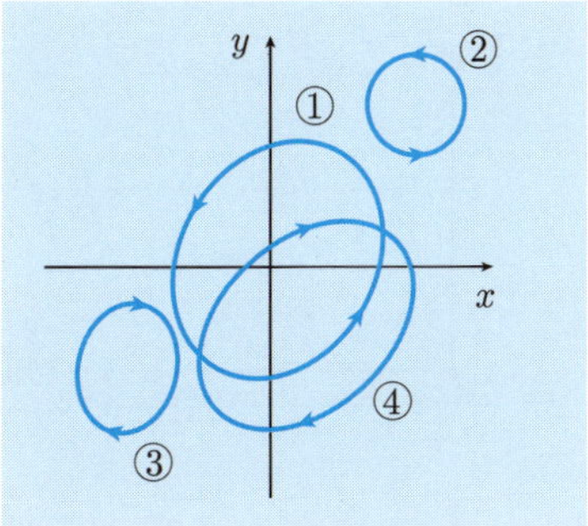

図 6.21　質点の軌道

6.5 惑星の運動

• 運動の定性的な性質 • 太陽の周りの惑星の運動は二体問題の重要な例の1つである．図6.17で質点1, 2をそれぞれ太陽，惑星とみなし，これらを一様な球と仮定すれば，両者を質点とみなすことができる．このため，万有引力のポテンシャル $U(r)$ は $U(r) = -Gm_1m_2/r$ で与えられ，例題12の $V(r)$ は

$$V(r) = -\frac{Gm_1m_2}{r} + \frac{\mu h^2}{2r^2} \tag{6.19}$$

と表される．r の関数として $V(r)$ を図示すると図6.22のようになる．例題12(a)により，$E \geq V(r)$ が成り立つので，$E \geq 0$ の場合，運動が r の有限な範囲内で起こることはない．実際，質点の軌道は $E > 0$ では双曲線，$E = 0$ では放物線，$E < 0$ では楕円になることが知られている．

• 惑星の軌道 • 以下の議論では $E < 0$ の場合を考えるが，図6.23のように太陽の位置を O_1 とし，惑星の位置を極座標 r, θ で表す．惑星の軌道は点Oを中心，O_1 を焦点とする楕円で記述され，楕円の長径，短径をそれぞれ a, b とすれば離心率 e は

$$e = \frac{\sqrt{a^2 - b^2}}{a} \tag{6.20}$$

と定義される．$\overline{OO_1}$ は ae と表される．

• ケプラーの法則 • ケプラーは惑星の観測結果を整理し，次の法則を発見した．① すべての惑星は太陽を1つの焦点とする楕円上を運動する．② 惑星と太陽を結ぶ線分が一定時間に描く面積は，それぞれの惑星について一定である．③ 惑星の公転周期の2乗は，その惑星の軌道である楕円の長径の3乗に比例する．ニュートンの運動方程式を用いると，以上の3つの法則が導かれる．

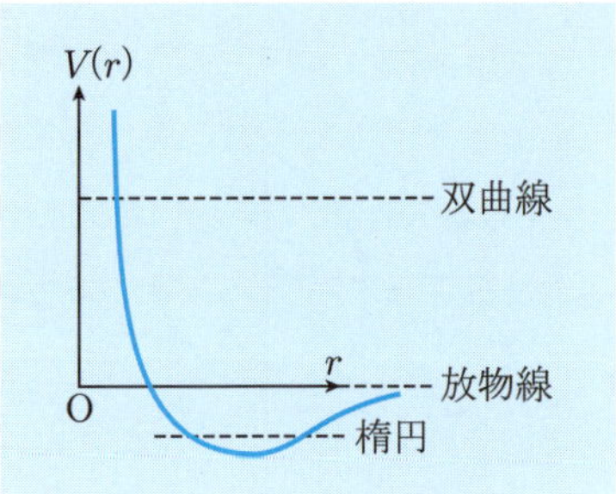

図 6.22 $V(r)$ の r 依存性

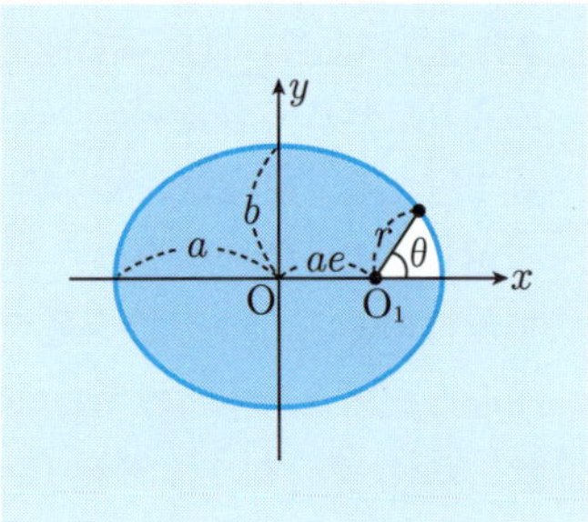

図 6.23 楕円軌道

例題 13　　**惑星の軌道の方程式**

$\theta = 0$ が近日点を表すとして，すなわち $\theta = 0$ のとき r は最小であると仮定し，r は

$$r = \frac{l}{1 + e\cos\theta} \quad (e > 0)$$

と書けることを証明せよ．

解答　$U(r)$ を r で微分すると $U'(r) = GmM/r^2$ となる．これを例題 12 の (2) に代入し

$$\frac{1}{r^2}\frac{d}{d\theta}\left(\frac{1}{r^2}\frac{dr}{d\theta}\right) - \frac{1}{r^3} + \frac{1}{r^2 l} = 0 \tag{1}$$

が得られる．ただし，l は

$$l = \frac{\mu h^2}{Gm_1 m_2} \tag{2}$$

で定義される．太陽（質量 m_1）の周りの惑星（質量 m_2）の運動では $m_1 \gg m_2$ が成り立つので $\mu \simeq m_2$ となり，(2) からわかるように $l \simeq h^2/Gm_1$ としてよい．(1) の微分方程式を解くため，r のかわりに $u = 1/r$ で定義される u を導入すると

$$\frac{du}{d\theta} = -\frac{1}{r^2}\frac{dr}{d\theta}$$

と書ける．これを (1) に代入すると，u に対する微分方程式は

$$\frac{d^2u}{d\theta^2} + u = \frac{1}{l} \tag{3}$$

となる．$\theta = 0$ における条件を満たす (3) の解は $u = (1 + e\cos\theta)/l \quad (e > 0)$ となり（問題 13.1），この逆数をとれば与式が導かれる．

問　題

13.1　(3) の解は A, B を任意定数として

$$u = \frac{1}{l} + A\cos\theta + B\sin\theta$$

と書けることを示し，$\theta = 0$ が近日点となるような A, B を求めよ．

13.2　地表の一点から水平方向に物体を投げたとき，その物体が地球半径の円軌道を描く人工衛星となるために必要な最小の速さを**第一宇宙速度**という．この速さを求めよ．

13.3　地表の一点から物体を打ち上げ，その物体を地球の引力圏外へ飛ばすのに必要な最小の速さ（**第二宇宙速度**）はいくらか．

例題 14 **楕円に対する方程式**

図 6.24 のような長径 a，短径 b の楕円があるとし，O_1, O_2 はその焦点とする．焦点 O_1 を原点とする極座標 r, θ で楕円を表したとき，例題 13 の方程式が得られることを確かめよ．

解答 楕円を表す方程式は，x, y 座標を用いると

$$\frac{x^2}{a^2} + \frac{y^2}{b^2} = 1 \tag{1}$$

と書ける．図 6.24 で $\overline{OO_1} = f$ とおき，離心率 e を (6.20) で，また半直弦 l を図のように定義する．(6.20) の定義式から明らかなように e は $0 \leq e < 1$ の条件を満たす．楕円上の任意の点を R とすれば，$\overline{O_1R} + \overline{O_2R} =$ 一定 が成り立つから，図のように点 P,Q をとると $\overline{O_1P} + \overline{O_2P} = \overline{O_1Q} + \overline{O_2Q}$ となる．したがって $a = \sqrt{b^2 + f^2}$ となり (6.20) を使って $f^2 = a^2 - b^2 = a^2e^2$，すなわち $f = ae$ が導かれる．また，楕円の式から次の関係が導かれる（問題 14.1）．

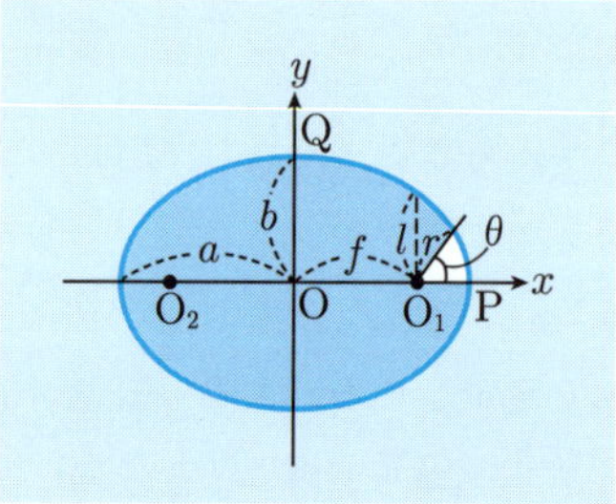

図 6.24 楕円

$$\frac{1}{b^2} = \frac{1-e^2}{l^2}, \quad \frac{1}{a^2} = \frac{(1-e^2)^2}{l^2} \tag{2}$$

図 6.24 で $x = ae + r\cos\theta, \quad y = r\sin\theta$ と書けるので (1) により

$$\frac{(ae + r\cos\theta)^2}{a^2} + \frac{r^2\sin^2\theta}{b^2} = 1$$

が成り立つ．上式は

$$r^2\left(\frac{\cos^2\theta}{a^2} + \frac{\sin^2\theta}{b^2}\right) + \frac{2er\cos\theta}{a} + e^2 = 1 \tag{3}$$

と書ける．(2)，(3) から

$$\Big[(1 + e\cos\theta)r - l\Big]\Big[(1 - e\cos\theta)r + l\Big] = 0 \tag{4}$$

が得られる（問題 14.2）．$0 \leq e < 1$ の関係から $(1 - e\cos\theta)r + l > 0$ である．したがって

$$(1 + e\cos\theta)r - l = 0$$

となり，例題 13 の結果が導かれる．

問 題

14.1 楕円に対する (2) の関係を導け．

14.2 (3) から (4) が得られることを確かめよ．

14.3 楕円を表す式で $\theta = \pi/2$ とおき，l の意味を考えよ．

例題 15　　**惑星の公転周期**

惑星が太陽の周りを一回りする時間を公転周期という．太陽に関する惑星の面積速度は一定値 $h/2$ であることに注目し，ケプラーの第三法則すなわち公転周期 T の 2 乗が楕円の長径 a の 3 乗に比例することを示せ．

解答　例題 11(b) により太陽の周りの面積速度は $\dot{S} = r^2\dot{\theta}/2$ で与えられる．一方，問題 11.2 で $r^2\dot{\theta} = h$ とおいたから，面積速度は $h/2$ に等しい．惑星が太陽の周りを 1 公転すると，太陽と惑星を結ぶ線分は，1 つの楕円を描くことになる．よって，公転周期 T は楕円の面積 πab を面積速度 $h/2$ で割り

$$T = \frac{2\pi ab}{h}$$

と表される．例題 13 の (2) により h は $h = (Gm_1m_2l/\mu)^{1/2}$ と書け，また例題 14 の (2) によって

$$a = \frac{l}{1-e^2}, \quad b = \frac{l}{(1-e^2)^{1/2}}$$

が成り立つ．上式から

$$\frac{ab}{l^{1/2}} = \frac{l^{3/2}}{(1-e^2)^{3/2}} = a^{3/2}$$

が求まる．このようにして，T は

$$T = 2\pi\left(\frac{\mu}{Gm_1m_2}\right)^{1/2}\frac{ab}{l^{1/2}} = 2\pi\left(\frac{\mu}{Gm_1m_2}\right)^{1/2}a^{3/2}$$

と計算される．上式から公転周期の 2 乗は長径の 3 乗に比例することがわかる．

問　題

15.1　太陽の周りを惑星が半径 a の等速円運動を行うと仮定してケプラーの第三法則を導け．

15.2　太陽（質量 m_1）を中心として惑星（質量 m_2）が公転周期 T の等速円運動を行っているとする．$m_1 \gg m_2$ とし，円運動の半径を a とするとき，m_1 は

$$m_1 = \frac{a^3}{G}\left(\frac{2\pi}{T}\right)^2$$

と書けることを示せ．

15.3　地球が太陽の周りを公転する周期は 1 年 = 365 日である．太陽と地球と間の距離 = 1 天文単位 $\simeq 1.5 \times 10^8$ km として太陽の質量を概算せよ．

15.4　人工衛星が第一宇宙速度で地球を回っているとし地球の質量を求めよ．

例題 16 **力学的エネルギーと離心率**

質点 1（質量 m_1）の周りを質点 2（質量 m_2）が運動し，両者間に万有引力が働くとき，質点 1 の周りの力学的エネルギー E は問題 11.2 により

$$E = \frac{\mu}{2}\left(\dot{r}^2 + \frac{h^2}{r^2}\right) - \frac{Gm_1m_2}{r}$$

と表される．質点 2 が離心率 e の楕円軌道を描くとき上記のエネルギーは

$$E = -\frac{Gm_1m_2}{2l}(1-e^2)$$

で与えられることを示せ．

解答 極座標を用いると，質点 1 を原点とする質点 2 の楕円軌道は例題 13 で示したように

$$r = \frac{l}{1 + e\cos\theta}$$

と表される．上式を時間で微分すると

$$\dot{r} = \frac{el\sin\theta}{(1+e\cos\theta)^2}\dot{\theta}$$

が得られる．ここで $r^2\dot{\theta} = h$ から導かれる $\dot{\theta} = h/r^2$ の関係を上式に代入すると

$$\dot{r} = \frac{eh\sin\theta}{l}$$

となる（問題 16.1）．その結果，E は

$$\begin{aligned} E &= \frac{\mu}{2}\left[\frac{e^2h^2\sin^2\theta}{l^2} + \frac{h^2(1+e\cos\theta)^2}{l^2}\right] - \frac{Gm_1m_2(1+e\cos\theta)}{l} \\ &= \frac{\mu h^2}{2l^2}\left[1 + 2e\cos\theta + e^2\right] - \frac{Gm_1m_2(1+e\cos\theta)}{l} \end{aligned}$$

と書けるが，例題 13 の (2) から導かれる $h^2 = Gm_1m_2l/\mu$ を代入すると

$$E = \frac{Gm_1m_2}{2l}\left[1 + 2e\cos\theta + e^2 - 2(1+e\cos\theta)\right] = -\frac{Gm_1m_2}{2l}(1-e^2)$$

と表される．上式からわかるように，$E < 0$ だと $e^2 < 1$ で，惑星の軌道は楕円になるのである．

問　題

16.1 $\dot{r} = eh\sin\theta/l$ の関係を導け．

16.2 質点 1 を中心として質点 2 が等速円運動を行うと仮定して力学的エネルギーを求め，例題 16 の結果と一致することを確かめよ．

7　剛体の力学

7.1　剛体の静力学

• **剛体の定義と自由度** •　力を加えても変形しないような理想的に堅い固体を想定しこれを**剛体**という．有限な物体を細かく分割したとすれば，これを質点系とみなすことができるが，剛体の場合には，各質点間の距離がつねに一定であるという制限がつくと考えられる．一般に，対象とする体系の位置を決めるのに必要な変数の数をその体系の**自由度**という．剛体の位置を決定するため，剛体中に一直線上にない 3 点 P_1, P_2, P_3 をとる．この 3 点の位置を決めれば，剛体の位置が決まる．1 つの点を決めるには 3 個の変数が必要で，P_1, P_2, P_3 の位置を決めるには 9 個の変数が必要となる．しかし，剛体では $\overline{P_1P_2}$, $\overline{P_2P_3}$, $\overline{P_3P_1}$ が一定という 3 つの条件が課せられるので，独立変数の数は $9 - 3 = 6$ となり，剛体の自由度は 6 であることがわかる．

• **剛体に対する運動方程式** •　剛体の重心に対して

$$M\ddot{\boldsymbol{r}}_{\mathrm{G}} = \boldsymbol{F} \tag{7.1}$$

という運動方程式が成り立つ．ただし，M は剛体の質量，$\boldsymbol{F}$ は剛体全体に働く外力である．このように，重心の運動に注目する限り，それは 1 個の質点に対する力学の問題と同じである．剛体の運動を決めるには (7.1) 以外に

$$\dot{\boldsymbol{L}} = \boldsymbol{N} \tag{7.2}$$

を考えればよい．ここで $\boldsymbol{L}$ は全角運動量，$\boldsymbol{N}$ は外力のモーメントの和である．

• **つり合いの条件** •　剛体が静止しているとき，その剛体はつり合いの状態にあるという．剛体が静止していれば，$\boldsymbol{r}_{\mathrm{G}} =$ 一定，$\dot{\boldsymbol{L}} = 0$ であるから，つり合いの条件は

$$\boldsymbol{F} = 0, \quad \boldsymbol{N} = 0 \tag{7.3}$$

と表される．(7.3) は成分で考えると 6 個の条件を意味し，自由度は 6 であるから原理的に (7.3) から剛体のつり合いの位置が決まる．なお，1 個の剛体に限らず，何個かの剛体を含む体系とか，剛体と質点系とが混在するような場合でも，つり合いの条件は ① 全体系に働く外力の総和が 0 であること，② 全体系に働く外力のモーメントの総和が 0 であること，と表される．しかし，これはつり合いのための必要条件であり，一般には十分条件になっていない．そんなときには，内力まで考慮し，個々の質点なり，剛体に対してつり合いの条件を立てればよい．

例題 1　　**あらい床に立てたはしごがすべらない条件**

図 7.1 のように，長さ l，質量 M のはしご AB がなめらかな鉛直な壁とあらい水平な床との間に立てかけてあり，水平となす角を θ，はしごと床との静止摩擦係数を μ とする．質量 m の人間が下端 A から x の距離の点 P に立つとき，はしごがすべらないための μ に対する条件を導け．ただし，はしごの重心 G は中点にあるとし，また人間は質点とみなしてよいとする．

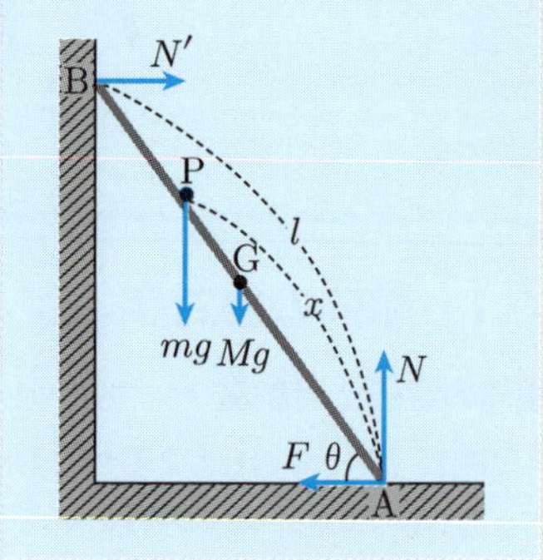

図 7.1　あらい床に立てたはしご

解答　人間とはしごを 1 つの質点系と考えれば，これに働く外力は重力 mg, Mg，壁からの垂直抗力 N'，床からの垂直抗力 N，摩擦力 F である．水平方向の力のつり合いから $F = N'$，鉛直方向の力のつり合いから $N = (M + m)g$ が求まる．また，点 A の周りの力のモーメントを考えると，N と F はモーメントをもたないので

$$mgx\cos\theta + \frac{M}{2}gl\cos\theta = N'l\sin\theta$$

の条件が得られる．これから N' を解き，すべらないための条件 $F \leq \mu N$ を用いると下記の結果が導かれる．

$$\mu \geq \frac{[mx + (M/2)l]}{l(M + m)\tan\theta}$$

問　題

1.1　長さ L，質量 M の一様な棒の一端 A に糸をつけこれを天井からつるし，他端 B を大きさ F の力で水平方向にひっぱるとする．このとき，糸および棒が鉛直線となす角をそれぞれ α, β とする．$\tan\alpha, \tan\beta$ を求めよ．ただし，棒をつるす糸は十分軽くこれに働く重力は無視できるものとする．

1.2　図 7.2 でちょうつがい A の周りで自由に動く一様な棒（長さ $2a$，質量 M）の端 B に長さ $2l$ の糸をつけ，AB が水平の位置にあるとき B の占める点 C に結びつける．糸の張力 T およびちょうつがいにおける抗力 R を計算せよ．

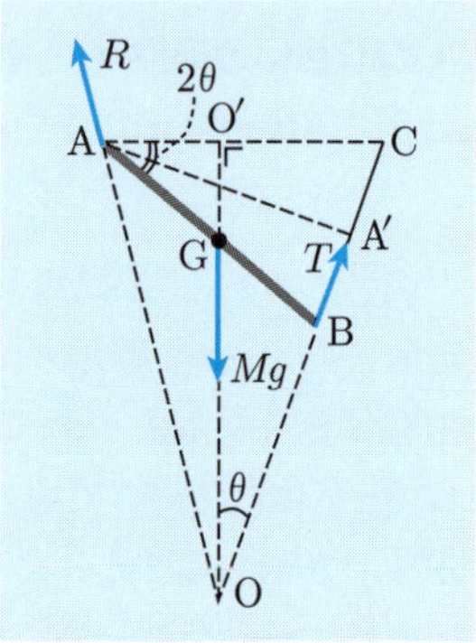

図 7.2　糸と棒

例題 2 **糸で固定された棒のつり合い**

図 7.3 で OC はなめらかで鉛直な壁，OB はなめらかで水平な床，AB は長さ $2a$，質量 M の一様な棒，BC は棒の B 端に固定した糸である．ABC は鉛直面内にあり，糸の一端 C は壁に固定されている．図のように ∠OBA を α，∠OCB を β とし糸の張力 T を求めよ．

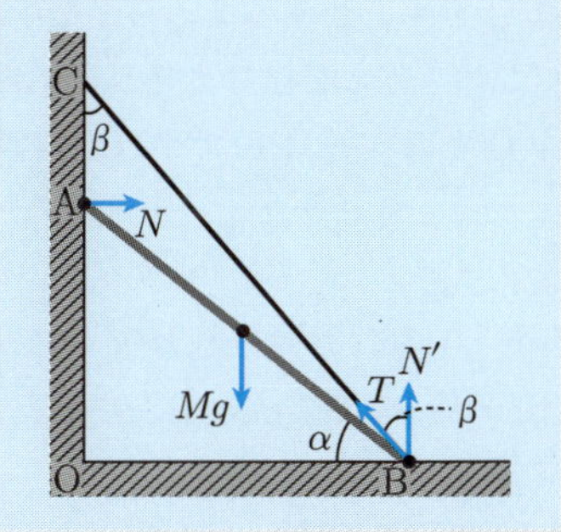

図 7.3　糸で固定された棒

解答 点 A，点 B において棒に働く垂直抗力を N, N' とすれば，水平方向の力のつり合いから

$$T\sin\beta = N \tag{1}$$

が得られる．点 B の周りの力のモーメントを考慮すると T, N' はモーメントをもたないので

$$Mga\cos\alpha = 2aN\sin\alpha \tag{2}$$

となる．(1) を (2) に代入すると，T は

$$T = \frac{Mg\cos\alpha}{2\sin\alpha\sin\beta} = \frac{Mg}{2\tan\alpha\sin\beta}$$

と計算される．

問　題

2.1 $\alpha = 45°$, $\beta = 30°$ のときの T の値を求めよ．

2.2 上の例題で点 B における垂直抗力 N' はどのように表されるか．

2.3 半径 a のあらい円筒が軸を水平にし，水平面に固定されている．最初，軸の鉛直面内で長さ $2l$，質量 M の一様な棒 AB の中心 C を円筒の最上点にのせ棒を水平に保った（図 7.4）．次に棒の B 端に質量 m のおもりをつけたところ，棒はすべらずに回転し，すべり落ちる寸前でつり合いに達したという．質量 m と円筒の抗力 R を求めよ．ただし，円筒の摩擦角を α とする．

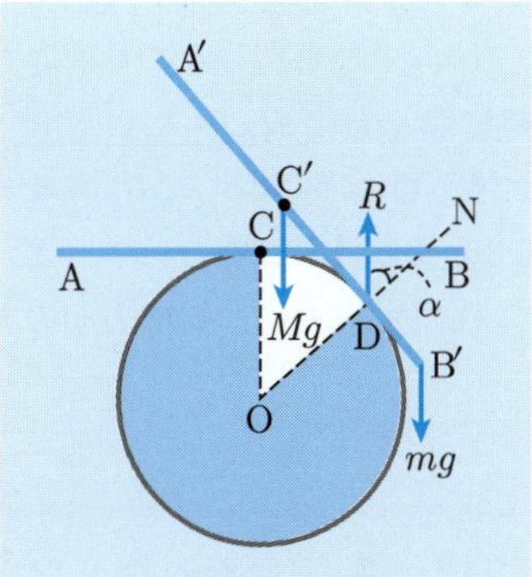

図 7.4　円筒の上の棒

例題 3　なめらかな半球におかれたなめらかな棒のつり合い

点 O を中心とするなめらかな半球（半径 a）が固定され，図 7.5 のように，一様でなめらかな棒 AB が半球におかれている．棒の長さを $2l$，質量を M，その中心を G とし，棒は A で半球の内壁と，また C で半球の縁と接しているとする．棒は水平と角 θ をなし，また棒の一端 B は縁から外部に出ているとして以下の問に答えよ．

(a)　点 A における抗力 R が水平となす角は 2θ であることを証明せよ．

(b)　A，C での抗力 R, R'，G に働く重力を延長した線は一点で交わることを示せ．

(c)　R, R' を Mg および θ で表せ．また $\cos\theta$ を a と l の関数として求めよ．

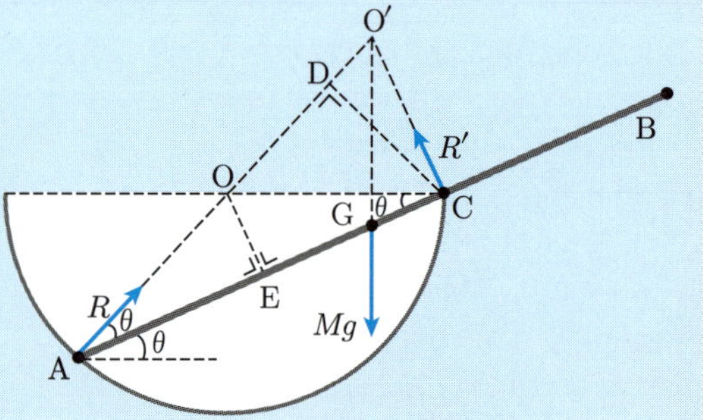

図 7.5　半球におかれた棒

解答　(a)　ΔOAC は二等辺三角形で角 OAC は θ に等しい．したがって，R が水平となす角は 2θ となる．

(b)　半球と棒はなめらかとしているので，R, R' はそれぞれ球面，棒に垂直となる．棒に働く力は R, R' と G に働く重力 Mg の 3 つである．R と R' の交点を O′ とするとき，O′ に関する R, R' のモーメントは 0 で，つり合いの条件により重力の延長線は O′ を通ることになる．よって，R, R'，重力の延長線は一点 O′ で交わる．

(c)　水平方向，鉛直方向の力のつり合いから

$$R\cos 2\theta - R'\sin\theta = 0 \tag{1}$$

$$R\sin 2\theta + R'\cos\theta = Mg \tag{2}$$

が得られる．(1) から $R' = R\cos 2\theta/\sin\theta$ となり，これを (2) に代入すると

$$R\left(\sin 2\theta + \frac{\cos 2\theta}{\sin\theta}\cos\theta\right) = Mg$$

となる．ここで $\cos\theta = \cos(2\theta - \theta) = \cos 2\theta \cos\theta + \sin 2\theta \sin\theta$ という関係に注意すると，上式は $R\cos\theta/\sin\theta = Mg$ と書ける．よって，次の結果が求まる．

$$R = Mg\tan\theta, \quad R' = Mg\frac{\cos 2\theta}{\cos\theta}$$

O から AC に垂線を下ろしその足を E とすれば，ΔAOC は二等辺三角形で $\overline{\mathrm{AE}} = a\cos\theta$ であるから $\overline{\mathrm{AC}} = 2a\cos\theta$ と書ける．一方 $\overline{\mathrm{AG}} = l$ が成り立つので $\overline{\mathrm{CG}} = 2a\cos\theta - l$ と表される．また C から AO′ に下ろした垂線の足を D とすれば，$\overline{\mathrm{CD}} = \overline{\mathrm{AC}}\sin\theta = 2a\cos\theta\sin\theta$ となる．点 C の回りの力のモーメントを考えると，R' はモーメントをもたず，Mg は正の向き，R は負の向きのモーメントを生じるので

$$Mg\overline{\mathrm{CG}}\cos\theta - R\overline{\mathrm{CD}} = 0$$

となる．これまでの結果を代入すると

$$Mg\cos\theta(2a\cos\theta - l) - Mg\frac{\sin\theta}{\cos\theta}(2a\cos\theta\sin\theta) = 0$$

と書け，$\sin^2\theta = 1 - \cos^2\theta$ の関係を使って，上式を整理すると

$$4a\cos^2\theta - l\cos\theta - 2a = 0$$

という $\cos\theta$ に対する二次方程式が導かれる．上の解は

$$\cos\theta = \frac{l \pm \sqrt{l^2 + 32a^2}}{8a}$$

で与えられるが $\cos\theta > 0$ であるから，平方根の前の + の符号をとらねばならない．こうして，次の結果が求まる．

$$\cos\theta = \frac{l}{8a} + \sqrt{\frac{1}{2} + \frac{l^2}{64a^2}}$$

問　題

3.1　G が縁からはみだすと棒は G を中心に回転して図のようなつり合いをとることはできない．また，棒の一端 B は縁の外にでるので，点 C は G と B との中間の位置を占めることとなり $0 \leq \overline{\mathrm{CG}} \leq l$ の関係を成立する．これから l に対する次の条件が導かれることを示せ．

$$\sqrt{\frac{2}{3}}a \leq l \leq 2a$$

3.2　$\cos\theta \leq 1$ の関係は l に対する 1 つの条件をもたらす．その条件を求めよ．

3.3　$l = a$ の場合の $\cos\theta$ を求めよ．また，$l = \sqrt{2/3}\,a$ が成り立つときの $\cos\theta$ を求め，その場合の棒の状態を図示せよ．

7.2　固定軸をもつ剛体の力学

• 固定軸 •　任意の剛体を適当な 2 点 P，Q で支え，この 2 点を通る直線を回転軸として，剛体が回転する場合を考える．回転軸は空間に固定されているとするので，これを固定軸という．

• 抗力のモーメント •　図 7.6 のように，固定軸を z 軸にとり，z 軸上に原点 O を選んで空間に固定された座標系 x, y, z を導入する．(7.2) の z 成分をとると

$$\dot{L}_z = N_z$$

となる．ここで，L_z, N_z は

$$L_z = \sum m_i(x_i\dot{y}_i - y_i\dot{x}_i), \qquad N_z = \sum(x_iY_i - y_iX_i) \tag{7.4}$$

と表される（$\sum$ は i に関する和）．ただし，剛体の i 番目の部分に働く力 $\boldsymbol{F}_i$ を $\boldsymbol{F}_i = (X_i, Y_i, Z_i)$ と書いた．剛体を支えている点 P，Q には抗力 $\boldsymbol{R}_{\mathrm{P}}, \boldsymbol{R}_{\mathrm{Q}}$ が働くが (図 7.6)，点 O に関する $\boldsymbol{R}_{\mathrm{P}}$ のモーメントは z 軸と垂直となり，その z 成分は 0 となる．$\boldsymbol{R}_{\mathrm{Q}}$ についても同様で，このため (7.4) の下式では $\boldsymbol{R}_{\mathrm{P}},\boldsymbol{R}_{\mathrm{Q}}$ の抗力は考えなくてもよい．

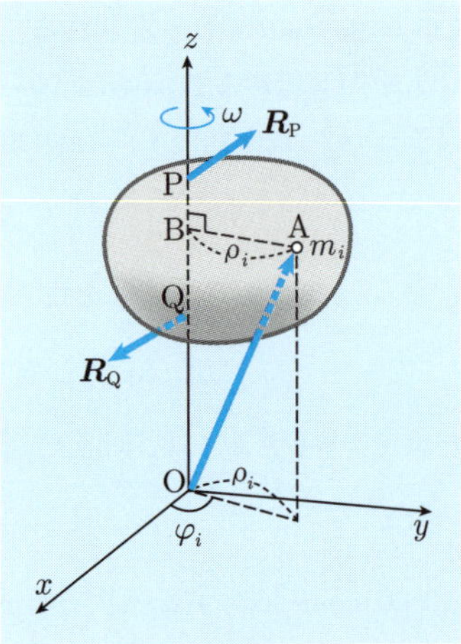

図 7.6　固定軸の周りの回転

• 角速度と慣性モーメント •　図 7.6 のように質量 m_i をもつ i 番目の微小部分 A から z 軸に垂線を下ろしてその足を B，AB 間の距離を ρ_i とする．A は B を中心とする円運動を行うので，ρ_i は時間に依存しない．また，図のように角 φ_i をとると

$$x_i = \rho_i \cos\varphi_i, \quad y_i = \rho_i \sin\varphi_i$$

と書ける．また $\dot{\varphi}_i$ は i によらないのでこれを ω とおく．ω は角速度である．上式から

$$\dot{x}_i = -\rho_i\omega\sin\varphi_i, \quad \dot{y}_i = \rho_i\omega\cos\varphi_i$$

となり，(7.4) の上式から

$$L_z = I\omega \tag{7.5}$$

が得られる．ただし，I は次式で定義される z 軸の周りの慣性モーメントである．

$$I = \sum m_i\rho_i^2 = \sum m_i({x_i}^2 + {y_i}^2) \tag{7.6}$$

• 運動方程式 •　I は時間に依存しないので，運動方程式は次のように書ける．

$$I\dot{\omega} = N_z \tag{7.7}$$

$\dot{\omega}$ を**角加速度**という．(7.7) は固定軸の周りの回転を扱う基礎方程式である．

例題 4 **等角加速度運動**

(7.7) で N_z が一定であれば，$\dot{\omega}$ も一定となるが，このときの運動を等角加速度運動という．この運動の場合，剛体の回転角はどのように表されるか．

解答 $N_z = N =$ 一定 とすれば (7.7) を時間に関して積分し

$$\omega = \frac{N}{I}t + \omega_0 \qquad (1)$$

となる．ただし，ω_0 は $t=0$ における ω の値で，これは質点の運動における初速度に相当する．剛体は，図 7.7 の点 O を通る紙面と垂直な軸の周りで回転するとし，剛体に固定した線分 OP と空間に固定した x 軸とのなす回転角を θ とする．ω は $\dot{\theta}$ に等しいから (1) をもう 1 回 t で積分すると，時刻 t における回転角 θ は

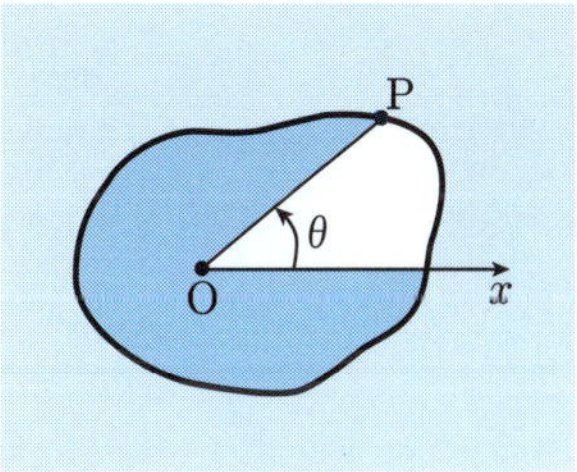

図 7.7 剛体の回転角

$$\theta = \frac{N}{2I}t^2 + \omega_0 t + \theta_0 \qquad (2)$$

と書ける．θ_0 は $t=0$ における θ の値である．等角加速度運動は質点の等加速度運動に相当する．

問　題

4.1 等角加速度運動において，任意の時刻における角速度，回転角をそれぞれ ω, θ とし，次の関係が成り立つことを示せ．

$$\theta - \theta_0 = \frac{I}{2N}(\omega^2 - {\omega_0}^2)$$

4.2 図 7.8 であらい水平面におかれた自転車のタイヤが z 軸の周りで回転するとし，スポークの質量は無視でき，タイヤは半径 a の一様な円輪であるとする．またタイヤと水平面との間の動摩擦係数を μ' とする．$t=0$ で毎秒当たり n 回の割合で回っていたタイヤが静止するまでの時間とその間の回転数を求めよ．

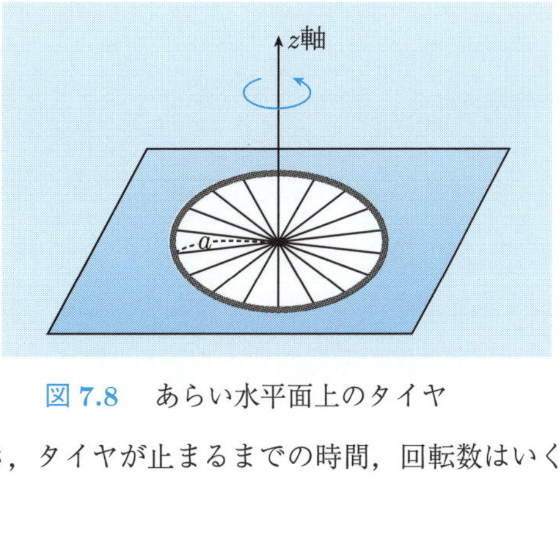

図 7.8 あらい水平面上のタイヤ

4.3 $\mu' = 0.5$, $a = 0.4\,\mathrm{m}$, $n = 3$ のとき，タイヤが止まるまでの時間，回転数はいくらか．

例題 5　　**アトウッドの器械**

図 7.9 のように，中心軸 O の周りで自由に回転する半径 a の円板があるとし，O に関する円板の慣性モーメントを I とする．これに質量の無視できる糸をかけ，その両端に質量が m, m' のおもり P，Q を結ぶ．このような装置をアトウッドの器械という．$m > m'$ とすれば，P は落下し，Q は上昇していくが，糸はすべらないとして，おもりの加速度の大きさ α，おもり P，Q に働く糸の張力 T, T' を求めよ．

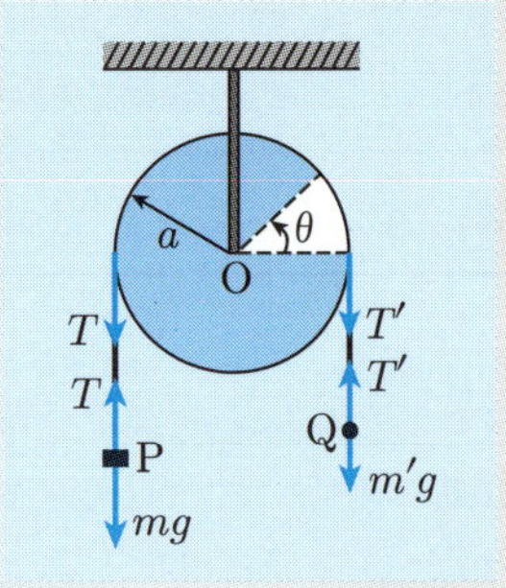

図 7.9　アトウッドの器械

解答　おもり P に対する運動方程式は

$$m\alpha = mg - T \tag{1}$$

と書け，おもり Q の運動方程式は

$$m'\alpha = T' - m'g \tag{2}$$

で与えられる．図のように円板の回転角を θ とおくと，円板に対する運動方程式は

$$I\ddot{\theta} = a(T - T') \tag{3}$$

と表される．糸はすべらないと仮定したので，P の速さを v とすれば，$v = a\dot{\theta}$ が成り立ち，$\alpha = a\ddot{\theta}$ となる．このため，(3) は

$$I\alpha = a^2(T - T') \tag{4}$$

と書ける．(1)，(2) から T, T' を求めその結果を (4) に代入すると α は

$$\alpha = \frac{m - m'}{(m + m')a^2 + I}\, ga^2 \tag{5}$$

と計算される．(5) を (1)，(2) に代入すると T, T' は次のようになる．

$$T = \frac{2m'a^2 + I}{(m + m')a^2 + I}\, mg, \quad T' = \frac{2ma^2 + I}{(m + m')a^2 + I}\, m'g$$

問　題

5.1　次節で学ぶように，半径 a の一様な円板（質量 M）の中心を通り，円板に垂直な軸に関する慣性モーメント I は $I = \frac{1}{2}Ma^2$ と表される．これを例題 5 の結果に代入し α, T, T' を求めよ．

5.2　T, T' はそれぞれ a と無関係になる．$M = m = 2m'$ のとき，T, T はそれぞれ $m'g$ の何倍となるか．

7.3 慣性モーメント

• 質量分布に関する積分 •　剛体では質量が連続的に分布するため，慣性モーメントの具体的な計算には積分を導入する必要がある．剛体を細かく分割したとき微小部分の体積を dV，そこでの密度を ρ とすれば，微小部分の質量は ρdV となる．したがって，例えば z 軸の周りの慣性モーメント I_z は (7.6) により

$$I_z = \int_{\mathrm{V}} \rho(x^2 + y^2)dV \tag{7.8}$$

と書ける．積分記号につけた V の添字は剛体の占める領域 V にわたる体積積分を意味する．上の積分は剛体中の質量分布，その形や大きさ，さらに固定軸の位置によって決まる．

• 平行軸の定理 •　ある剛体が z 軸の周りにもつ慣性モーメントを I，この剛体の重心 G を通り z 軸に平行な z_{G} 軸の周りの慣性モーメントを I_{G} とし，z 軸，z_{G} 軸間の距離を d とおく（図 7.10）．z 軸に垂直な平面を考え，この平面と z 軸，z_{G} 軸との交点を O，O′ とする．点 O′ を原点とし，x, y 軸にそれぞれ平行な x', y' 軸をとり，点 O′ の x, y 座標を $x_{\mathrm{G}}, y_{\mathrm{G}}$ とすれば

$$x = x_{\mathrm{G}} + x', \quad y = y_{\mathrm{G}} + y'$$

が成り立つ．こうして I は次のように書ける．

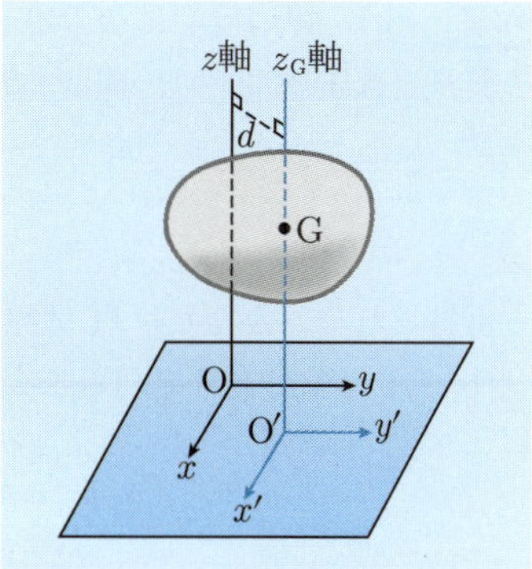

図 7.10　平行軸の定理

$$I = \int_{\mathrm{V}} \rho(x'^2 + y'^2)dV + 2\int_{\mathrm{V}} \rho(x_{\mathrm{G}}x' + y_{\mathrm{G}}y')dV + ({x_{\mathrm{G}}}^2 + {y_{\mathrm{G}}}^2)\int_{\mathrm{V}} \rho dV$$

重心の定義により右辺第 2 項の積分は 0 である．また，第 3 項の積分値は剛体の質量 M に等しい．すなわち

$$I = I_{\mathrm{G}} + Md^2 \tag{7.9}$$

が成り立つ．(7.9) を**平行軸の定理**という．この定理を使うと，重心を通る固定軸の周りの慣性モーメント I_{G} を計算しておけば，それに平行な任意の固定軸に関する慣性モーメント I が計算できる．

例題 6　　**棒の慣性モーメント**

長さ l の一様な棒状の剛体があるとし，その太さは無視できるものとする．棒に垂直な回転軸を考え，以下の場合の慣性モーメントを求めよ．

(a)　棒の重心を通る回転軸に関する慣性モーメント I_G［図 7.11(a)］

(b)　棒の端を通る回転軸に関する慣性モーメント I［図 7.11(b)］

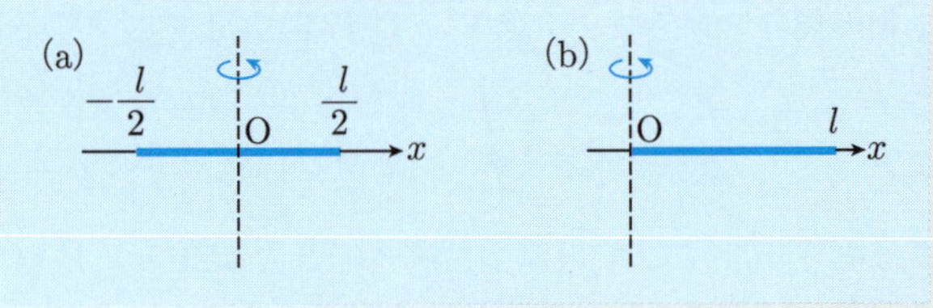

図 7.11　棒の慣性モーメント

解答　(a)　棒の重心はその中心にあるが，これを座標原点に選ぶ．単位長さ当たりの質量（線密度）σ は，棒は一様としているので，一定となる．こうして I_G は

$$I_G = \sigma \int_{-l/2}^{l/2} x^2 dx = \sigma \frac{l^3}{12} = \frac{Ml^2}{12}$$

と計算される．ただし，M は棒の質量である．

(b)　平行軸の定理を利用し次の結果が得られる．

$$I = I_G + M\left(\frac{l}{2}\right)^2 = \frac{Ml^2}{12} + \frac{Ml^2}{4} = \frac{Ml^2}{3}$$

問　題

6.1　I を直接計算して例題 6(b) と同じ結果が得られることを確かめよ．

6.2　図 7.12 に示す長方形 ABCD の中心を原点 O とし図のような x, y 軸をとって，各辺の長さを a, b とする．以下の慣性モーメントを求めよ．

(a)　x 軸，y 軸に関する慣性モーメント I_x, I_y

(b)　O を通り紙面と垂直な軸の周りの慣性モーメント I_z

(c)　AB を通る軸に関する慣性モーメント I_{AB}

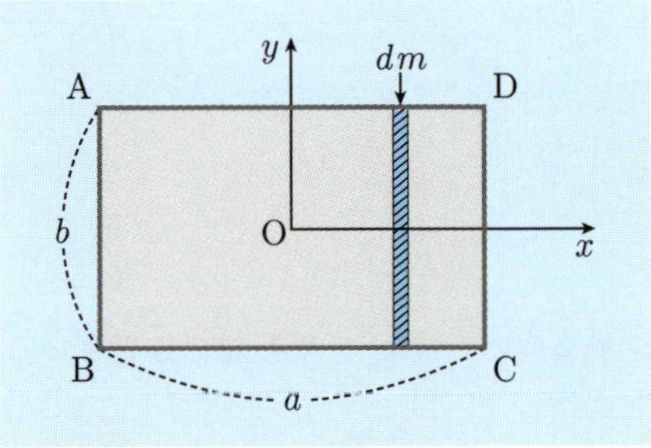

図 7.12　長方形の慣性モーメント

例題 7　円板，円筒の慣性モーメント

半径 a，質量 M の一様な円板の中心 O を通り円板と垂直な固定軸に関する慣性モーメント I は $I = Ma^2/2$ と書けることを示せ．また，半径 a，質量 M の一様な円筒の中心軸に関する慣性モーメントも同じ表式で与えられることを証明せよ．

解答　円板の単位面積当たりの質量（面密度）を σ とする．半径が r の円と $r + dr$ の円にはさまれた部分の質量は $2\pi\sigma r dr$ と書ける（図 7.13）．よって，I は

$$I = \int_0^a 2\pi\sigma r^3 dr = \frac{\pi\sigma}{2}a^4$$

と計算される．円板の質量 M が $M = \sigma\pi a^2$ であることに注意すると次のようになる．

$$I = \frac{Ma^2}{2}$$

円筒の場合には図 7.14 のように円筒を中心軸に垂直な円板に分け，慣性モーメントを計算する．斜線部の円板の質量を dm とすれば，この慣性モーメントは $a^2dm/2$ と書け，全体の慣性モーメントはこれを積分し

$$I = \frac{a^2}{2}\int dm = \frac{Ma^2}{2}$$

となり，形式上円板と同一の結果が求まる．

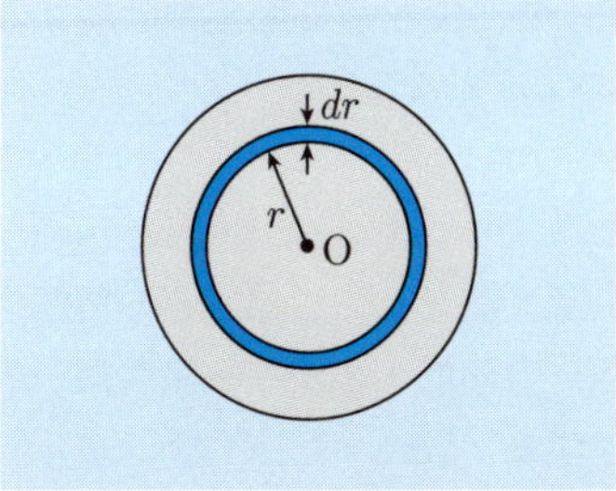

図 7.13　$r \sim r + dr$ の微小部分

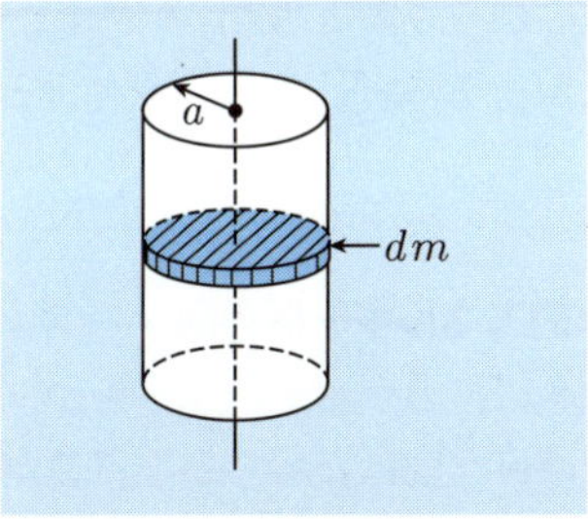

図 7.14　円筒の慣性モーメント

問　題

7.1　半径 a の一様な球の中心 O を通る固定軸に関する慣性モーメント I を求めよ．ただし，球の質量を M とする．

7.2　問題 4.2 と同様，半径 a，質量 M の一様な円板を動摩擦係数 μ' のあらい水平な床の上で回転させる．$t = 0$ で毎秒 n 回の割合で回っていた円板が静止するまでの時間とその間の回転数を求めよ．これらの結果は同じ半径をもつ円輪に比べ何倍となるか．

7.4 剛体の力学的エネルギー

• 剛体の位置エネルギー •　剛体を質点系とみなすと，質点間の距離は不変であるから，質点同士に働く位置エネルギーは一定で，この位置エネルギーは考える必要はない．重力の位置エネルギー U の場合，地面をエネルギーの基準とし，剛体（質量 M）の重心の高さを h とすれば次式が成り立つ（例題 8）．

$$U = Mgh \tag{7.10}$$

• 剛体の運動エネルギー •　図 7.15 のように原点 O からみた剛体の重心を $\boldsymbol{r}_{\mathrm{G}}$，その速度を $\boldsymbol{v}_{\mathrm{G}}\,(=\dot{\boldsymbol{r}}_{\mathrm{G}})$，重心からみた i 番目部分の速度を $\boldsymbol{v}_i{}'\,(=\dot{\boldsymbol{r}}_i{}')$ とすれば，剛体の全運動エネルギー K は

$$K = \frac{1}{2}M{\boldsymbol{v}_{\mathrm{G}}}^2 + \frac{1}{2}\sum_i m_i {\boldsymbol{v}_i{}'}^2 \tag{7.11}$$

と表される（例題 8）．すなわち，剛体の運動エネルギーは，重心に全質量が集中したと考えたとき重心のもつ運動エネルギーと，重心があたかも静止したと考えたときその周りにもつ剛体の運動エネルギーとの和となる．

• 固定軸の周りの回転運動 •　特別な場合として，図 7.16 のように，重心 G を通り紙面に垂直な固定軸の周りで角速度 ω をもって剛体が回転するとき，i 番目部分の速さは重心からみると $|\boldsymbol{v}_i{}'| = \rho_i{}'\omega$ となる．したがって，G を通る固定軸の周りの慣性モーメント $I_{\mathrm{G}} = \sum m_i {\rho_i{}'}^2$ を使うと (7.11) は次のようになる．

$$K = \frac{1}{2}M{\boldsymbol{v}_{\mathrm{G}}}^2 + \frac{1}{2}I_{\mathrm{G}}\omega^2 \tag{7.12}$$

• 力学的エネルギー保存則 •　剛体は一種の質点系であるから，第 6 章の例題 7 で学んだように，力がポテンシャルから導かれるとき，力学的エネルギー保存則が成り立つ．この保存則はなめらかな束縛が働いても成立する．

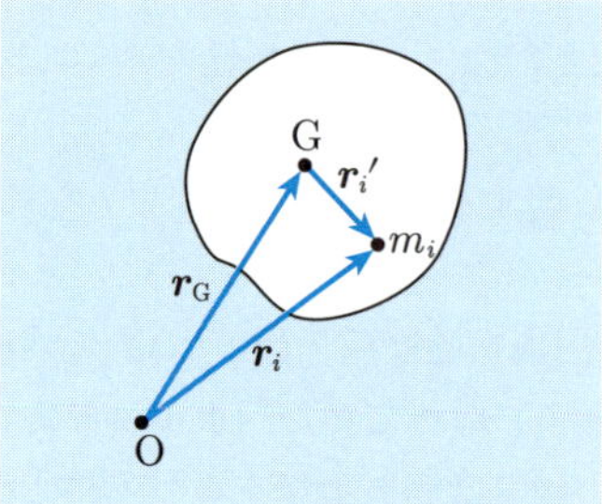

図 7.15　i 番目の部分

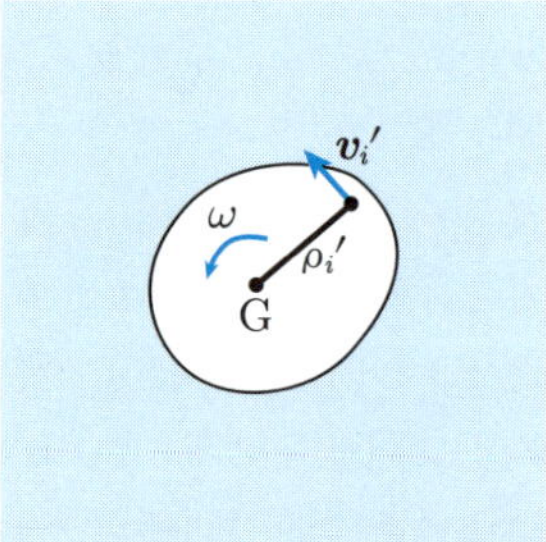

図 7.16　重心を通る固定軸

例題 8 **剛体の力学的エネルギー**

剛体の力学的エネルギーに関する次の設問に答えよ．
(a) 地面を重力の位置エネルギーの基準とする．剛体の質量を M，高さを h とすれば，重力の位置エネルギーは Mgh と書けることを示せ．
(b) 全運動エネルギーに関する (7.11) を導け．

解答 (a) 鉛直上向きに y 軸をとり i 番目の部分の質量を m_i，その y 座標を y_i とすれば，この部分がもつ重力の位置エネルギーは $m_i g y_i$ と書ける．したがって，剛体の全位置エネルギー U はこれを i について加え

$$U = \sum_i m_i g y_i$$

となるが，重心の定義を使えば題意が示される．

(b) 剛体の i 番目の部分の速度を $\boldsymbol{v}_i$ とすれば，剛体の運動エネルギー K は

$$K = \frac{1}{2}\sum_i m_i \boldsymbol{v}_i{}^2$$

と表される．図 7.15 で $\boldsymbol{r}_i = \boldsymbol{r}_\mathrm{G} + \boldsymbol{r}_i{}'$ と書けるが，これを時間に微分すると $\boldsymbol{v}_i = \dot{\boldsymbol{r}}_i = \dot{\boldsymbol{r}}_\mathrm{G} + \dot{\boldsymbol{r}}_i{}' = \boldsymbol{v}_\mathrm{G} + \boldsymbol{v}_i{}'$ が成り立ち，これを上式に代入し

$$K = \frac{1}{2}\sum_i m_i(\boldsymbol{v}_\mathrm{G}{}^2 + 2\boldsymbol{v}_\mathrm{G}\cdot\boldsymbol{v}_i{}' + \boldsymbol{v}_i{}'^2)$$

となる．点 G は重心であるから $\sum m_i \boldsymbol{r}_i{}' = 0 \quad \therefore \sum m_i \boldsymbol{v}_i{}' = 0$ と書け，上式の右辺第 2 項は 0 で (7.11) が導かれる．

問 題

8.1 質量 60 kg の人の重心の高さが 0.9 m とし，この人が 6 m/s の速さで走るとする．この人の全体の力学的エネルギーは何 J か．ただし，重心の周りの運動エネルギーは無視してよいとする．

8.2 半径 6 cm，質量 10 g の CD がある．CD は一様な円板とみなせるものとして，次の問に答えよ．

(a) 中心を通り CD と垂直な軸に関する慣性モーメントを求めよ．

(b) 上の軸を固定軸とし CD が毎秒 1 回転の割合で回転するとき，その回転の運動エネルギーは何 J か．

8.3 半径 a，長さ l の一様な円筒状の棒を考える．同じ角速度 ω で回転するとし，棒の中心を通り棒と垂直な軸の周りで回転するときの運動エネルギーは中心軸の周りで回転するときの何倍であるかを求めよ．

7.5　剛体の平面運動

• 平面運動 •　剛体の運動方程式 $M\ddot{\boldsymbol{r}}_{\rm G} = \boldsymbol{F}$ で $\boldsymbol{F}$ の z 成分が 0 であれば，重心の z 座標 $z_{\rm G}$ は $\ddot{z}_{\rm G} = 0$ を満たす．この解の内でとくに $z_{\rm G} = 0$ だと重心は xy 面内だけで運動する．さらに，剛体は z 軸に平行な回転軸の周りで回転すると仮定しよう．以上の仮定下で剛体の各点は xy 面と平行に運動するので，これを**剛体の平面運動**という．

• 重心の周りの運動 •　剛体の i 番目の微小部分の位置ベクトルを $\boldsymbol{r}_i$，その質量を m_i とすれば，剛体の全角運動量は $\boldsymbol{L} = \sum m_i(\boldsymbol{r}_i \times \dot{\boldsymbol{r}}_i)$ と書ける（$\sum$ は i に関する和）．図 7.15 と同様，$\boldsymbol{r}_i = \boldsymbol{r}_{\rm G} + \boldsymbol{r}_i{}'$ とおけば，G が重心なので $\sum m_i \boldsymbol{r}_i{}' = 0$ の関係が成り立つ．$\boldsymbol{L}$ は

$$\boldsymbol{L} = \sum m_i(\boldsymbol{r}_{\rm G} \times \dot{\boldsymbol{r}}_{\rm G}) + \sum m_i(\boldsymbol{r}_{\rm G} \times \dot{\boldsymbol{r}}_i{}') + \sum m_i(\boldsymbol{r}_i{}' \times \dot{\boldsymbol{r}}_{\rm G}) + \sum m_i(\boldsymbol{r}_i{}' \times \dot{\boldsymbol{r}}_i{}')$$

と表されるが，上式右辺の第 2，3 項は 0 となる．また，右辺第 4 項は重心の周りに剛体がもつ角運動量で以下，これを $\boldsymbol{L}'$ と書く．すなわち，次式で $\boldsymbol{L}'$ を定義する．

$$\boldsymbol{L}' = \sum m_i(\boldsymbol{r}_i{}' \times \dot{\boldsymbol{r}}_i{}') \tag{7.13}$$

上記の $\boldsymbol{L}$ の式を時間で微分すると $\dot{\boldsymbol{r}}_{\rm G} \times \dot{\boldsymbol{r}}_{\rm G} = 0$ と $M\ddot{\boldsymbol{r}}_{\rm G} = \boldsymbol{F}$ を用い次式が導かれる．

$$\dot{\boldsymbol{L}} = (\boldsymbol{r}_{\rm G} \times \boldsymbol{F}) + \dot{\boldsymbol{L}}'$$

一方，力のモーメントの和 $\boldsymbol{N}$ は

$$\boldsymbol{N} = \sum(\boldsymbol{r}_i \times \boldsymbol{F}_i) = \sum(\boldsymbol{r}_{\rm G} \times \boldsymbol{F}_i) + \sum(\boldsymbol{r}_i{}' \times \boldsymbol{F}_i) = (\boldsymbol{r}_{\rm G} \times \boldsymbol{F}) + \boldsymbol{N}'$$

と表される．ただし，$\boldsymbol{N}'$ は重心に関する力のモーメントの和

$$\boldsymbol{N}' = \sum(\boldsymbol{r}_i{}' \times \boldsymbol{F}_i) \tag{7.14}$$

を意味する．こうして，$\dot{\boldsymbol{L}} = \boldsymbol{N}$ の運動方程式から

$$\dot{\boldsymbol{L}}' = \boldsymbol{N}' \tag{7.15}$$

が得られる．すなわち，重心の周りに剛体がもつ角運動量の時間微分は，重心に関する力のモーメントの和に等しい．

• 運動方程式 •　平面運動の場合，重心の周りの運動方程式を導くには，G を通り xy 面と垂直な軸を固定軸（G 軸）と考えればよい．G 軸の周りの慣性モーメントを $I_{\rm G}$ とすれば (7.7) に対応して次式が成り立つ．

$$I_{\rm G}\dot{\omega} = N_z{}' \tag{7.16}$$

あるいは，図 7.7 で O を G とみなし，回転角 θ を導入すると次式のようになる．

$$I_{\rm G}\ddot{\theta} - N_z' \tag{7.17}$$

• 平面運動の自由度 •　重心の座標 $x_{\rm G}, y_{\rm G}$ を決めるのに 2 個の変数，G 軸の周りの回転角を決めるのに 1 個の変数が必要であるから，平面運動の自由度は 3 となる．

例題 9　**剛体振り子**

質量 M の剛体の 1 点 O を通る水平な軸を固定軸として，剛体を平衡の位置から傾けて離すと，剛体は鉛直面内で振動する．このような一種の振り子を**剛体振り子**あるいは**物理振り子**という．図 7.17 のように点 O と重心 G との間の距離を d とし，また O を通り紙面と垂直な軸の周りの剛体の慣性モーメントを I とする．剛体振り子が微小振動するときの周期を求めよ．

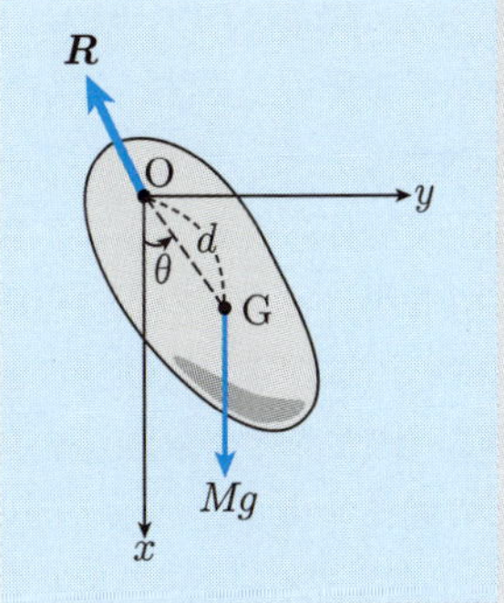

図 7.17　剛体振り子

解答　図のように，鉛直下方に x 軸，水平方向に y 軸をとり，剛体は点 O を通り紙面と垂直な軸の周りで振動を行うとし，OG と x 軸とのなす角を θ とする．剛体には点 O における抗力 $\boldsymbol{R}$，重心 G に作用する重力 Mg が働く．点 O の周りで $\boldsymbol{R}$ はモーメントをもたないから，O を通り xy 面に垂直な軸を固定軸と考え，運動方程式は

$$I\ddot{\theta} = -Mgd \sin \theta$$

と表される．微小振動の場合には $\sin \theta \simeq \theta$ と近似し

$$I\ddot{\theta} = -Mgd\theta$$

が得られる．これから単振動の角振動数 ω に対し $\omega^2 = Mgd/I$ の結果が求まる．したがって，振動の周期 T は次式で与えられる．

$$T = \frac{2\pi}{\omega} = 2\pi\sqrt{\frac{I}{Mgd}}$$

問　題

9.1　剛体振り子を重心の運動とその周りの運動という立場から扱い，慣性モーメントに対する平行軸の定理を導け．

9.2　θ が $\theta = A \sin\,(\omega t + \alpha)$ と表されるとき，O における抗力の x, y 成分 R_x, R_y を求めよ．

9.3　長さ l の一様な剛体の棒の一端から距離 x の点を通る水平軸を固定軸とする剛体振り子の周期を求めよ．また，長さ 1 m の棒の一端を支点とするとき周期は何 s となるか．

例題 10　　**あらい水平面上の円筒の運動**

半径 a，質量 M の一様な円筒形の剛体が水平な床の上をすべりながらころがる運動を考える．図 7.18 のように，水平面上で剛体の進む向きに x 軸，鉛直方向に y 軸をとる．図の円は円筒の断面を表すが，円に固定した線分の回転角を θ とする．円と床との接触点を P として，以下の問に答えよ．

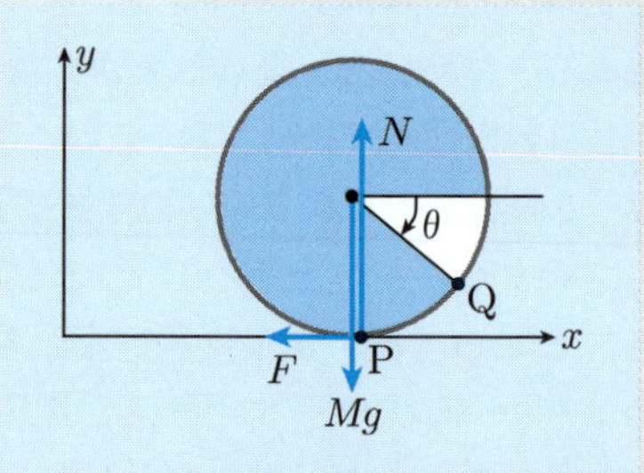

図 7.18　あらい水平面上の円筒

(a)　点 P の x 方向の速度の成分 u は

$$u = \dot{x}_G - a\dot{\theta}$$

と書けることを示せ．

(b)　$u > 0$ だと，摩擦力は負の方向を向く．この大きさを F，剛体に働く垂直抗力を N, $F = \mu' N$ と仮定して，x_G, θ の時間依存性を論じよ．

解答　(a)　図 7.18 で点 Q の座標を x_Q, y_Q とすれば

$$x_Q = x_G + a\cos\theta, \quad y_Q = y_G - a\sin\theta$$

と書ける．$y_G = a =$ 一定 であるから上式を時間で微分すると

$$\dot{x}_Q = \dot{x}_G - a\sin\theta\cdot\dot{\theta}, \quad \dot{y}_Q = -a\cos\theta\cdot\dot{\theta}$$

となる．点 P を表すには $\theta = \pi/2$ とおけばよいので，u は与式のように表される．重心を原点とする並進座標系でみると，接触点は負の向きに $a\dot{\theta}$ の速さをもつので静止系では $u = \dot{x}_G - a\dot{\theta}$ と書ける．これを表すのが与式である．

(b)　重心の運動方程式は

$$M\ddot{x}_G = -F, \quad M\ddot{y}_G = N - Mg$$

となり，y_G は一定であるから $N = Mg$ が得られる．よって $F = \mu' Mg$ と書け，$\ddot{x}_G = -\mu' g$ でこれは等加速度運動を表す．また重心の周りの運動方程式は

$$I_G\ddot{\theta} = aF = a\mu' Mg$$

と書け，θ は等角加速度運動を行うことがわかる．

問　題

10.1　u の初期値を u_0 とすると，ある時刻 t_1 で $u = 0$ となる．ただし，$u_0 > 0$ と仮定する．u_0, μ' が同じとし，円筒，ピンポン玉，球の場合の t_1 を求め，その大小関係について述べよ．

10.2　$t \geq t_1$ で円筒はすべらないと考えられる．この場合の $\ddot{x}_G$ を求めよ．

例題 11　　　　　　　　　　　　　　　　**あらい斜面をころがる円筒**

半径 a，質量 M の一様な円筒が，水平面と角 α をなすあらい斜面（静止摩擦係数 μ）の上をすべらずにころがり落ちるとして，円筒の重心の加速度を求めよ．また，円筒がすべらないための μ に対する条件を導け．

解答　図 7.19 のように，斜面に沿って下向きに x 軸，これと垂直に y 軸をとる．球に働く力は，斜面からの垂直抗力 N，摩擦力 F，重力 Mg である．重心の x 座標に対する運動方程式は $M\ddot{x}_{\rm G} = Mg\sin\alpha - F$ となる．Mg, N は重心の周りでモーメントをもたないので，重心の周りの回転に対する方程式は $I_{\rm G}\ddot{\theta} = aF$ と書ける．両式から F を消去すると

$$Ma\ddot{x}_{\rm G} + I_{\rm G}\theta = Mga\sin\alpha \tag{1}$$

が得られる．一方，球はすべらないとしたから，例題 10 と同様，$\ddot{x}_{\rm G} = a\ddot{\theta}$ が成り立ち，(1) から $(Ma^2 + I_{\rm G})\ddot{x}_{\rm G} = Mga^2\sin\alpha$ が求まる．すなわち

$$\ddot{x}_{\rm G} = \frac{Ma^2}{Ma^2 + I_{\rm G}} g\sin\alpha \tag{2}$$

となる．円筒では，$I_{\rm G} = Ma^2/2$ であるから，$\ddot{x}_{\rm G} = (2/3)g\sin\alpha$ である．$x_{\rm G}$ に対する運動方程式から

$$F = (1/3)Mg\sin\alpha$$

となり摩擦力は最大摩擦力 $\mu N = \mu Mg\cos\alpha$ を越えないから，$F \leq \mu N$ よりすべらない条件は $\tan\alpha \leq 3\mu$ と表される．

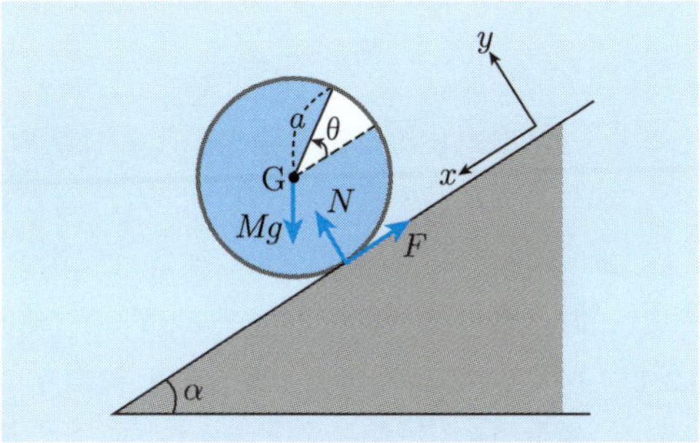

図 7.19　斜面上をころがる円筒

問　題

11.1　円筒，ピンポン玉，球がすべらずにころがり落ちるとき，重心の加速度の大きさ a を比較せよ．

11.2　円筒がすべらずにころがり落ちるとき力学的エネルギー保存則が成り立つことを示せ．

11.3　上の例題で円筒がすべってころがり落ちるときの重心の加速度を求めよ．また $t = 0$ で，重心の速度，円筒の角速度は 0 として接触点のすべる速度を時間の関数として計算せよ．ただし，動摩擦係数を μ' とする．

例題 12　　**糸を巻きつけた円板の落下**

質量 M，半径 a の一様な円板の周りに糸を巻きつけ，糸の一端を固定して円板を落下させる．円板の重心は鉛直線上を運動するとし，円板の重心の加速度，糸の張力 T を求めよ（この問題はヨーヨーの力学を扱うことに相当する）．

解答　図 7.20 のように円板の重心が落下する方向に x 軸をとると，運動方程式は

$$M\ddot{x}_{\rm G} = Mg - T, \quad I_{\rm G}\dot{\omega} = aT$$

と書ける．両式から T を消去すると

$$Ma\ddot{x}_{\rm G} + I_{\rm G}\dot{\omega} = Mga$$

となり，$I_{\rm G} = Ma^2/2$ を代入し

$$\ddot{x}_{\rm G} + \frac{a\dot{\omega}}{2} = g$$

が得られる．糸と円板の接点の速度を考慮すると $\dot{x}_{\rm G} - a\omega = 0$ が成り立つので，$(3/2)\ddot{x}_{\rm G} = g$ となる．すなわち

$$\ddot{x}_{\rm G} = \frac{2}{3}g$$

となる．$x_{\rm G}$ に対する運動方程式から T は次のように求まる．

$$T = \frac{1}{3}Mg$$

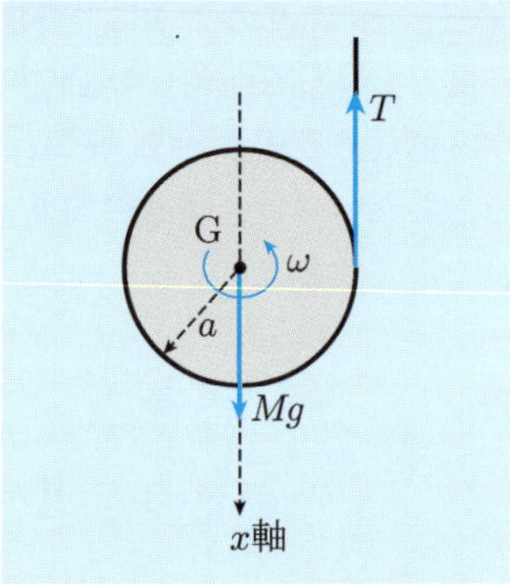

図 7.20　円板の落下

問　題

12.1　図 7.21 のように，水平な回転軸をもつ半径 a，質量 M の円筒に糸を巻きつけ，糸の端に質量 m のおもりがつけてある．糸が巻かれる向きに円筒に角速度 ω_0 を与えたとき，おもりを最初の位置に比べどれだけの高さまで上げることができるか．

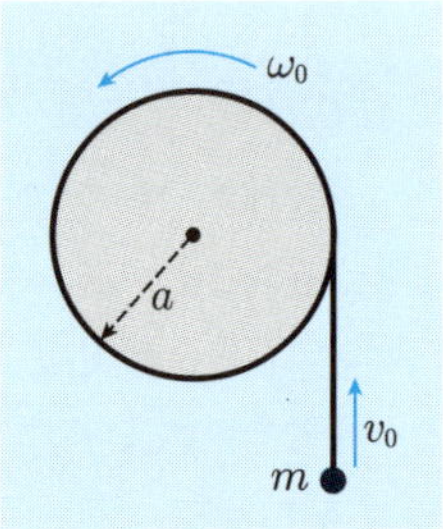

図 7.21　おもりの巻き上げ

12.2　一様で長さ $2a$，質量 M の棒の両端に鉛直な糸をつけ水平につるしてあるとして以下の設問に答えよ．

(a)　棒をつるしているときそれぞれの糸の張力はいくらか．

(b)　一方の糸を急に切断したとき，他方の糸の張力はどのように変化するか．また，糸が切断された瞬間の棒の重心の加速度，棒の角加速度を求めよ．

例題 13　　**大球の上をころがる小球**

固定されている半径 b の大球の上をすべらずにころがる半径 a，質量 M の一様な小球がある（図 7.22）．その中心を O′，OO′ が鉛直方向となす角を θ とする．大球の頂上に小球をのせ静かに手を放すとき，小球が大球から離れるときの角 θ を求めよ．

解答　小球に働く力は重力 Mg，垂直抗力 N，摩擦力 F である．小球の重心はその中心 O′ であるが，この運動方程式の接線成分，法線成分を考えると

$$M(a+b)\ddot{\theta} = Mg\sin\theta - F \qquad (1)$$

$$M(a+b)\dot{\theta}^2 = Mg\cos\theta - N \qquad (2)$$

が得られる（問題 13.1）．また，点 O′ を通る水平軸の周りの角速度を ω とすれば

$$I_{\mathrm{G}}\dot{\omega} = aF \qquad (3)$$

の運動方程式が成り立つ．すべらないという条件は（問題 13.2）

$$(a+b)\dot{\theta} = a\omega \qquad (4)$$

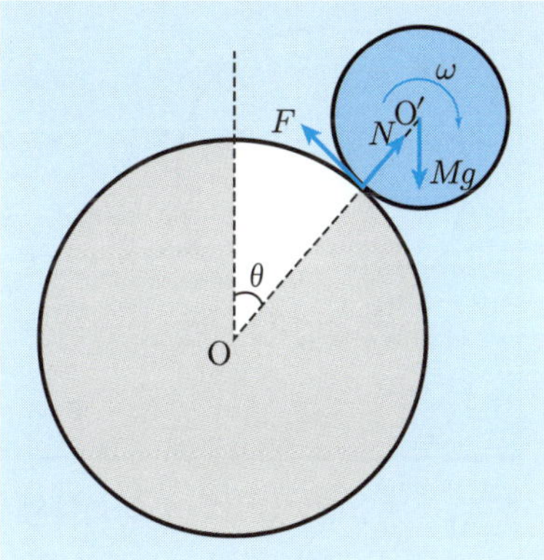

図 7.22　大球上の小球

と表される．(1)，(3) から F を消去すると $M(a+b)a\ddot{\theta}+I_{\mathrm{G}}\dot{\omega} = Mga\sin\theta$ と書け，(4) から導かれる $\omega=(a+b)\dot{\theta}/a$ を代入し，少々整理すると

$$A(a+b)\ddot{\theta} = g\sin\theta, \quad A = 1+\frac{I_{\mathrm{G}}}{Ma^2} \qquad (5)$$

となる．球だと $I_{\mathrm{G}} = 2Ma^2/5$ であるから，$A = 7/5$ である．(5) の左式を積分すると $(A/2)(a+b)\dot{\theta}^2 = -g\cos\theta + (\text{定数})$ となる．$\theta = 0$ で $\dot{\theta} = 0$ が成り立つので定数は g となり，$(A/2)(a+b)\theta^2 = g(1-\cos\theta)$ が得られる．これを (4) に代入すると $N = (Mg/A)[(A+2)\cos\theta - 2]$ で，$N=0$ とおくと小球が離れる角 θ は

$$\cos\theta = \frac{2}{2+A} \qquad (6)$$

と求まる．球では $\cos\theta = 10/17 \quad \therefore\ \theta = 53.97°$ となる．

問　題

13.1　運動方程式の接線成分，法線成分を考慮し，(1)，(2) の方程式を導け．

13.2　大球の上を小球がころがる場合，すべらないという条件について論じよ．

13.3　例題 13 の結果は断面が円である剛体に適用できる．円筒，ピンポン玉を扱い，それぞれについて大球から離れる角を求めよ．

例題 14　　**段差をのりこえる球**

図 7.23 で斜線の部分は高さ h の段差の断面図である．この図上で左側からすべらずに半径 a，質量 M の球が重心の速さ v_0 で進み段差に衝突する．$a > h$ として，球が段差のふちとの接触を失わず，また球は接触点ですべらないとして，球が段差をこえるための v_0 に対する条件を導け．

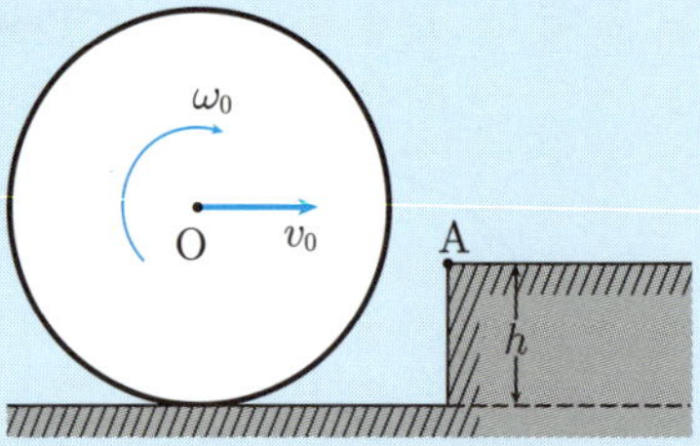

図 7.23　段差と球

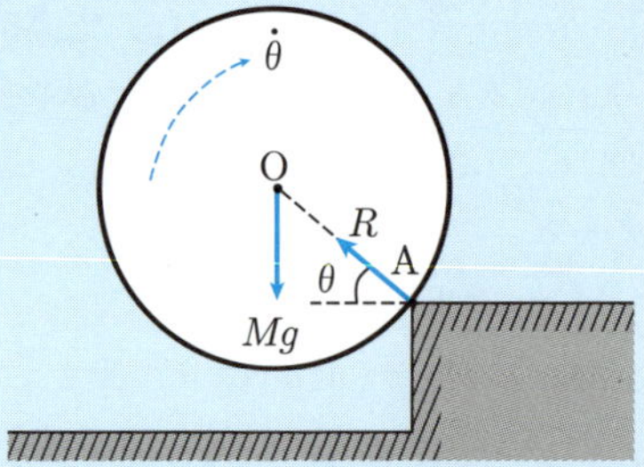

図 7.24　回転角 θ

解答　球と他の物体との間の接触点はすべらないので，摩擦力は仕事をせず問題 11.2 と同じく力学的エネルギー保存則が適用できるように思える．しかし，撃力が働く場合，速度は不連続的に変化するため，上のような考えは間違いである（問題 14.1）．そこで，まず球と段差との接触点 A の周りの角運動量の時間変化を考える．A を通り紙面の表から裏へ向かう z 軸をとると，角運動量の z 成分に対し $\dot{L}_z = N_z$ の運動方程式が成り立つ．球が段差と衝突する際，球には衝突に伴う撃力が働くが，これは A を通るので A の周りにモーメントをもたない．そのため，衝突直前と直後の間で上の方程式を時間で積分すれば，重力のように有限な力のモーメントは無視でき，A に関する L_z は衝突直前，直後で変わらず，次の関係が導かれる（問題 14.2）．

$$Mv_0(a-h) + I_{\mathrm{G}}\omega_0 = I\omega \tag{1}$$

ω_0 は衝突前に G 軸の周りに球がもつ角速度で，$\omega_0 = v_0/a$ と書ける．また，I は球が段差に接しているとき，z 軸の周りで球がもつ慣性モーメントを表す．平行軸の定理により $I = I_{\mathrm{G}} + Ma^2$ が成り立つ．また，ω は衝突直後の z 軸の周りの角速度である．一般に，図 7.24 のような回転角 θ をとればこの角速度は $\dot{\theta}$ と書ける．

球が段差と衝突した後，接触点はすべらないとしているから，力学的エネルギー保存則が適用できる．z 軸の周りで考えると，球の運動エネルギーは $(I/2)\dot{\theta}^2$ と書けるので，重力の位置エネルギーの基準点を A にとると，次式が成り立つ．

$$\frac{I}{2}\dot{\theta}^2 + Mga\sin\theta = 一定 = \frac{I}{2}\omega^2 + Mg(a-h) \tag{2}$$

球が段差をのりこえるには $\theta = \pi/2$ となるまで $\dot{\theta}^2$ は正でないといけないので (2) から $(I/2)\omega^2 > Mgh$ という結果が得られる．一方，(1) は $[M(a-h)a + I_{\mathrm{G}}]v_0 = Ia\omega$ となり，平行軸の定理を使うと

$$(I - Mah)v_0 = Ia\omega \tag{3}$$

が得られる．先程の不等式は $\omega > \sqrt{2Mgh/I}$ と書けるので (3) を代入し

$$v_0 > \frac{a\sqrt{2MghI}}{I - Mah} \tag{4}$$

が導かれる．M は分母，分子で打ち消し合い，結果には現れない．球の場合，(4) は

$$v_0 > a\sqrt{70gh}/(7a - 5h) \tag{5}$$

と表される（問題 14.3）．球が段差をのりこえるとき，O は A を中心とする半径 a の円運動を行う．A における抗力の AO 方向の成分を R とすれば

$$Ma\dot{\theta}^2 = Mg\sin\theta - R \qquad \therefore \quad R = Mg\sin\theta - Ma\dot{\theta}^2$$

となる．(2) から求まる $\dot{\theta}^2 = \omega^2 + (2Mg/I)(a - h - a\sin\theta)$ を代入し，R は

$$R = Mg\sin\theta\left(1 + \frac{2Ma^2}{I}\right) - Ma\omega^2 - \frac{2M^2ga}{I}(a-h)$$

と表される．$\sin\theta$ の最小値は $(a-h)/a$ であるから R の最小値 R_{m} は

$$\begin{aligned} R_{\mathrm{m}} &= Mg\left[\frac{(a-h)}{a}\left(1 + \frac{2Ma^2}{I}\right) - \frac{2Ma(a-h)}{I}\right] - Ma\omega^2 \\ &= Mg\frac{(a-h)}{a} - Ma\omega^2 \end{aligned}$$

と計算される．A で接触を失わないためには $R > 0$ が必要で，$R_{\mathrm{m}} > 0$ の条件が得られる．すなわち，$g(a-h)/a > a\omega^2$ となり (3) を利用すると

$$v_0 < \frac{I\sqrt{g(a-h)}}{I - Mah} \tag{6}$$

が得られる．球の場合，上の条件は $v_0 < 7a\sqrt{g(a-h)}/(7a - 5h)$ と書けることがわかる（問題 14.3）．

問　題

14.1　球が段差に衝突する前と後では力学的エネルギー保存則が成り立たない．その理由について考えよ．

14.2　(1) を導け．

14.3　球，円板，ピンポン玉に対し，(4)，(6) の条件を具体的に計算せよ．

8 解析力学

8.1 仮想仕事の原理

• **質点の場合** •　1個の質点がつり合いの状態にあると質点は静止し，これに働く力は $\mathbf{0}$ で，$\boldsymbol{F}$ の x, y, z 成分を X, Y, Z とすれば $X = 0,\ Y = 0,\ Z = 0$ と書ける．平衡点にある質点に，仮想的に $\delta\boldsymbol{r} = (\delta x, \delta y, \delta z)$ という微小変位を与えたとする．$\delta\boldsymbol{r}$ を**仮想変位**という．この変位による力 $\boldsymbol{F}$ のする仕事 δW は $\delta W = \boldsymbol{F}\cdot\delta\boldsymbol{r}$ で与えられるが，質点がつり合うと $X = 0,\ Y = 0,\ Z = 0$ であるから

$$\delta W = X\delta x + Y\delta y + Z\delta z = 0 \tag{8.1}$$

となる．すなわち，質点が平衡の状態にあると，これに任意の微小変位をさせたとき働く力のする仕事は 0 である．これを**仮想仕事の原理**という．

• **質点系の場合** •　質点系の場合，それに含まれるすべての質点が静止しているとき，その質点系はつり合いの状態あるいは平衡の状態にあるという．注目する質点系が n 個の質点を含むとし，i 番目の質点に働く力を $\boldsymbol{F}_i$ とすれば，すべての質点が静止しているための条件は $\boldsymbol{F}_i = \mathbf{0}\quad (i = 1, 2, \cdots, n)$ と表される．この場合，i 番目の質点に $\delta\boldsymbol{r}_i$ の仮想変位を与えると，次の仮想仕事の原理が成り立つ．

$$\delta W = \sum_{i=1}^{n} \boldsymbol{F}_i\cdot\delta\boldsymbol{r}_i = 0 \tag{8.2}$$

• **なめらかな束縛** •　質点がなめらかな束縛を受け，束縛条件が

$$f(x, y, z) = 0 \tag{8.3}$$

で与えられるとき，質点のつり合いの条件は次のように表される（例題 1）．

$$X + \lambda\frac{\partial f}{\partial x} = 0, \quad Y + \lambda\frac{\partial f}{\partial y} = 0, \quad Z + \lambda\frac{\partial f}{\partial z} = 0 \tag{8.4}$$

λ は**ラグランジュの未定乗数**と呼ばれる量で，つり合いの位置および λ は (8.3)，(8.4) の 4 つの方程式から決められる．質点系でも同様な議論ができる（問題 1.3）．

• **保存力の場合** •　力 $\boldsymbol{F}$ がポテンシャル U から導かれる保存力で $\boldsymbol{F} = -\nabla U$ と書けると $\delta W = -\delta U$ となり，つり合いの位置は U が極値をとるという条件から決まる．図 6.12 からわかるように，U が極小だと安定なつり合いだがそれ以外では不安定となる．

例題 1 **なめらかな束縛があるときの質点のつり合い**

(8.3) のなめらかな曲面上に束縛されている質点に $\boldsymbol{F} = (X, Y, Z)$ の力が働くとする．つり合いの位置（平衡点）を決めるための方程式を導け．

解答 曲面からの束縛力 $\boldsymbol{R}$ は曲面と垂直な向きをもつので，仮想変位 $\delta\boldsymbol{r}$ を面上にとれば $\boldsymbol{R}\cdot\delta\boldsymbol{r} = 0$ が成り立つ．このため仮想仕事を考えるとき，束縛力は考慮しなくてもよい．これは仮想仕事の原理の 1 つの利点である．束縛条件が (8.3) で与えられると，$\delta\boldsymbol{r}$ は曲面上にあるとしたから $f(x + \delta x, y + \delta y, z + \delta z) = 0$ が成立する．あるいは，上式を展開し高次の項を無視すると

$$\frac{\partial f}{\partial x}\delta x + \frac{\partial f}{\partial y}\delta y + \frac{\partial f}{\partial z}\delta z = 0 \tag{1}$$

が得られる．一方，仮想仕事の原理により

$$X\delta x + Y\delta y + Z\delta z = 0 \tag{2}$$

と書け，(1)，(2) の連立方程式を解いて，平衡点の座標 x, y, z が決められる．このような方程式を扱うときよく使われるのがラグランジュの未定乗数法である．(1) に適当な定数 λ を掛け (2) に加えると

$$\left(X + \lambda\frac{\partial f}{\partial x}\right)\delta x + \left(Y + \lambda\frac{\partial f}{\partial y}\right)\delta y + \left(Z + \lambda\frac{\partial f}{\partial z}\right)\delta z = 0 \tag{3}$$

となる．ここで，λ を δz の係数が 0 となるよう選んだとしよう．いまの場合，運動の自由度は 2 で $\delta x, \delta y$ は任意に変えられるから，(3) の $\delta x, \delta y$ の係数がともに 0 でなければならない．こうして，結局，x, y, z に対して対称的な (8.4) が導かれる．

問 題

1.1 半径 a のなめらかな球面上に質量 m の質点が束縛されている．質点には重力が働くとして，質点の平衡点を求めよ．

1.2 質点に

$$f(x, y, z) = 0, \quad g(x, y, z) = 0$$

という 2 つの束縛条件が課せられているとして，次の問に答えよ．

(a) 上の束縛条件は幾何学的にどのような意味をもつか．

(b) なめらかな束縛であると仮定し，仮想仕事の原理を用いて質点の平衡点を決めるべき方程式を導出せよ．

1.3 n 個の質点から構成される質点系に r 個の束縛条件が課せられている．

(a) 運動の自由度はいくらか．

(b) なめらかな束縛として，質点系のつり合いを決める方程式を導け．

例題 2 **平衡点とその安定性**

図 8.1 に示すように鉛直でなめらかな壁があり，これから距離 b のところになめらかで水平な A 軸がおかれている．長さ $2a$，質量 M の一様な棒が A 軸に立てかけられ A 軸と垂直な面内にあって，棒の一端は垂直な壁に接している．棒の平衡位置とその安定性について論じよ．

解答 なめらかな束縛の場合，平衡点が $\delta U = 0$ から決まることは，質点だけでなく，質点系，剛体の場合にも成り立つ．図 8.1 で棒が水平方向となす角を θ とする．棒には重力のポテンシャルが働くが，A を通る水平面を基準にとると，棒の重心 G の y 座標は $y = a\sin\theta - b\tan\theta$ となる．よって，棒の重力のポテンシャル U は

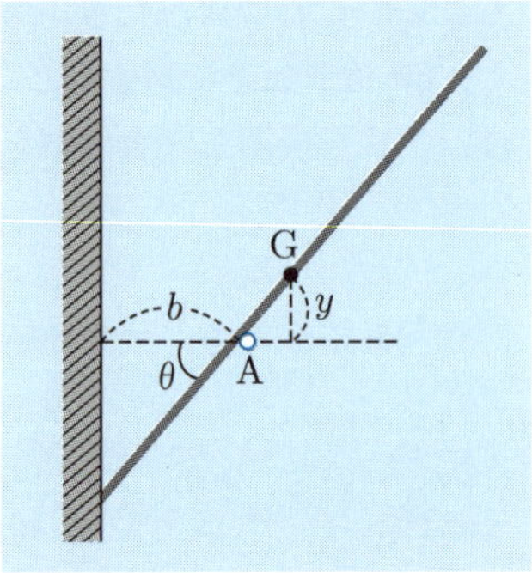

図 8.1 壁と棒

$$U(\theta) = Mgy = Mg(a\sin\theta - b\tan\theta)$$

と書ける．これを θ で微分すると

$$U'(\theta) = Mg\left(a\cos\theta - \frac{b}{\cos^2\theta}\right)$$

となり，$U'(\theta) = 0$ の条件から平衡の位置は $\cos^3\theta = b/a$ と表される．$b \leq a$ であればこの解は存在する．安定性を調べるため，もう 1 回 θ で微分すると

$$U''(\theta) = Mg\left(-a\sin\theta - \frac{2b\sin\theta}{\cos^3\theta}\right)$$

と表される．平衡点では

$$U''(\theta) = -3Mga\,\sin\theta < 0$$

と計算され，U は平衡位置で極大となるため，平衡は不安定である．

問題

2.1 x 軸上を運動する質点（質量 m）に

$$U(x) = \frac{am\omega^2}{2}x^2 + \frac{1}{4}x^4$$

のポテンシャルが作用するとき，平衡点とその安定性を求めよ（a は正負の定数）．

2.2 ちょうつがい O の周りで自由に動く一様な棒（長さ $2a$，質量 M）の他端を水平方向に一定の力 T でひっぱる（図 8.2）．仮想仕事の原理を適用して平衡位置を求め，その安定性を論じよ．

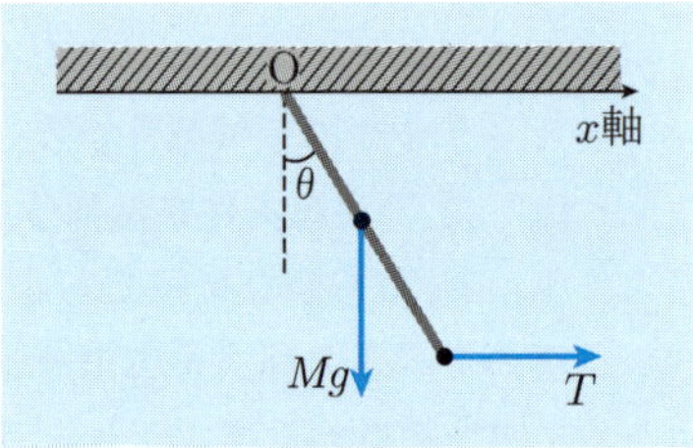

図 8.2 棒に働く力 T

8.2 ダランベールの原理

• 動力学から静力学へ •　n 個の質点から構成される質点系を考え，i 番目の質点の質量を m_i，これに働く力を $\boldsymbol{F}_i$ とする．各質点に対するニュートンの運動方程式は

$$m_i\ddot{\boldsymbol{r}}_i = \boldsymbol{F}_i \quad (i = 1, 2, \cdots, n) \tag{8.5}$$

と書ける．上の方程式と同じであるが，これを

$$\boldsymbol{F}_i - m_i\ddot{\boldsymbol{r}}_i = \boldsymbol{0} \tag{8.6}$$

と書き直す．この方程式の解釈として，i 番目の質点が $\ddot{\boldsymbol{r}}_i$ の加速度で運動しているとき $\boldsymbol{F}_i$ に $-m_i\ddot{\boldsymbol{r}}_i$ の力を加えれば，その質点はあたかもつり合いの状態にあるかのように考えることができる．これを**ダランベールの原理**，また $-m_i\ddot{\boldsymbol{r}}_i$ を**慣性抵抗**という．ただし，$\boldsymbol{r}_i$ は一般に時間とともに変化していくから，静力学のように 1 つの平衡状態が持続するのではなく，いわば次々と変わる平衡状態が実現されていく．ダランベールの原理は動力学の問題を静力学へと帰着させる 1 つの考え方である．

• 仮想仕事の原理の適用 •　平衡状態に関する仮想仕事の原理をダランベールの原理に適用する．動力学の場合，平衡状態は時間とともに変わっていくので，ある瞬間すなわち $t =$ 一定 の場合を考える．いわば，実際に起こる質点系の運動をビデオにとり，テープをある時間のところで止めておいて，その画面上で仮想変位を想定することになる．このようにして，(8.2) に対応し次の関係が得られる．

$$\sum_{i=1}^{n}(\boldsymbol{F}_i - m_i\ddot{\boldsymbol{r}}_i)\cdot\delta\boldsymbol{r}_i = 0 \tag{8.7}$$

• ホロノーム系 •　注目している質点系には

$$f_k(\boldsymbol{r}_1, \boldsymbol{r}_2, \cdots, \boldsymbol{r}_n, t) = 0 \quad (k = 1, 2, \cdots, r) \tag{8.8}$$

という r 個の束縛条件が課せられているとする．ただし，現在の仮想変位はある瞬間を考えるので，上の束縛条件は静力学の場合とは異なり，t にあらわに依存してよいとする．(8.8) のような形式で表される束縛を**ホロノミク**であるといい，またホロノミクな束縛条件が課せられた体系を**ホロノーム系**という．一方，(8.8) のように表せない束縛を**非ホロノミク**であるという．例えば，1 個の質点が原点を中心とする半径 a の球内で運動するという条件は $x^2 + y^2 + z^2 < a^2$ という不等式で与えられ，このような束縛は非ホロノミクである．以後ホロノーム系を扱っていくが，1 つの前提として，ある瞬間で (8.8) を満たすような仮想変位を与えたとき束縛力は仕事をしないとする．なお，このような質点系では，$3n$ 個の変数に対して r 個の条件が加わるので，問題 1.3 と同様，運動の自由度 f は $f = 3n - r$ で与えられる．

例題 3 **仮想仕事の原理に基づく運動方程式**

ダランベールの原理に仮想仕事の原理を適用し，ホロノーム系における運動方程式を導出せよ．

解答 仮想変位 $\delta\boldsymbol{r}_i$ が束縛条件を満たせば，束縛力は考えなくてもよいから，(8.7) の $\boldsymbol{F}_i$ は i 番目の質点に働く（束縛力を除く）力であるとしてよい．また，$\delta\boldsymbol{r}_i$ が束縛条件 (8.8) を満足すれば

$$f_k(\boldsymbol{r}_1+\delta\boldsymbol{r}_1, \boldsymbol{r}_2+\delta\boldsymbol{r}_2, \cdots, \boldsymbol{r}_n+\delta\boldsymbol{r}_n, t) = 0$$

が成り立つ．これを $\delta\boldsymbol{r}_i$ に関してテイラー展開し高次の項を無視すれば

$$\sum_{i=1}^{n}\frac{\partial f_k}{\partial \boldsymbol{r}_i}\cdot\delta\boldsymbol{r}_i = 0 \quad (k=1,2,\cdots,r)$$

が得られる．ラグランジュの未定乗数法を利用し，上式に λ_k を掛け，k に関して和をとり (8.7) に加える．その結果

$$\sum_i\left(\boldsymbol{F}_i - m_i\ddot{\boldsymbol{r}}_i + \sum_k\lambda_k\frac{\partial f_k}{\partial \boldsymbol{r}_i}\right)\cdot\delta\boldsymbol{r}_i = 0$$

が得られる．ラグランジュの未定乗数法では，上式の $\delta\boldsymbol{r}_i$ の係数はすべて 0 であると考えてよい．このようにして

$$m_i\ddot{\boldsymbol{r}}_i = \boldsymbol{F}_i + \sum_k\lambda_k\frac{\partial f_k}{\partial \boldsymbol{r}_i} \quad (i=1,2,\cdots,n) \tag{1}$$

の関係が導かれる．(1) は一種の運動方程式で，もし束縛条件がないとすれば右辺第 2 項は不要となり，上式は (8.5) の運動方程式に帰着する．右辺第 2 項は束縛条件のため現れる力で束縛力を表す．すなわち，i 番目の質点に働く束縛力 $\boldsymbol{R}_i$ は

$$\boldsymbol{R}_i = \sum_k\lambda_k\frac{\partial f_k}{\partial \boldsymbol{r}_i} \tag{2}$$

と書け，運動方程式は次式のように表される．

$$m_i\ddot{\boldsymbol{r}}_i = \boldsymbol{F}_i + \boldsymbol{R}_i \quad (i=1,2,\cdots,n) \tag{3}$$

$\boldsymbol{r}_i$ と λ_k とでは全体で $3n+r$ 個の変数があるが，これらは $3n$ 個の運動方程式と r 個の束縛条件から決められる．いまの問題では，時間を固定して仮想変位をとるので，λ_k は単なる定数ではなく時間 t の関数となる．

問　題

3.1 単振り子を扱い，未定乗数 λ と糸の張力 T との関係について考えよ．

3.2 束縛条件があらわに時間を含まないならば，質点が束縛条件に従い運動するとき，実際に (2) で定義される束縛力は仕事をしないことを確かめよ．

8.3 ハミルトンの原理

• **質点系の軌道** • (8.8) の束縛条件を考慮して例題 3 の (1) を解いたとすれば，原理的に $\boldsymbol{r}_i$ は t の関数として求めることができる．これを

$$\boldsymbol{r}_i = \boldsymbol{r}_i(t) \quad (i = 1, 2, \cdots, n) \tag{8.9}$$

と書こう．$x_1, y_1, z_1, x_2, y_2, z_2, \cdots, x_n, y_n, z_n$ を $3n$ 次元空間の直交座標系に対する座標であると考えれば，(8.9) を表す点はこの空間中におけるある曲線 C の上を運動していく．この曲線を**質点系の軌道**という．$n = 1$ の場合，すなわち 1 個の質点では $\boldsymbol{r} = \boldsymbol{r}(t)$ は三次元空間中の質点の位置ベクトルで，上の曲線 C は質点が実際に描く軌道を表す (図 8.3).

• **質点系の全運動エネルギー** • 質点系の全運動エネルギー K は

$$K = \sum_i \frac{1}{2} m_i \dot{\boldsymbol{r}}_i{}^2 \tag{8.10}$$

で与えられるが，これに (8.9) を代入すると K は t の関数となる．

• **ハミルトンの原理** • ここで，実際の軌道 C と違った $\overline{\mathrm{C}}$ という仮想的な軌道を考える．ただし，t_A と t_B においては両者の表す点は一致するものと仮定する (図 8.4). このとき

$$\delta \int_{t_\mathrm{A}}^{t_\mathrm{B}} K dt + \int_{t_\mathrm{A}}^{t_\mathrm{B}} \sum_i \boldsymbol{F}_i \cdot \delta \boldsymbol{r}_i dt = 0 \tag{8.11}$$

が成立する．これを**ハミルトンの原理**という．とくに力がポテンシャルから導かれるとき

$$\delta \int_{t_\mathrm{A}}^{t_\mathrm{B}} L dt = 0, \quad L = K - U \tag{8.12}$$

となる．L をラグランジアン，(8.12) を**最小作用の原理**という．

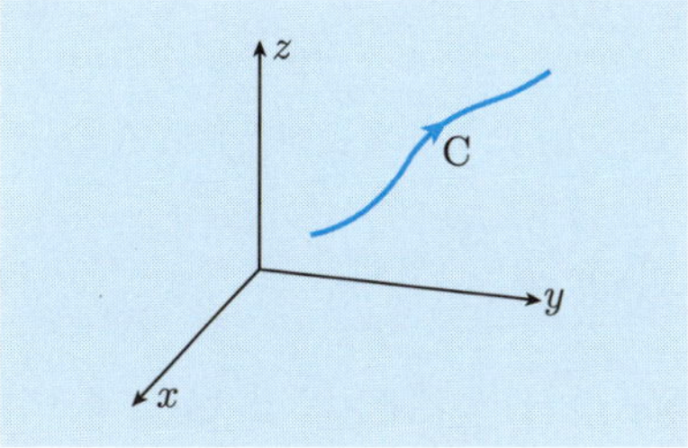

図 8.3 質点の軌道

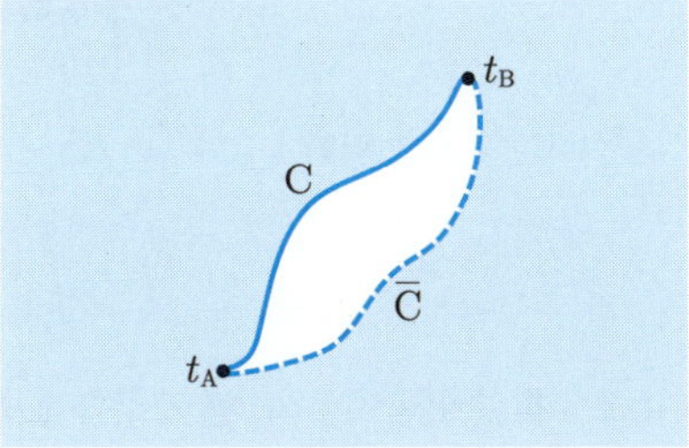

図 8.4 実際の軌道と仮想的な軌道

例題 4　　**ハミルトンの原理の導出**

質点系に (8.8) の束縛条件が課せられ束縛はなめらかであると仮定し，例題 3 の (1) の運動方程式が成り立つとする．このような前提のもとでハミルトンの原理を導け．

解答　質点系の全運動エネルギー K は t の関数となる．したがって，K を t_A から t_B まで時間に関して積分した

$$I = \int_{t_A}^{t_B} K dt \tag{1}$$

は，t_A, t_B を固定すればある一定値をもつ量となる．ここで，実際の軌道 C と違った $\overline{\mathrm{C}}$ という仮想的な軌道を考える．ただし，t_A と t_B においては両者の表す点は一致すると仮定する (図 8.4)．$\overline{\mathrm{C}}$ の軌道は $\overline{\boldsymbol{r}}_i(t)$ で記述されるとし，$\overline{\boldsymbol{r}}_i(t)$ を

$$\overline{\boldsymbol{r}}_i(t) = \boldsymbol{r}_i(t) + \delta \boldsymbol{r}_i(t) \tag{2}$$

と表す．t_A, t_B で C と $\overline{\mathrm{C}}$ は一致すると仮定しているから

$$\delta \boldsymbol{r}_i(t_A) = \delta \boldsymbol{r}_i(t_B) = 0 \tag{3}$$

が成り立つ．$\delta \boldsymbol{r}_i$ は実際の軌道からのずれを表す仮想変位であるが，$\boldsymbol{r}_i$ の**変分**ともいう．ただし，$\delta \boldsymbol{r}_i$ は十分小さな微小量であるとする．すなわち，$\overline{\mathrm{C}}$ は C とあまり変わらないと考え，以下の議論で $(\delta \boldsymbol{r}_i)^2$ の項は無視する．

質点系が $\overline{\mathrm{C}}$ の軌道に沿って運動すると，i 番目の質点の速度は

$$\overline{\boldsymbol{v}}_i = \boldsymbol{v}_i + \delta \boldsymbol{v}_i \tag{4}$$

と書ける．(2) から

$$\frac{d(\delta \boldsymbol{r}_i)}{dt} = \delta \left(\frac{d\boldsymbol{r}_i}{dt} \right) \tag{5}$$

が得られる（問題 4.1）．すなわち，d と δ は交換可能である．$(\delta \boldsymbol{v}_i)^2$ の項を無視すると (4) を使い $\overline{K}$ は次のように表される．

$$\overline{K} = \sum_i \frac{1}{2} m_i \overline{\boldsymbol{v}}_i{}^2 = K + \sum_i m_i \boldsymbol{v}_i \cdot \delta \boldsymbol{v}_i \tag{6}$$

(1) に対応して $\overline{I}$ を定義し，$\delta I = \overline{I} - I$ とおけば，(6) により次式が得られる．

$$\delta I = \int_{t_A}^{t_B} \sum_i m_i \boldsymbol{v}_i \cdot \delta \boldsymbol{v}_i dt \tag{7}$$

(7) に部分積分を適用し，(3) の条件を用い例題 3 の (1) に注意すると次式が導かれる（問題 4.2）．

$$\delta I = -\int_{t_A}^{t_B} \sum_i \left(\boldsymbol{F}_i + \sum_k \lambda_k \frac{\partial f_k}{\partial \boldsymbol{r}_i} \right) \cdot \delta \boldsymbol{r}_i dt \tag{8}$$

ここで，t を固定したとき $\overline{\boldsymbol{r}}_i(t)$ は (8.8) の束縛条件を満たすと仮定しよう．そうすると

$$f_k(\overline{\boldsymbol{r}}_i(t), t) - f_k(\boldsymbol{r}_i(t), t) = \sum_i \frac{\partial f_k}{\partial \boldsymbol{r}_i} \cdot \delta \boldsymbol{r}_i = 0 \tag{9}$$

が成り立つ．ただし，左辺で $\overline{\boldsymbol{r}}_i$ あるいは $\boldsymbol{r}_i$ と書いたのは，n 個のベクトルを一括して表示したものである．上式を利用すると，(8) は

$$\delta I = -\int_{t_A}^{t_B} \sum_i \boldsymbol{F}_i \cdot \delta \boldsymbol{r}_i dt$$

と書ける．こうして次のハミルトンの原理が導かれた．

$$\delta \int_{t_A}^{t_B} K dt + \int_{t_A}^{t_B} \sum_i \boldsymbol{F}_i \cdot \delta \boldsymbol{r}_i dt = 0 \tag{10}$$

あるいは $\delta W = \sum \boldsymbol{F}_i \cdot \delta \boldsymbol{r}_i$ とおけば δW は仮想変位に伴う仮想仕事でハミルトンの原理は次のように書ける．

$$\delta \int_{t_A}^{t_B} K dt + \int_{t_A}^{t_B} \delta W dt = 0$$

参考　ハミルトンの原理と運動方程式　ハミルトンの原理から運動方程式を導くことができる．すなわち，(10) の左辺第 1 項は

$$\delta \int_{t_A}^{t_B} K dt = \delta I = -\int_{t_A}^{t_B} \sum_i m_i \ddot{\boldsymbol{r}}_i \cdot \delta \boldsymbol{r}_i dt \tag{11}$$

と書け（問題 4.2 参照），ハミルトンの原理は次のように表される．

$$\int_{t_A}^{t_B} \sum_i (m_i \ddot{\boldsymbol{r}}_i - \boldsymbol{F}_i) \cdot \delta \boldsymbol{r}_i dt = 0$$

ここで $\delta \boldsymbol{r}_i$ はこれまでと同様，束縛条件を満たすと仮定すれば (9) が成り立つので，同式を t に関し t_A から t_B まで積分してラグランジュの未定乗数法を適用すれば

$$\int_{t_A}^{t_B} \sum_i \left(m_i \ddot{\boldsymbol{r}}_i - \boldsymbol{F}_i - \sum_k \lambda_k \frac{\partial f_k}{\partial \boldsymbol{r}_i} \right) \cdot \delta \boldsymbol{r}_i dt = 0$$

となる．ここで $\delta \boldsymbol{r}_i$ $(i = 1, 2, \cdots, n)$ の変分は独立に任意に変えられると考えてよいので，上式の（　）内の量を 0 とおき例題 3 の (1) の運動方程式が得られる．こうして，運動方程式とハミルトンの原理は等価であることがわかる．

問　題

4.1　(5) の関係を証明せよ．

4.2　(7) に部分積分を適用して (11) を導き，運動方程式を代入して (8) を確かめよ．

例題 5 **最小作用の原理**

質点に働く力 $\boldsymbol{F}_i$ が保存力でポテンシャルから導かれる場合，ハミルトンの原理はどのように表現されるか．

解答 力 $\boldsymbol{F}_i$ がポテンシャル $U(\boldsymbol{r}_1, \boldsymbol{r}_2, \cdots, \boldsymbol{r}_n, t)$ により

$$\boldsymbol{F}_i = -\frac{\partial U}{\partial \boldsymbol{r}_i}$$

と書けるとする．ここで，ポテンシャルはあらわに時間 t に依存してもよいとする．この場合の仮想仕事は

$$\delta W = \sum_i \boldsymbol{F}_i \cdot \delta \boldsymbol{r}_i = -\sum_i \frac{\partial U}{\partial \boldsymbol{r}_i} \cdot \delta \boldsymbol{r}_i$$

で与えられる．次のような U の時間積分

$$\int_{t_A}^{t_B} U dt$$

を考え，$\boldsymbol{r}_i \to \boldsymbol{r}_i + \delta \boldsymbol{r}_i$ の仮想変位に伴うこの積分の変化分を求めると

$$\delta \int_{t_A}^{t_B} U dt = \int_{t_A}^{t_B} \sum_i \frac{\partial U}{\partial \boldsymbol{r}_i} \cdot \delta \boldsymbol{r}_i dt = -\int_{t_A}^{t_B} \delta W dt \tag{1}$$

となる（問題 5.1）．(1) を利用すると，ハミルトンの原理 (8.11) は

$$\delta \int_{t_A}^{t_B} K dt - \delta \int_{t_A}^{t_B} U dt = 0$$

と表される．したがって，**ラグランジアン** L を $L = K - U$ と定義すれば，ハミルトンの原理は次のように書ける．

$$\delta \int_{t_A}^{t_B} L\, dt = 0 \tag{2}$$

問　題

5.1 (1) の関係を導け．

5.2 一般にラグランジアン L を時間積分した

$$S = \int_{t_A}^{t_B} L\, dt$$

を**作用**という．力を受けない 1 個の質点（質量 m）の実際の運動に対して，作用が最小になっていることを示せ．一般に実際の運動では作用は最小になっていると考えられるので (2) を最小作用の原理という．

8.4 ラグランジュの運動方程式

• 解析力学の利点 • 例題 5 の (2) で論じた最小作用の原理を利用すると，ニュートンの運動方程式を一般化した方程式が導出される．この方程式は解析力学における運動方程式であるが，必ずしもデカルト座標だけではなく一般座標にも適用できること，束縛力を考慮する必要はないこと，束縛条件があらわに時間に依存してもよいことなど，すぐれた利点をもっている．

• ラグランジアンの性質 • n 個の質点から構成される質点系に r 個の束縛条件が課せられているとする．この体系の運動の自由度 f は $f = 3n - r$ で，運動状態を決めるには f 個の変数を導入すれば十分である．そこで，これらの変数としては一般座標をとり，それらを $q_1, q_2, \cdots, q_f$ とする．ここで，例えば i 番目の質点の位置ベクトル $\boldsymbol{r}_i$ を一般座標で表したとき

$$\boldsymbol{r}_i = \boldsymbol{r}_i(q_1, q_2, \cdots, q_f, t) \tag{8.13}$$

のように t をあらわに含んでいてもよいとする．(8.13) を時間で微分すると，一般に $q_1, q_2, \cdots, q_f$ は時間の関数であるから

$$\dot{\boldsymbol{r}}_i = \sum_{j=1}^{f} \frac{\partial \boldsymbol{r}_i}{\partial q_j}\dot{q}_j + \frac{\partial \boldsymbol{r}_i}{\partial t} \tag{8.14}$$

と書け，質点系の全運動エネルギー K は $q_1, q_2, \cdots, q_f, \dot{q}_1, \dot{q}_2, \cdots, \dot{q}_f, t$ の関数となる．また，位置エネルギー U は $\boldsymbol{r}_1, \boldsymbol{r}_2, \cdots, \boldsymbol{r}_n, t$ の関数であるとする．これに (8.13) を代入すれば U は $q_1, q_2, \cdots, q_f, t$ の関数となる．このようにして，一般に L は $q_1, q_2, \cdots, q_f, \dot{q}_1, \dot{q}_2, \cdots, \dot{q}_f, t$ の関数であることがわかる．このような関数関係を

$$L = L(q_1, q_2, \cdots, q_f, \dot{q}_1, \dot{q}_2, \cdots, \dot{q}_f, t) \tag{8.15}$$

と表す．

• ラグランジュの運動方程式 • 最小作用の原理を使うと

$$\frac{d}{dt}\left(\frac{\partial L}{\partial \dot{q}_j}\right) - \frac{\partial L}{\partial q_j} = 0 \quad (j = 1, 2, \cdots, f) \tag{8.16}$$

が導かれる（例題 6）．これを**ラグランジュの運動方程式**という．力学の問題をとり扱う際，ラグランジュの方程式はニュートンの方程式より便利な点が多い．例えば，自由度に等しいだけの変数，すなわち必要にしてかつ十分な変数だけを用いればよいこと，問題に応じてもっとも適切な一般座標を使えることなどである．以下の例題でラグランジュの方程式に関する事項をいくつか紹介する．

例題 6 **ラグランジュの運動方程式の導出**

最小作用の原理を利用してラグランジュの運動方程式を導け.

解答 最小作用の原理から

$$\delta \int_{t_A}^{t_B} L\, dt = 0 \tag{1}$$

が成り立つ. q_j に対する変分を δq_j, $\dot{q}_j$ に対する変分を $\delta \dot{q}_j$ と書く. あるいは, 仮想的な軌道 $\overline{\mathrm{C}}$ に対する一般座標を $\overline{q}_j$ とすれば

$$\overline{q}_j = q_j + \delta q_j \tag{2}$$

と表されるので, 上式を t で微分すると

$$\frac{d}{dt}\overline{q}_j = \dot{q}_j + \frac{d}{dt}\delta q_j$$

となる. 上式右辺の第 2 項が $\dot{q}_j$ の変分を表し

$$\delta \dot{q}_j = \delta \frac{dq_j}{dt} = \frac{d(\delta q_j)}{dt} \tag{3}$$

が成り立つ. これからわかるように, δ の演算と d/dt の演算とは互いに交換可能であるとしてよい. (3) は例題 4 の (5) を一般座標に拡張した関係である. 最小作用の原理から

$$\int_{t_A}^{t_B} \sum_j \left(\frac{\partial L}{\partial q_j}\delta q_j + \frac{\partial L}{\partial \dot{q}_j}\delta \dot{q}_j \right) dt = 0 \tag{4}$$

が得られる (問題 6.1). (3) を利用し上式の左辺第 2 項に部分積分を適用すると

$$\sum_j \frac{\partial L}{\partial \dot{q}_j}\delta q_j \Big|_{t_A}^{t_B} + \int_{t_A}^{t_B} \sum_j \left[\frac{\partial L}{\partial q_j} - \frac{d}{dt}\left(\frac{\partial L}{\partial \dot{q}_j} \right) \right] \delta q_j dt = 0 \tag{5}$$

となる. t_A, t_B で変分は 0 であるから, 上式の第 1 項は 0 であることがわかる. また, $\delta q_1, \delta q_2, \cdots, \delta q_f$ の変分は互いに独立に勝手に変えられるので, (5) が成立するためには [ ] 内の量が 0 となり, ラグランジュの運動方程式が導かれる.

参考 **変分法と変分原理** (1) のように, $q_1, \cdots, q_f, \dot{q}_1, \cdots, \dot{q}_f, t$ の関数 L の時間積分を極値にする問題を数学では**変分法**という. 変分法ではラグランジュの運動方程式に相当するものを**オイラーの方程式**という. 物理法則は, ある積分を極値にするという形式に表現できる場合があり, そのとき**変分原理**という用語が使われる.

問 題

6.1 (4) の関係を証明せよ.

例題 7　　**1 個の質点の力学**

質量 m の質点が $U(x, y, z, t)$ というポテンシャルの作用下で運動する場合を扱い，ラグランジュの運動方程式がニュートンの運動方程式に帰着することを示せ．

解答　一般座標として x, y, z のデカルト座標をとると，L は

$$L = \frac{1}{2}m(\dot{x}^2 + \dot{y}^2 + \dot{z}^2) - U(x, y, z, t)$$

で与えられる．L を $\dot{x}$ で偏微分するとは，$\dot{y}, \dot{z}, x, y, z$ を一定にしておき $\dot{x}$ で微分することを意味する．したがって，上式から

$$\frac{\partial L}{\partial \dot{x}} = m\dot{x}$$

となる．また

$$\frac{\partial L}{\partial x} = -\frac{\partial U}{\partial x}$$

である．こうして，ラグランジュの運動方程式

$$\frac{d}{dt}\left(\frac{\partial L}{\partial \dot{x}}\right) - \frac{\partial L}{\partial x} = 0$$

から

$$m\ddot{x} = -\frac{\partial U}{\partial x}$$

となり，同様にして $m\ddot{y} = -\partial U/\partial y$, $m\ddot{z} = -\partial U/\partial z$ が導かれる．質点に働く力 $\boldsymbol{F}$ は $\boldsymbol{F} = -\nabla U$ と書けるから，ラグランジュの方程式は

$$m\ddot{\boldsymbol{r}} = \boldsymbol{F}$$

となって，ニュートンの運動方程式と一致する．

問　題

7.1　地表近くの物体の運動を考え，水平面を xy 面とし，鉛直上向きに z 軸をとる．物体を質点とみなしたとき，その運動量の x, y 成分は運動の定数であることをラグランジュの運動方程式の立場から示せ．

7.2　質量 m_1 の質点 1 と質量 m_2 の質点 2 から構成される質点系の二体問題で

$$\boldsymbol{r}_{\mathrm{G}} = \frac{m_1\boldsymbol{r}_1 + m_2\boldsymbol{r}_2}{m_1 + m_2} = \frac{m_1\boldsymbol{r}_1 + m_2\boldsymbol{r}_2}{M}, \quad \boldsymbol{r} = \boldsymbol{r}_2 - \boldsymbol{r}_1$$

の重心，相対の位置ベクトルを一般座標とする．ラグランジュの運動方程式を導き，質点系の運動について論じよ．

例題 8 **単振り子の運動**

長さ l の糸に質量 m のおもりをつけた単振り子を考え，一般座標として図 2.9 で示した角 φ を選ぶ．ラグランジュの運動方程式を導け．

解答 おもりの速度 v は $l\dot{\varphi}$ と書け，また重力のポテンシャルの基準点としておもりの最下点を選ぶと，$U = mgl(1-\cos\varphi)$ と表される．したがって，L は

$$L = \frac{m}{2}l^2\dot{\varphi}^2 - mgl(1-\cos\varphi)$$

で与えられる．$\partial L/\partial\dot{\varphi} = ml^2\dot{\varphi}$,　$\partial L/\partial\varphi = -mgl\sin\varphi$ を利用すればラグランジュの運動方程式は，次のように求まる．

$$ml^2\ddot{\varphi} + mgl\sin\varphi = 0$$

上式は第 2 章例題 7 の (4) と一致する．いまの場合，糸の張力といった束縛力を考慮することなく，φ に対する必要な方程式が導かれる．

問　題

8.1 図 8.5 に示すように，単振り子の支点が y 軸上で運動しその座標は $y_0(t)$ で表されるとする．一般座標として上の例題 8 と同様，図の φ を選んだとし，φ に対する運動方程式を導出せよ．

8.2 上の問題でとくに $y_0(t) = B\cos\omega_0 t$ と書ける場合，φ に対する運動方程式は第 5 章の例題 3 で導いたものと一致することを確かめよ．

8.3 図 8.6 のように，なめらかな水平の板にあけたなめらかな小穴に糸を通し，板上の糸の端に質量 m_1 の質点をつける．また，一方の糸の端には質量 m_2 の質点をつけ鉛直につり下げておく．板上の質点を板上で運動させるとき，板上の回転角を θ，質量 m_2 の質点と板との間の長さを z としてラグランジュの運動方程式を導け．

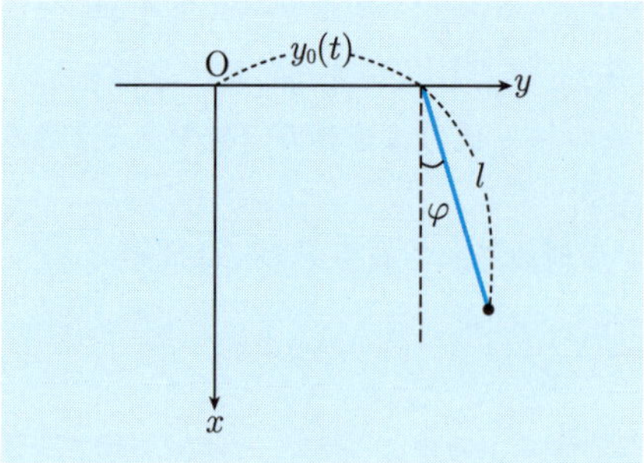

図 8.5　支点が運動する単振り子

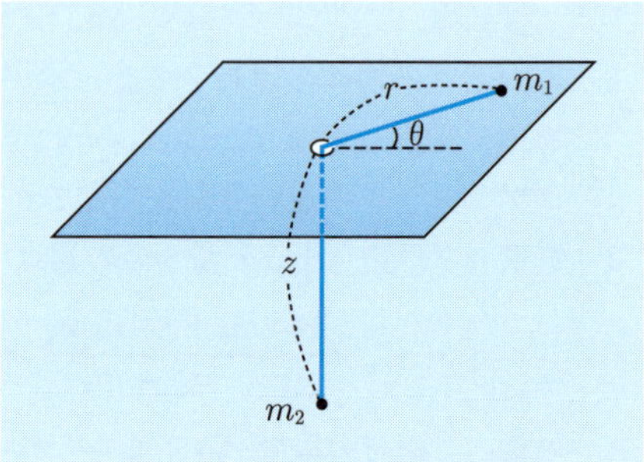

図 8.6　糸で結ばれた 2 個の質点

例題 9　一端をなめらかな水平面と接している一様な剛体の棒

図 8.7 で一様な棒 AB（長さ $2a$，質量 M）の一端 A はつねになめらかな水平面と接しているとする．棒は xy 面内で平面運動を行うとし，棒が鉛直方向となす角を φ とする．φ に対する運動方程式を導け．

解答　剛体の運動エネルギーは重心のもつ運動エネルギーと重心の周りの運動エネルギーの和である点に注意すると，棒の運動エネルギーは $K = (M/2)(\dot{x}_{\rm G}{}^2 + \dot{y}_{\rm G}{}^2) + (I_{\rm G}/2)\dot{\varphi}^2$ と表される．また，水平面を基準にとると棒の重力の位置エネルギーは $U = Mgy_{\rm G} = Mga\cos\varphi$ と書ける．一方，$y_{\rm G} = a\cos\varphi$ から $\dot{y}_{\rm G} = -a\dot{\varphi}\sin\varphi$ である．こうして，ラグランジアンは

$$L = \frac{M}{2}(\dot{x}_{\rm G}{}^2 + a^2\dot{\varphi}^2\sin^2\varphi) + \frac{I_{\rm G}}{2}\dot{\varphi}^2 - Mga\cos\varphi$$

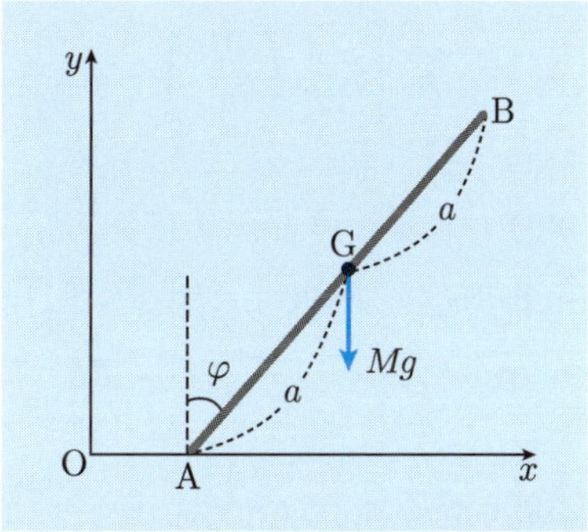

図 8.7　なめらかな水平面に接する棒

で与えられる．これから $\ddot{x}_{\rm G} = 0$ で $\dot{x}_{\rm G} =$ 一定 となる．また，φ に対する運動方程式は

$$a\left(\frac{1}{3} + \sin^2\varphi\right)\ddot{\varphi} + a\sin\varphi\cos\varphi\dot{\varphi}^2 - g\sin\varphi = 0$$

と計算される（問題 9.1）．

問　題

9.1　上述の φ に対する運動方程式を導け．

9.2　水平面と角 α をなす斜面をすべらずにころがる一様な円筒がある．その重心の加速度を解析力学の立場から求めよ．

9.3　図 8.8 のように，一様な円板（半径 a，質量 M_0）が水平な中心軸の周りで自由に回転できるとする．中心から距離 b のところに質量 M_1 の質点をつけ，細い糸を円板に沿いすべらないよう巻き付け，その先端に質量 M_2 のおもりをつける．図のように回転角 φ を選んだとし，つり合いでの φ の値，その周りで体系が微小振動するときの周期を求めよ．ただし $aM_2 < bM_1$ とする．

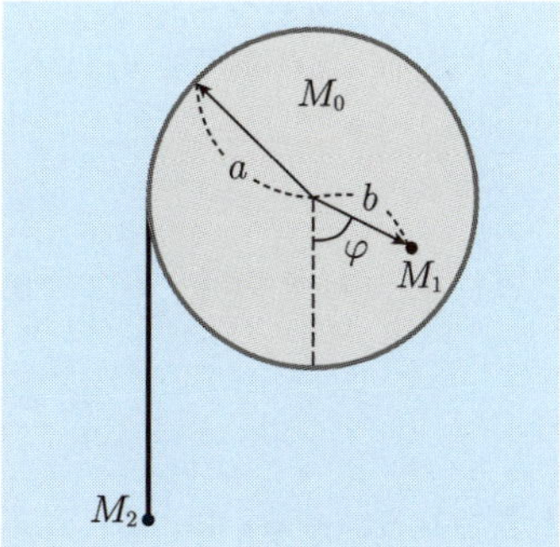

図 8.8　円板と質点

例題 10 **力学的エネルギー保存則**

ラグランジアンがあらわに時間を含まないとして，力学的エネルギー保存則について論じよ．

解答 ラグランジュの運動方程式 (8.16) に $\dot{q}_j$ を掛け j に関して加えると

$$\sum_j \left[\dot{q}_j \frac{d}{dt}\left(\frac{\partial L}{\partial \dot{q}_j}\right) - \dot{q}_j \frac{\partial L}{\partial q_j} \right] = \sum_j \left[\frac{d}{dt}\left(\dot{q}_j \frac{\partial L}{\partial \dot{q}_j}\right) - \frac{\partial L}{\partial \dot{q}_j}\ddot{q}_j - \frac{\partial L}{\partial q_j}\dot{q}_j \right] = 0 \tag{1}$$

が得られる．一方，ラグランジアンはあらわに t に依存しないと仮定し $L = L(q_1, q_2, \cdots, q_f, \dot{q}_1, \dot{q}_2, \cdots, \dot{q}_f)$ とすれば，これを t で微分し

$$\frac{dL}{dt} = \sum_j \left(\frac{\partial L}{\partial q_j}\dot{q}_j + \frac{\partial L}{\partial \dot{q}_j}\ddot{q}_j \right) \tag{2}$$

が成り立つ．(1), (2) から

$$\frac{d}{dt}\left(\sum_j \dot{q}_j \frac{\partial L}{\partial \dot{q}_j} - L \right) = 0$$

と表され，これを積分し

$$\sum_j \dot{q}_j \frac{\partial L}{\partial \dot{q}_j} - L = 一定 \tag{3}$$

であることがわかる．すなわち，(3) の左辺は運動の定数である．ラグランジアンの $\dot{q}_j$ 依存性は運動エネルギー K の部分から生じるので，その依存性について調べる．

n 個の質点から成り立つ質点系を考え，i 番目の質点の位置ベクトル $\boldsymbol{r}_i$ を一般座標 $q_1, q_2, \cdots, q_f$ で表したとき，その表式はあらわに t に依存しないとする．この前提下で，i 番目の質点の速度 $\boldsymbol{v}_i$ は

$$\boldsymbol{v}_i = \dot{\boldsymbol{r}}_i = \sum_j \frac{\partial \boldsymbol{r}_i}{\partial q_j}\dot{q}_j \tag{4}$$

と書ける．(4) を利用すると全運動エネルギー K は

$$K = \sum_{ijk} \frac{1}{2} m_i \left(\frac{\partial \boldsymbol{r}_i}{\partial q_j} \cdot \frac{\partial \boldsymbol{r}_i}{\partial q_k} \right) \dot{q}_j \dot{q}_k \tag{5}$$

と表される．あるいは

$$a_{jk} = \sum_i m_i \left(\frac{\partial \boldsymbol{r}_i}{\partial q_j} \cdot \frac{\partial \boldsymbol{r}_i}{\partial q_k} \right) \tag{6}$$

と定義すれば，K は

$$K = \frac{1}{2}\sum_{jk} a_{jk}\dot{q}_j\dot{q}_k \tag{7}$$

という二次形式で与えられる．(6) の定義からわかるように，a_{jk} は $q_1, q_2, \cdots, q_f$ だけの関数で $\dot{q}_1, \dot{q}_2, \cdots, \dot{q}_f$ には依存しない．また，次の対称性が成立する．

$$a_{jk} = a_{kj} \tag{8}$$

(7)，(8) を利用すると

$$\sum_j \dot{q}_j \frac{\partial L}{\partial \dot{q}_j} = 2K \tag{9}$$

の関係が証明される（問題 10.1）．(9) を (3) に代入し

$$2K - L = 一定 \tag{10}$$

が導かれる．$L = K - U$ であるから，(10) は

$$K + U = E = 一定 \tag{11}$$

を意味する．これは力学的エネルギー保存則である．

参考　**循環座標**　ラグランジアン L を $q_1, q_2, \cdots, q_f, \dot{q}_1, \dot{q}_2, \cdots, \dot{q}_f, t$ の関数として表したとき，ある座標 q_k が L の中に含まれないことがある．このような座標を**循環座標**という．ラグランジュの運動方程式 (8.16) からわかるように，循環座標に対して $\partial L/\partial q_k = 0$ で $(d/dt)(\partial L/\partial \dot{q}_k) = 0$ が成り立つ．すなわち，$\partial L/\partial \dot{q}_k$ は一定で運動の定数となる．例えば，外力の働かない質点では $L = (m/2)(\dot{x}^2 + \dot{y}^2 + \dot{z}^2)$ と書け，x, y, z は循環座標である．これに伴い $p_x = m\dot{x}$, $p_y = m\dot{y}$, $p_z = m\dot{z}$ の p_x, p_y, p_z は運動の定数となり運動量保存則が導かれる．

問　題

10.1　ポテンシャルは $\dot{q}_1, \dot{q}_2, \cdots, \dot{q}_f$ に依存しないと仮定して (9) の関係を導け．

10.2　図 8.9 で一様な棒 AB（長さ $2a$，質量 M）の一端 A はすべらないで，水平面に接しているとする．あるいは，A にちょうつがいがありその周りで棒は自由に動くと考えてよい．このような棒の力学に関する以下の問に答えよ．

(a)　支点 A には摩擦力が働くが，解析力学の方程式が適用できる．その理由を述べよ．

(b)　回転角 φ の運動方程式を導け．

(c)　1 m の棒の φ を 5° に保ち $t = 0$ で静かに手を放したとする．0.1 s 後に棒は何 ° 傾くか．

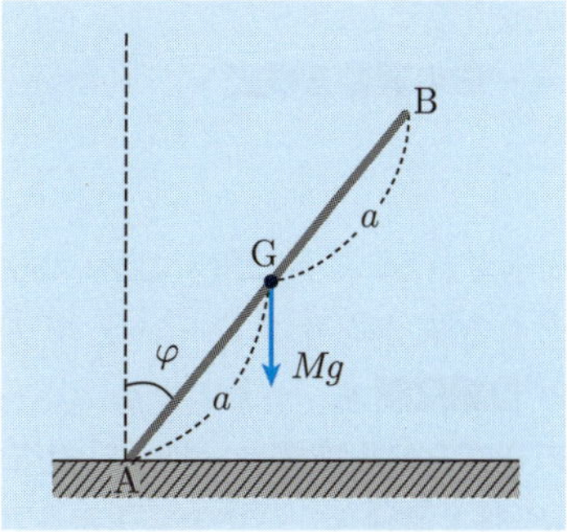

図 8.9　あらい水平面に接する棒

8.5 ハミルトンの正準運動方程式

• 正準変数 • $\dot{q}_j = v_j$ で定義される v_j は一般座標 q_j の速度という意味をもつ．ラグランジュの運動方程式は $(d/dt)(\partial L/\partial v_j) - (\partial L/\partial q_j) = 0 \quad (j = 1, 2, \cdots, f)$ と書けるが，ここで

$$p_j = \frac{\partial L}{\partial v_j} = \frac{\partial L}{\partial \dot{q}_j} \tag{8.17}$$

の p_j を導入し，これを q_j に共役な**一般運動量**，q_j, p_j を**正準変数**という．

• ハミルトニアンとハミルトンの正準運動方程式 • 次の H

$$H = \sum_j p_j \dot{q}_j - L \tag{8.18}$$

を正準変数で表し，これを**ハミルトニアン**という．正準変数に対する運動方程式は

$$\frac{dq_j}{dt} = \frac{\partial H}{\partial p_j}, \quad \frac{dp_j}{dt} = -\frac{\partial H}{\partial q_j} \quad (j = 1, 2, \cdots, f) \tag{8.19}$$

と書ける．上記の方程式を**ハミルトンの正準運動方程式**という．適当な条件が満たされると（例題 12），ハミルトニアンは体系の力学的エネルギーを正準変数で表したものに等しくなる．

• ポアソン括弧 • u と v とが正準変数 $q_1, q_2, \cdots, q_f, p_1, p_2, \cdots, p_f$ の任意関数のとき

$$(u, v) = \sum_j \left(\frac{\partial u}{\partial q_j}\frac{\partial v}{\partial p_j} - \frac{\partial u}{\partial p_j}\frac{\partial v}{\partial q_j} \right) \tag{8.20}$$

で定義される (u, v) を**ポアソン括弧**という．定義から明らかなように

$$(u, v) = -(v, u), \quad (u, u) = 0 \tag{8.21}$$

が成り立つ．

• 一般の運動方程式 • F が $q_1, q_2, \cdots, q_f, p_1, p_2, \cdots, p_f$ の関数のとき

$$\frac{dF}{dt} = (F, H) \tag{8.22}$$

と表される．これは解析力学における究極の運動方程式と考えられる．もし $(F, H) = 0$ となる F があれば $F =$ 一定 で F は運動の定数となる．

• 位相空間 • 一般に，$q_1, q_2, \cdots, q_f, p_1, p_2, \cdots, p_f$ を直交座標とするような $2f$ 次元の空間を**位相空間**という．位相空間中の 1 点を決めれば注目している体系の運動状態（座標と運動量）が完全に指定される．このような点を**代表点**という．代表点は (8.19) に従い，位相空間中で 1 つの軌道を描いていく．

例題 11 ——— **ハミルトンの正準運動方程式の導出**

ハミルトンの正準運動方程式を導け.

解答 (8.17) の p_j の定義式とラグランジュの運動方程式から

$$\frac{dp_j}{dt} = \frac{\partial L}{\partial q_j} \tag{1}$$

が得られる. L は $q_1, q_2, \cdots, q_f, \dot{q}_1, \dot{q}_2, \cdots, \dot{q}_f, t$ の関数であるが, 変数として $q_1, q_2, \cdots, q_f$, $p_1, p_2, \cdots, p_f, t$ をとる. このため, (8.17) から逆に v_j を $q_1, q_2, \cdots, q_f, p_1, p_2, \cdots, p_f, t$ の関数として解いたとし, $v_j = v_j(q,p,t)$ と書く. 記号の簡単化のため, $q_1, q_2, \cdots, q_f$ を一括して q とし, $p_1, p_2, \cdots, p_f$ を一括して p とした. 同様な記号を使うと次のように表される.

$$L = L(q,v,t) = L(q, v(q,p,t), t) \tag{2}$$

q, p に対する方程式を導くため, t は固定し変数 q_j, p_j に微小変化 $\delta q_j, \delta p_j$ を与えたとする. このとき, v_j は δv_j, L は δL の微小変化を受けるとすれば

$$\delta L = \sum_j \left(\frac{\partial L}{\partial q_j}\delta q_j + \frac{\partial L}{\partial v_j}\delta v_j \right) \tag{3}$$

となり, $\partial L/\partial q_j = \dot{p}_j$, $\partial L/\partial v_j = p_j$, $v_j = \dot{q}_j$ の関係を利用して

$$\delta L = \sum_j (\dot{p}_j \delta q_j + p_j \delta \dot{q}_j) \tag{4}$$

が得られる. 上式を変形すると $\delta L = \delta \left(\sum_j p_j \dot{q}_j \right) + \sum_j (\dot{p}_j \delta q_j - \dot{q}_j \delta p_j)$ となり, したがって次の関係が導かれる.

$$\delta \left(\sum_j p_j \dot{q}_j - L \right) = \sum_j (\dot{q}_j \delta p_j - \dot{p}_j \delta q_j) \tag{5}$$

(5) で

$$H(q,p,t) = \sum_j p_j \dot{q}_j - L \tag{6}$$

とおく. すなわち, 上式の右辺を $q_1, q_2, \cdots, q_f, p_1, p_2, \cdots, p_f, t$ の関数として表したものを $H(q,p,t)$ とする. その結果, (5) は

$$\delta H = \sum_j (\dot{q}_j \delta p_j - \dot{p}_j \delta q_j) \tag{7}$$

と書ける. 上式から (8.19) が導かれる (問題 11.1).

問 題

11.1 (7) で δH を求め, 両辺の $\delta p_j, \delta q_j$ の係数を比べてハミルトンの正準運動方程式を導出せよ.

例題 12 ハミルトニアンと力学的エネルギー

位置エネルギーが $\dot{q}_1, \dot{q}_2, \cdots, \dot{q}_f$ に依存せず，運動エネルギーが例題 10 の (7) のように表される場合，例題 11 の (6) で導入された H は体系の力学的エネルギーに等しいことを証明せよ．

解答 問題の前提により

$$p_j = \frac{\partial L}{\partial \dot{q}_j} = \frac{\partial K}{\partial \dot{q}_j} = \sum_k a_{jk} \dot{q}_k$$

が成り立つ．上式を使うと

$$\sum_j p_j \dot{q}_j = \sum_{jk} a_{jk} \dot{q}_j \dot{q}_k = 2K$$

となるから，これを例題 11 の (6) に代入し

$$H = 2K - L = 2K - (K - U) = K + U$$

と書ける．すなわち，この場合，H は体系の力学的エネルギーを正準変数 q, p で表したものである．

問 題

12.1 ハミルトニアンが時間をあらわに含まないとして，$H = H(q, p)$ と表す．この場合

$$\frac{dH}{dt} = 0$$

を証明し，力学的エネルギー保存則が成り立つことを示せ．

12.2 三次元空間を運動する質量 m の質点にポテンシャル $U(\boldsymbol{r})$ が働くとする．ハミルトンの正準運動方程式からニュートンの運動方程式を導け．

12.3 三次元の極座標 r, θ, φ を用いて，1 個の質点（質量 m）に対するラグランジアンおよびハミルトニアンを求めよ．ただし，質点には $U(r, \theta, \varphi)$ のポテンシャルが働くとする．

12.4 静止している座標系（静止系）に対し，原点が一定の速度 $\boldsymbol{v}$ で運動するような並進座標系（運動系）を導入する．質量 m の質点を考え，これには外力が働かないとする．また，$t = 0$ で静止系と運動系は一致するものとして，以下の問に答えよ．

(a) 運動系における一般運動量 $\boldsymbol{p}$ を求めよ．また，質点の運動エネルギー K を静止系と運動系で表せ．

(b) 運動系でみた質点のハミルトニアンを求めよ．

例題 13 **一般の運動方程式**

F が $q_1, q_2, \cdots, q_f, p_1, p_2, \cdots, p_f, t$ の任意の関数のとき

$$\frac{dF}{dt} = (F, H) + \frac{\partial F}{\partial t}$$

の関係が成り立つことを証明せよ．

解答 $F = F(q_1, q_2, \cdots, q_f, p_1, p_2, \cdots, p_f, t)$ を t の関数とみなし，これを t で微分しハミルトンの正準運動方程式を利用すると

$$\frac{dF}{dt} = \sum_j \left(\frac{\partial F}{\partial q_j}\frac{dq_j}{dt} + \frac{\partial F}{\partial p_j}\frac{dp_j}{dt} \right) + \frac{\partial F}{\partial t}$$

$$= \sum_j \left(\frac{\partial F}{\partial q_j}\frac{\partial H}{\partial p_j} - \frac{\partial F}{\partial p_j}\frac{\partial H}{\partial q_j} \right) + \frac{\partial F}{\partial t}$$

が得られる．上式にポアソン括弧の定義式 (8.20) を適用すると与式が導かれる．

問 題

13.1 ハミルトニアンがあらわに時間に依存しないと仮定し，例題 13 の結果を利用して力学的エネルギー保存則を導け．

13.2 c_1, c_2 が定数のとき，ポアソン括弧に対して

$$(u, c_1 v + c_2 w) = c_1(u, v) + c_2(u, w)$$

の関係が成り立つことを示せ．

13.3 ポアソン括弧に関する次の関係

$$(p_k, p_l) = 0, \quad (q_k, q_l) = 0, \quad (q_k, p_l) = \delta_{kl}$$

を導け．ただし，δ_{kl} は**クロネッカーの $\boldsymbol{\delta}$** で

$$\delta_{kl} = \begin{cases} 1 & (k = l \text{ の場合}) \\ 0 & (k \neq l \text{ の場合}) \end{cases}$$

を意味する．

13.4 次の関係式

$$\frac{d}{dt}(u, v) = \left(\frac{du}{dt},\ v \right) + \left(u,\ \frac{dv}{dt} \right)$$

を証明し，u, v が運動の定数であれば，(u, v) も運動の定数であることを示せ．

13.5 次の恒等式（**ヤコビの恒等式**）を証明せよ．

$$(u, (v, w)) + (v, (w, u)) + (w, (u, v)) = 0$$

例題 14 **一次元調和振動子の位相空間での軌道**

一直線（x 軸）上で単振動するような体系を**一次元調和振動子**という．原点 O から線形復元力 $-m\omega^2 x$ を受けるような一次元調和振動子に関して以下の問に答えよ（m は質点の質量を表す）．

(a)　体系のハミルトニアンを求めよ．

(b)　位相空間における代表点の軌道はどのように表されるか．

解答　(a)　体系の力学的エネルギーは $mv^2/2 + m\omega^2 x^2/2$ と書けるが，$p = mv$ を使いこの式を座標，運動量で表すと，ハミルトニアンは次式のようになる．

$$H = \frac{p^2}{2m} + \frac{m\omega^2 x^2}{2}$$

(b)　力学的エネルギーを E とすると，E は運動の定数で位相空間（xp 平面）における軌道は

$$\frac{p^2}{2mE} + \frac{x^2}{2E/m\omega^2} = 1$$

という形に書ける．この関係を xp 平面上で描くと図 8.10 のような楕円で表される．ハミルトンの正準運動方程式から $p = m\dot{x}$ が成り立つので，$p > 0$ だと $\dot{x} > 0$，$p < 0$ だと $\dot{x} < 0$ となる．よって，xp 面上の代表点は図の矢印のような運動を行う．

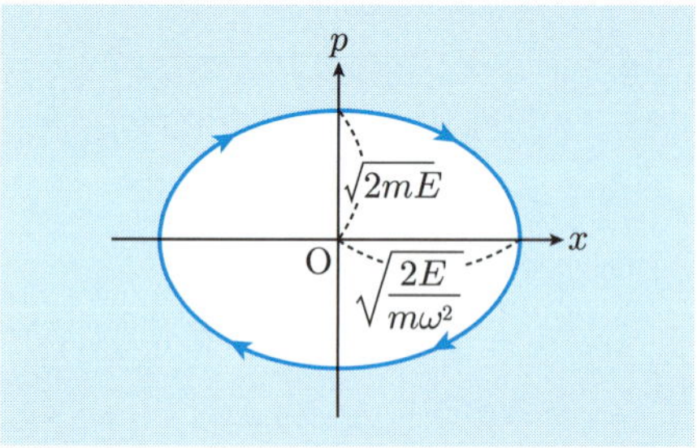

図 8.10　一次元調和振動子の位相空間

問　題

14.1　xp 面上の代表点の軌道が閉曲線のとき，この軌道を一周する次の積分

$$J = \oint p dx$$

を**作用変数**という．一次元調和振動子の作用変数を求めよ．

14.2　ポテンシャルが $U(x) = U_0 x^{2n}$ のときの作用変数はいくらか（U_0 は定数，$n = 1, 2, \cdots$）．また，$n = 1, \infty$ の場合の作用変数を求めよ．ただし，体系の振動数を ν とする．

例題 15　**固い壁の間を運動する質点**

質量 m の質点が $x = \pm a$ にある無限に高いポテンシャルの壁の間で運動している（図 8.11 の井戸型ポテンシャルで $U_0 \to \infty$ の場合を考える）．質点には壁からの力以外に力が働かないとして次の問に答えよ．

(a)　位相空間における代表点の軌道はどのように表されるか．

(b)　作用変数を計算せよ．

解答　(a)　質点の運動は $-a \leq x \leq a$ という領域で起こる．この領域内で質点に働くポテンシャルは 0 で，力学的エネルギー E は運動エネルギーだけとなり $E = p^2/2m$ と表される．このため，質点の運動量は $-a \leq x \leq a$ の領域で $\pm p_0, p_0 = \sqrt{2mE}$ と書ける．$p_0 > 0$ の場合，代表点は右向き，$p_0 < 0$ だと代表点は左向きに運動する．$x = a$ での衝突のため $p_0 \to -p_0$ と不連続的に変化し同様なことが $x = -a$ で起こる．こうして xp 平面上の軌道は図 8.12 で示したようになる．

(b)　作用変数 J は図 8.12 の長方形の面積に等しく $J = 4p_0 a$ となる．質点が $-a$ から a に達する時間は $2a/(p_0/m) = 2ma/p_0$ と書けるので，代表点が軌道を一周する時間，すなわち周期 T は $T = 4ma/p_0$ となる．あるいは振動数 ν はこの逆数で $\nu = 1/T = p_0/4ma$ と表される．これらの結果を用いると $E/\nu = ET = 2p_0 a$ が成り立つので J は次のように求まる．

$$J = \frac{2E}{\nu}$$

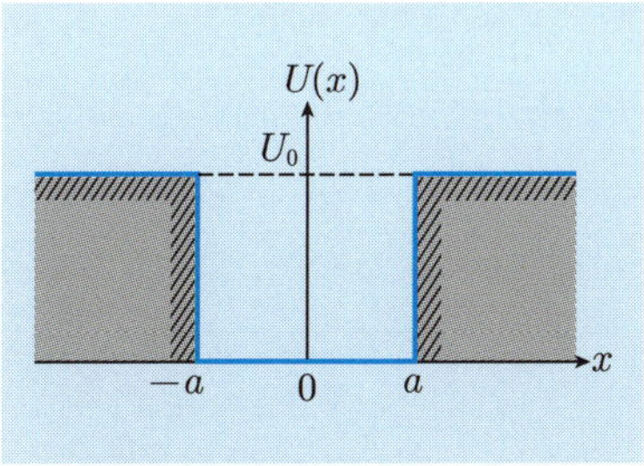

図 8.11　井戸型ポテンシャル

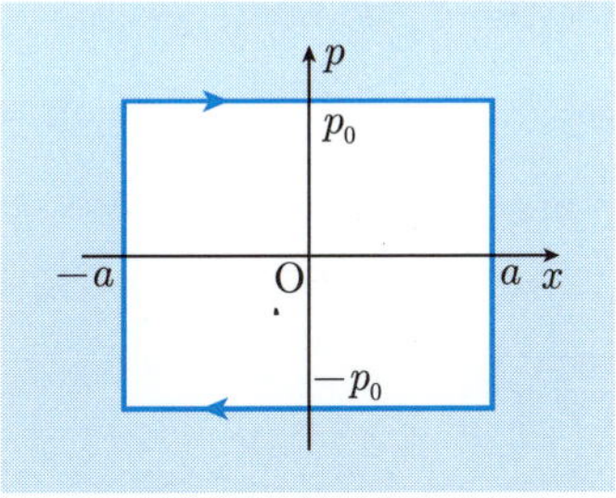

図 8.12　xp 平面上の軌道

問　題

15.1　上の例題 15(b) の結果は問題 14.2 で $n \to \infty$ の極限をとったものと一致することを確かめよ．また，その理由について考察せよ．

15.2　質点（質量 m）に図 8.11 で示した井戸型ポテンシャルが働くとき，位相空間における代表点はどのような軌道で表されるか．

例題 16　　**作用変数と断熱不変量**

ハミルトニアン H は q, p 以外にパラメーター a に依存するとし，$H = H(q, p, a)$ と書く．また，パラメーター a を固定したとき体系は周期運動を示すと仮定する．a は時間 t の関数としてゆっくり変化するとし，以下の問に答えよ．

(a)　代表点の軌道はどのように振る舞うかについて論じよ．

(b)　時刻 τ で a を固定したとし，その軌道に対する作用変数を $J(\tau)$ と表す．$J(\tau)$ は**断熱不変量**で $dJ(\tau)/d\tau \simeq 0$ が成り立つことを示せ．

解答　(a)　a が一定だと周期運動になるとしているので，代表点の軌道は qp 面上で 1 つの閉曲線となる．a がゆっくり変化すれば，代表点が一周するとき，それは元の位置に戻らないため閉曲線の形はくずれ，qp 面での軌道は，例えば図 8.13 に示したようになる．

(b)　a が t の関数のとき，図 8.13 の軌道に対し $H(q(t), p(t), a(t)) = E(t)$ の $E(t)$ は一般に t の関数となる．この場合でもハミルトンの正準運動方程式

$$\frac{dq}{dt} = \frac{\partial H}{\partial p}, \quad \frac{dp}{dt} = -\frac{\partial H}{\partial q} \tag{1}$$

が成立する．いま，$t = \tau$ における a を固定するとし，これを a_τ とおく．この場合の軌道は図 8.14 のような閉曲線となる．ここで

$$H(q, p, a_\tau) = E_\tau \tag{2}$$

とおけば，E_τ は a_τ に対応する力学的エネルギーで τ には依存するが，q, p には依存しない．(2) から p を解いたとし $p = p(q, E_\tau, a_\tau)$ とする．ここで H は

$$H = \frac{p^2}{2m} + U(q, a) \tag{3}$$

という形をもち，ポテンシャルがパラメーター a を含むとしよう．a を a_τ と固定すれば，(2), (3) から決まる図 8.14 の閉曲線は上下対称となる．したがって，図のような

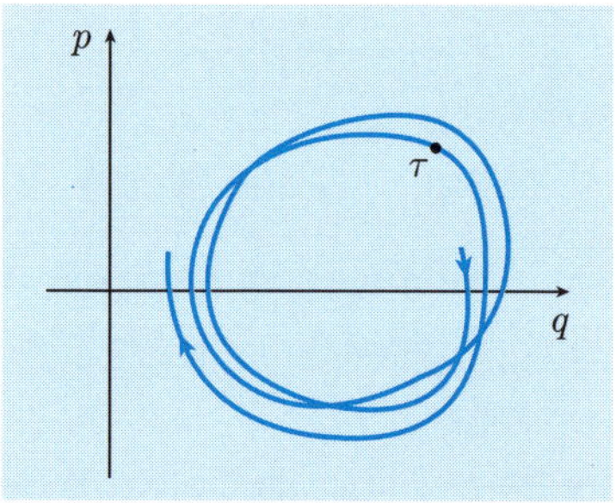

図 8.13　位相空間における軌道

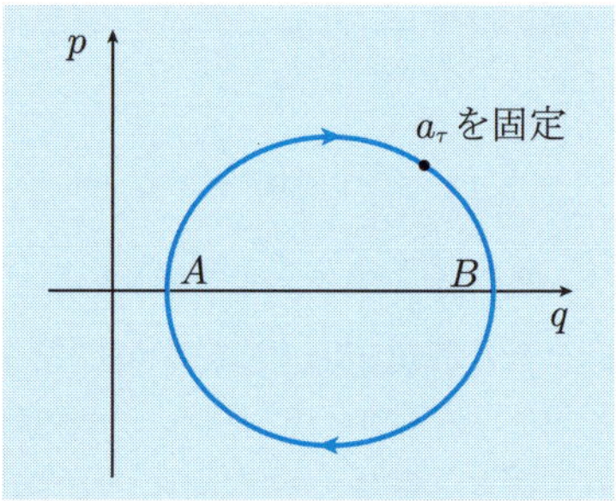

図 8.14　a_τ を固定したときの軌道

A, B を導入すると，作用変数は次式のように書ける．

$$J(\tau) = 2\int_A^B p(q, E_\tau, a_\tau)dq \tag{4}$$

A, B は τ の関数であるから，(4) を τ で微分すると次式が導かれる．

$$\begin{aligned}\frac{dJ(\tau)}{d\tau} &= 2\left[p(B, E_\tau, a_\tau)\frac{dB}{d\tau} - p(A, E_\tau, a_\tau)\frac{dA}{d\tau}\right] \\ &\quad + 2\int_A^B \left[\frac{\partial p}{\partial E_\tau}\frac{dE_\tau}{d\tau} + \frac{\partial p}{\partial a_\tau}\frac{da_\tau}{d\tau}\right] dq\end{aligned} \tag{5}$$

ここで，$p(B, E_\tau, a_\tau) = p(A, E_\tau, a_\tau) = 0$ が成り立つので (5) の右辺第 1 項は 0 となる．一方，(2) の全微分をとると

$$\frac{\partial H}{\partial q}dq + \frac{\partial H}{\partial p}dp + \frac{\partial H}{\partial a_\tau}da_\tau = dE_\tau \tag{6}$$

が成り立ち，(6) で q, a_τ を一定とし，(1) を利用すると

$$\frac{\partial H}{\partial p}dp = dE_\tau \qquad \therefore \quad \frac{\partial p}{\partial E_\tau} = \frac{1}{\partial H/\partial p} = \frac{1}{dq/dt} = \frac{dt}{dq} \tag{7}$$

が得られる．同様に，(6) で q, E_τ を一定とすれば

$$\frac{\partial H}{\partial p}dp + \frac{\partial H}{\partial a_\tau}da_\tau = 0 \qquad \therefore \quad \frac{\partial p}{\partial a_\tau} = -\frac{\partial H/\partial a_\tau}{\partial H/\partial p} = -\frac{\partial H}{\partial a_\tau}\frac{dt}{dq} \tag{8}$$

となる．(7), (8) を (5) に代入すると，T を周期として

$$\frac{dJ(\tau)}{d\tau} = 2\int_0^{T/2} \left(\frac{dE_\tau}{d\tau} - \frac{\partial H}{\partial a_\tau}\frac{da_\tau}{d\tau}\right) dt \tag{9}$$

が導かれる．実際の軌道では $H(q(t), p(t), a(t)) = E(t)$ を t で微分し

$$\frac{\partial H}{\partial q}\dot{q} + \frac{\partial H}{\partial p}\dot{p} + \frac{\partial H}{\partial a}\dot{a} = \frac{dE(t)}{dt} \qquad \therefore \quad \frac{dE(t)}{dt} - \frac{\partial H}{\partial a}\frac{da}{dt} = 0$$

が成り立つ．ここで $t \simeq \tau$ とすれば，(9) に注意し

$$\frac{dE_\tau}{d\tau} - \frac{\partial H}{\partial a_\tau}\frac{da_\tau}{d\tau} = 0 \qquad \therefore \quad \frac{dJ(\tau)}{d\tau} \simeq 0$$

の結果が導かれる．

問　題

16.1 ハミルトニアンが (3) で記述されるような場合には，厳密に $dJ(\tau)/d\tau = 0$ であることを証明せよ．

16.2 糸の長さがゆっくり変化する単振り子の単振動を扱い，振動のエネルギー E，角振動数 ω に対して $E/\omega \simeq$ 一定 であることを示せ．

問題解答

1章の解答

問題 1.1　$5\boldsymbol{A} = 5\,(2, 3, 4) = (10, 15, 20)$

問題 1.2　$r = \sqrt{3^2 + 4^2 + 5^2}\,\mathrm{m} = \sqrt{50}\,\mathrm{m} = 7.07\,\mathrm{m}$

問題 1.3　$x\,(t + \varDelta\,t) = x\,(t) + \varDelta\,x, \quad y\,(t + \varDelta\,t) = y\,(t) + \varDelta\,y, \quad z(t + \varDelta\,t) = z\,(t) + \varDelta\,z$

問題 2.1　速度 v，加速度 a は

$$v = \dot{x} = \alpha t + v_0, \quad a = \ddot{x} = \alpha$$

と表される．

問題 2.2　秒速は

$$\frac{250 \times 1000}{3600}\,\frac{\mathrm{m}}{\mathrm{s}} = 69.4\,\frac{\mathrm{m}}{\mathrm{s}}$$

と計算される．

問題 2.3　時速 30 km の自動車は 1 分間当たり 0.5 km = 500 m 進む．したがって，t 分では $500t$ m だけ進み，③が正解となる．

問題 2.4　(a)　質点の速度 $\boldsymbol{v}$，加速度 $\boldsymbol{a}$ の x，y 成分は

$$v_x = \dot{x} = 2\alpha\,t, \quad v_y = \dot{y} = \beta, \quad a_x = \ddot{x} = 2\,\alpha, \quad a_y = 0$$

と計算される．

(b)　x，y の式から t を消去すると

$$x = \frac{\alpha\,y^2}{\beta^2}$$

となり，質点の軌道は放物線であることがわかる．

問題 3.1　(a)　30° はラジアン単位で $\pi/6$ と書け，また ω は $\omega = 4\pi$ と表される．このため

$$x = 0.05\,\sin\,(4\pi t + \pi/6)\,\mathrm{m}$$

となる．

(b)　$x = 0.05\,\sin\,(4\pi t + \pi/6)\,\mathrm{m}$，　$\dot{x} = 0.2\,\pi\,\cos\,(4\pi t + \pi/6)\,\mathrm{m/s}$，　$\ddot{x} = -0.8\,\pi^2 \times \sin\,(4\pi t + \pi/6)\mathrm{m/s^2}$ に $t = 1$ を代入し $x = 0.025\,\mathrm{m}$，　$\dot{x} = 0.544\,\mathrm{m/s}$，　$\ddot{x} = -3.95\,\mathrm{m/s^2}$ と計算される．

問題 3.2　$\boldsymbol{v}$，$\boldsymbol{a}$ の各成分は

$$v_x = -A\omega\,\sin\,\omega t, \qquad v_y = A\omega\,\cos\,\omega t$$
$$a_x = -A\omega^2\,\cos\,\omega t, \quad a_y = -A\omega^2\,\sin\,\omega t$$

となる．また

$$v = \sqrt{{v_x}^2 + {v_y}^2} = A\omega$$

が得られる．

問題 3.3　右図のように，$t = 0$ で点 P に質点があり，時刻 t で質点は点 Q に到達するとしよう．x 軸と原点 O を図のように選び，点 Q の x 軸への正射影をとって，その座標を x とすれば

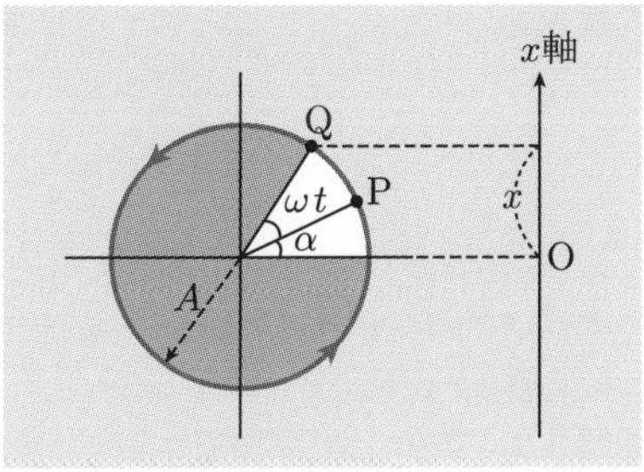

$$x = A\sin(\omega t + \alpha)$$

という単振動の式となる．

問題 3.4

$$\begin{aligned} x_1 &= A_1 \sin(\omega t + \alpha_1) \\ &= A_1 (\sin \omega t \cos \alpha_1 + \cos \omega t \sin \alpha_1) \\ x_2 &= A_2 \sin(\omega t + \alpha_2) \\ &= A_2 (\sin \omega t \cos \alpha_2 + \cos \omega t \sin \alpha_2) \end{aligned}$$

から

$$\begin{aligned} x &= x_1 + x_2 \\ &= (A_1 \cos \alpha_1 + A_2 \cos \alpha_2) \sin \omega t + (A_1 \sin \alpha_1 + A_2 \sin \alpha_2) \cos \omega t \end{aligned}$$

が得られる．これを

$$x = A\sin(\omega t + \alpha) = A\cos\alpha \sin\omega t + A\sin\alpha\cos\omega t$$

とおき，$\sin\omega t$，$\cos\omega t$ の係数を比べると

$$A\cos\alpha = A_1\cos\alpha_1 + A_2\cos\alpha_2, \quad A\sin\alpha = A_1\sin\alpha_1 + A_2\sin\alpha_2$$

となる．これから，A，$\tan\alpha$ は

$$\begin{aligned} A &= \sqrt{{A_1}^2 + {A_2}^2 + 2A_1A_2\cos(\alpha_1 - \alpha_2)} \\ \tan\alpha &= \frac{A_1\sin\alpha_1 + A_2\sin\alpha_2}{A_1\cos\alpha_1 + A_2\cos\alpha_2} \end{aligned}$$

と求まる．したがって，x は上の A と α を振幅，初期位相とする角振動数 ω の単振動である．

問題 3.5　1 s 当たり 20 回転するから $f = 20\,\mathrm{Hz}$ で，等速円運動の速さ v，加速度の大きさ a はそれぞれ $v = A\omega$，$a = A\omega^2$ と書けることに注意する．

(a)　$\omega = 2\pi f = 126/\mathrm{s}$　　(b)　$v = A\omega = 0.06 \times 126\,\mathrm{m/s} = 7.56\,\mathrm{m/s}$

(c)　$a = A\omega^2 = 0.06 \times 126^2\,\mathrm{m/s^2} = 953\,\mathrm{m/s^2}$

問題 4.1　基本ベクトルは $\boldsymbol{i} = (1, 0, 0)$，$\boldsymbol{j} = (0, 1, 0)$，$\boldsymbol{k} = (0, 0, 1)$ と書けることに注意すると $A_x\boldsymbol{i} + A_y\boldsymbol{j} + A_z\boldsymbol{k} = (A_x, 0, 0) + (0, A_y, 0) + (0, 0, A_z) = (A_x, A_y, A_z) = \boldsymbol{A}$ となる．

問題 4.2　$\boldsymbol{A}\cdot\boldsymbol{B} = t + t^3 + t^5$ となり，これから次式が導かれる．

$$\frac{d}{dt}\boldsymbol{A}\cdot\boldsymbol{B} = 1 + 3t^2 + 5t^4$$

問題 4.3　O′ の座標は (1/2, 1/2, 1/2) と書け，$\boldsymbol{A}^2 = 3/4$ と計算される．したがって，$|\boldsymbol{A}| = \sqrt{3}/2$ となる．また，$\boldsymbol{A}\cdot\boldsymbol{i} = |\boldsymbol{A}|\cos\theta = 1/2$ であるから，$\cos\theta = 1/\sqrt{3}$ と表され，これから θ は $\theta = 54.7°$ と求まる．

問題 5.1　(1.23a)，(1.23b) により

$$v_x = \dot{r}\cos\theta - r\sin\theta\cdot\dot{\theta}$$
$$v_y = \dot{r}\sin\theta + r\cos\theta\cdot\dot{\theta}$$

である．これから $v^2 = {v_x}^2 + {v_y}^2 = \dot{r}^2 + r^2\dot{\theta}^2$ が得られる．

半径 A の等速円運動の場合には，$\dot{r} = 0$，$r = A$，$\dot{\theta} = \omega$ とおき，$v^2 = A^2\omega^2$ となり，これは問題 3.2 の結果と一致する．

問題 5.2　質点の x，y 座標は $x = f(\theta)\cos\theta$，$y = f(\theta)\sin\theta$ で与えられる．これから

$$v_x = \dot{x} = f'(\theta)\cos\theta\cdot\dot{\theta} - f(\theta)\sin\theta\cdot\dot{\theta}$$
$$v_y = \dot{y} = f'(\theta)\sin\theta\cdot\dot{\theta} + f(\theta)\cos\theta\cdot\dot{\theta}$$

と表され，$v^2 = [f'(\theta)]^2\dot{\theta}^2 + f^2(\theta)\dot{\theta}^2$ と書ける．したがって，次の結果が導かれる．

$$v = \dot{\theta}\sqrt{[f'(\theta)]^2 + f^2(\theta)}$$

問題 5.3　(a)　下図のように Q から OP に垂線をおろし，その足を R とする．$\mathrm{QR} = a\sin\theta$ であるから $\mathrm{RP} = \sqrt{l^2 - a^2\sin^2\theta}$ となる．したがって，x は

$$x = \mathrm{OR} + \mathrm{RP} = a\cos\theta + \sqrt{l^2 - a^2\sin^2\theta}$$

と表される．

(b)　上の x を t で微分し，$\sin 2\theta = 2\sin\theta\cos\theta$ の関係を利用すると，一般に

$$x = -a\sin\theta\cdot\dot{\theta} - \frac{a^2\sin\theta\cos\theta}{\sqrt{l^2 - a^2\sin^2\theta}}\dot{\theta} = -a\sin\theta\cdot\dot{\theta} - \frac{a^2\sin 2\theta}{2\sqrt{l^2 - a^2\sin^2\theta}}\dot{\theta}$$

が得られる．よって，$\theta = \omega t$，$\theta = \dot{\omega}$ とおき

$$\dot{x} = -a\omega\left(\sin\omega t + \frac{a\sin 2\omega t}{2\sqrt{l^2 - a^2\sin^2\omega t}}\right)$$

となる．

(c)　$l \gg a$ の場合には

$$\dot{x} = -a\omega\left(\sin\omega t + \frac{a\sin 2\omega t}{2l}\right)$$

と近似できる．これから

$$\ddot{x} = -a\omega^2\left(\cos\omega t + \frac{a\cos 2\omega t}{l}\right)$$

が得られる．

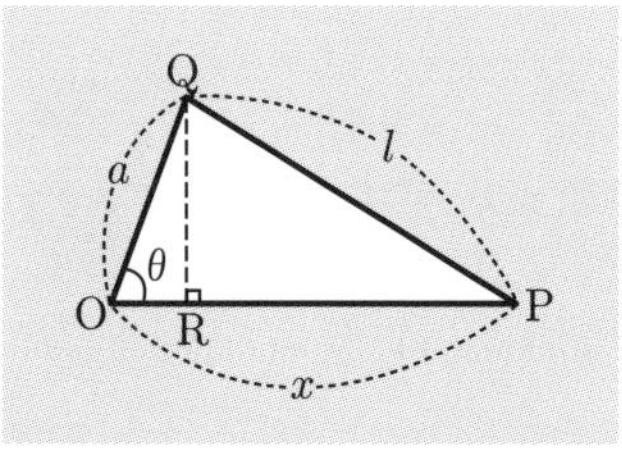

2 章の解答

問題 1.1　$F = ma = 0.3 \times 2\,\mathrm{N} = 0.6\,\mathrm{N}$

問題 1.2　$a = (5/2)\,\mathrm{m/s^2} = 2.5\,\mathrm{m/s^2}$

問題 1.3　加速度 a は $a = (6/3)\,\mathrm{m/s^2} = 2\,\mathrm{m/s^2}$ と計算される．したがって，力 F は $F = 60 \times 2\,\mathrm{N} = 120\,\mathrm{N}$ となる．

問題 1.4　(a)　トラックの進行方向を正の向きにとる．72 km/h は 20 m/s に等しい．4 s 間でこの速さが 0 となり，加速度は一定と仮定しているから，トラックの加速度は $-5\,\mathrm{m/s^2}$ となる．$-$ の符号がつくのはトラックが減速の状態にあるためである．

(b)　$10\,\mathrm{t} = 10^4\,\mathrm{kg}$ が成り立つので，トラックに働く力は $-5 \times 10^4\,\mathrm{N}$ である．$-$ の符号は力の向きがトラックの進行の向きと逆なためである．

問題 1.5　$1\,\mathrm{kg} = 10^3\,\mathrm{g}$，$1\,\mathrm{m/s^2} = 10^2\,\mathrm{cm/s^2}$ であるから $1\,\mathrm{N} = 10^5$ ダインとなる．したがって，③が正解である．

問題 1.6　物体の間に働く力はその起源を考えると，万有引力から導かれるものである．図 2.1 で示した質点間に働く万有引力は座標系にはよらず，このため運動の第三法則は慣性系でなくても成り立つと考えられる．

問題 2.1　(2) から $t = (v - v_0)/g$ となり，これを (3) に代入すると

$$x = \frac{1}{2}\,g\,\frac{(v - v_0)^2}{g^2} + v_0\,\frac{v - v_0}{g} = \frac{v^2 - {v_0}^2}{2g}$$

と表され，与式が導かれる．この結果は第 3 章で述べるようにエネルギー保存則と関係している．

問題 2.2　(a)　鉛直上向きに x 軸をとると，質点の運動方程式は $\ddot{x} = -g$ と書ける．$t = 0$ での初期条件 $\dot{x} = v_0$ を用いると $v = \dot{x} = v_0 - gt$ が得られる．これを t で積分し，$t = 0$ で $x = 0$ を使うと，高さ s は

$$s = v_0 t - \frac{1}{2}\,gt^2$$

と表される．

(b)　最高点の前後で v は正から負に変わり最高点では $v = 0$ となる．これから $t = v_0/g$ となる．結果を上式に代入すると，最高点の高さは

$$s = \frac{{v_0}^2}{g} - \frac{1}{2}\,g\,\frac{{v_0}^2}{g} = \frac{{v_0}^2}{2g}$$

と計算される．

問題 2.3　150 km/h を m/s に換算すると

$$\frac{150 \times 1000}{3600}\,\frac{\mathrm{m}}{\mathrm{s}} = 41.7\,\frac{\mathrm{m}}{\mathrm{s}}$$

となる．したがって，最高点の高さは

$$s = \frac{41.7^2}{2 \times 9.81}\,\mathrm{m} = 88.6\,\mathrm{m}$$

と計算される.

問題 2.4 (a) 落下する物体の高さ s は

$$s = h - \frac{1}{2}gt^2$$

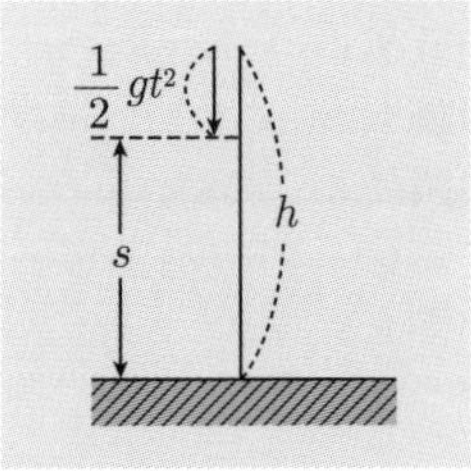

と書ける（右図）. この s を h' とおき, t は

$$t = \sqrt{\frac{2(h-h')}{g}}$$

と求まる.

(b) 下から投げ上げた質点の高さ s は

$$s = v_0 t - \frac{1}{2}gt^2$$

と表され, 質点が衝突したときには, 上の両者の s を等しいとおき $h = v_0 t$ となる. これから v_0 は次のように書ける.

$$v_0 = \frac{h}{t} = h\sqrt{\frac{g}{2(h-h')}}$$

問題 3.1 水平面では $y = 0$ であるから, (1) で $y = 0$ とおくと, 1 つの根として $x = 0$ が得られるが, これは原点を表す. 他の根が到達距離 d で, d は次のように計算される.

$$d = \frac{2{v_0}^2\cos^2\theta}{g}\tan\theta = \frac{2{v_0}^2\cos\theta\sin\theta}{g} = \frac{{v_0}^2\sin 2\theta}{g}$$

この d は図 2.3 の OA 間の距離に等しい. OA の中点を B, 放物線の頂点を C とすれば, h は BC 間の距離で, よって (1) に

$$x = {v_0}^2\cos\theta\sin\theta/g$$

を代入し, h は次のように求まる.

$$h = \frac{{v_0}^2\cos\theta\sin\theta}{g}\tan\theta - \frac{g}{2{v_0}^2\cos^2\theta}\frac{{v_0}^4\cos^2\theta\sin^2\theta}{g^2} = \frac{{v_0}^2\sin^2\theta}{2g}$$

問題 3.2 $\sin 2\theta$ は $2\theta = \pi/2$ のとき最大値 1 をとる. したがって, 最大の到達距離 d_{m} は

$$d_{\mathrm{m}} = \frac{{v_0}^2}{g}$$

と表される.

問題 3.3 上式から $v_0 = \sqrt{gd_{\mathrm{m}}}$ と書ける. これに数値を代入すると v_0 は

$$v_0 = \sqrt{9.81\times 100}\,\mathrm{m/s} = 31.3\,\mathrm{m/s} = 113\,\mathrm{km/h}$$

と計算される.

問題 4.1 次元を表すのに [ ] という記号を使い, 質量, 長さ, 時間の次元を M, L, T で表せば, [力] $= MLT^{-2}$ となる. γ の定義式から [力] $= MLT^{-1}[\gamma] = MLT^{-2}$ が得られ, $[\gamma] = T^{-1}$ であることがわかる.

問題 4.2 時速 200 km は 56 m/s である．緩和時間は v_{t}/g と書けるので，スカイダイビング，落下傘の緩和時間はそれぞれ 6 s，0.6 s と計算される．

問題 5.1 摩擦角 α は次のように計算される．

$$\alpha = \tan^{-1} 0.15 = 8.53°$$

問題 5.2 動摩擦力を F' とし，図 2.6 と同じ座標系を用いると，運動方程式は

$$m\ddot{x} = mg \sin\theta - F', \quad m\ddot{y} = N - mg \cos\theta$$

と表される．質点は斜面上に束縛されているから，当然 $\ddot{y} = 0$ で上の右式から $N = mg \cos\theta$ が得られる．よって，(2.10) により $F' = mg\mu' \cos\theta$ となり，これを上の左式に代入すると

$$\ddot{x} = g(\sin\theta - \mu' \cos\theta)$$

が導かれる．上式の右辺は定数であり，したがって質点は等加速度運動を行う．

問題 5.3 (a) 加える力を K，摩擦力を F とし，斜面と平行方向の力のつり合いを考えると，下図の (a) からわかるように $F = mg \sin\theta + K$ が成り立つ．一方，$N = mg \cos\theta$ であるから，質点がすべらないためには $F \leq \mu mg \cos\theta$ の条件が必要である．これから

$$K \leq mg(\mu \cos\theta - \sin\theta)$$

となり，質点を動かすには最低 $mg(\mu \cos\theta - \sin\theta)$ の力が必要となる．

(b) 下図の (b) からわかるように，$F + mg \sin\theta = K \quad \therefore\ F = -mg \sin\theta + K$ となり，形式上 (a) で $\theta \to -\theta$ と変換したことになる．したがって，上と同じ議論により質点を動かすには最低 $mg(\mu \cos\theta + \sin\theta)$ の力が必要である．

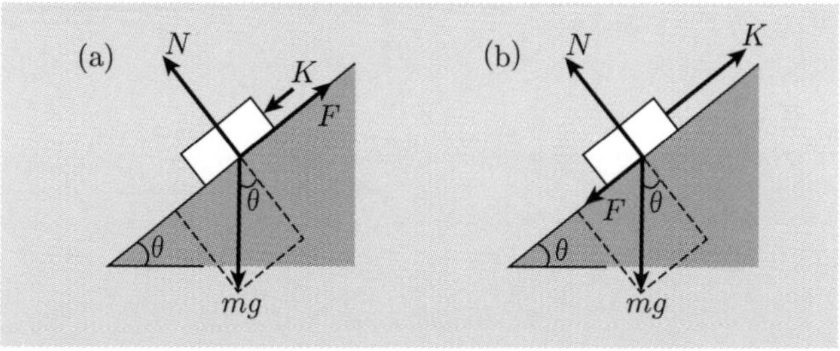

問題 5.4 問題 5.2 で $\mu' = 0$ とおけば，なめらかな斜面上で質点は $g \sin\theta$ の加速度をもって等加速度運動を行うことがわかる．質点が静かにすべり出したとすれば $v_0 = 0$ である．よって，問題 2.1 で $g \to g \sin\theta$ と置き換え，斜面上で質点が x だけすべったとすれば

$$v^2 = 2gx \sin\theta$$

である．$x \sin\theta$ はジャンプ台の高さ h に等しいから（右図），そこをとび出すときの速さ $v = \sqrt{2gh}$ で与

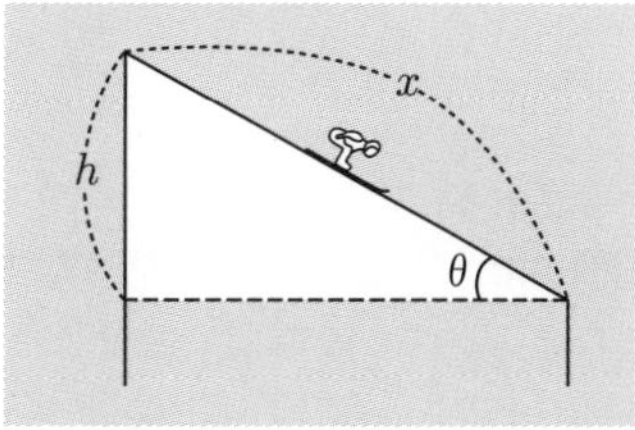

えられる．$h = 30\,\mathrm{m}$ の場合，v は $v = \sqrt{2 \times 9.81 \times 30}\ \mathrm{m/s} = 24.3\,\mathrm{m/s} = 87.5\,\mathrm{km/h}$ と計算される．

問題 6.1　時間が 0 から T まで経過したとき，質点の進む距離 x は

$$x = \int_0^T \dot{x}\,dt$$

と表される．これは $\dot{x}$ が描く曲線と t 軸と $t = 0$，$t = T$ という直線に囲まれた面積に等しい．したがって，図 2.8 からわかるように時刻 T で台の高さは $VT/2$ となる．質点がとび上がった後では重力のため，等加速度運動を行い，$t' = 0$ での初速度はそのときの台の速度 V に等しい．こうして $t' \geq 0$ での質点の座標 x は

$$x = -\frac{1}{2}\,gt'^2 + V\,t' + \frac{VT}{2}$$

で与えられる．$t' = T$ では $t = 2T$ となり，このときの台の高さは VT である．$t \geq 2T$ で台の高さは一定値 VT をとる．

上の x に対する式で $t' = T$ における値を x_T と書く．例題 6 の条件 (2) は $-g > -V/T$ と表される．したがって

$$x_T = -\frac{1}{2}\,gT^2 + VT + \frac{VT}{2} > -\frac{1}{2}\,\frac{V}{T}\,T^2 + VT + \frac{VT}{2} = VT$$

となり題意が示される．

問題 6.2　台の x 座標の時間依存性は右図の実線のように表される．一方，質点が台からとび上がった後の x 座標は図の点線で記述したように振る舞う．x_T は問題 6.1 で示したように VT より大きいから，質点が台に落ちてくる時間は $2T$ より大きい．これに相当する t' は問題 6.1 で導いた x を VT に等しくすればよい．すなわち，t' は

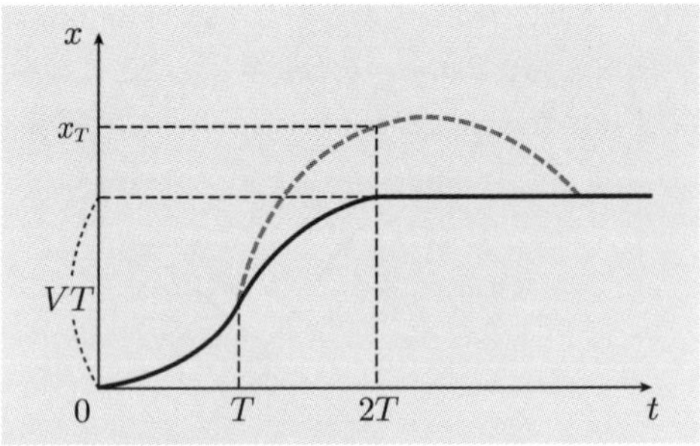

$$-\frac{1}{2}gt'^2 + Vt' + \frac{VT}{2} = VT$$

から決まる．上式は t' に対する二次方程式 $gt'^2 - 2Vt' + VT = 0$ と変形される．図から明らかなように 2 つの根のうち，大きい方が物理的に意味がある．こうして t' は

$$t' = \frac{V + \sqrt{V^2 - VgT}}{g}$$

と表される．

問題 6.3　図 2.8 と同じように，右手の $\dot{x}$ を時間の関数として図示すると次図の (a) のようになる．$\ddot{x}$ は $\dot{x}$ を時間で微分したものであり，時間 t_1 のところで急に手を止めるとすれば，$\ddot{x}$ は (b) のように下向きの鋭いピークをもつ．t_1 における変化が急であればあるほど，このピークは下に伸び t_1 で $\ddot{x} < -g$ の条件を満たし，そこで物体はとび上がる．この事情は v_0

がどんなに小さくても成り立つ．すなわち，どんなにゆっくりもち上げても，急激に手を止めれば，止めた瞬間に必ず物体はとび上がる．

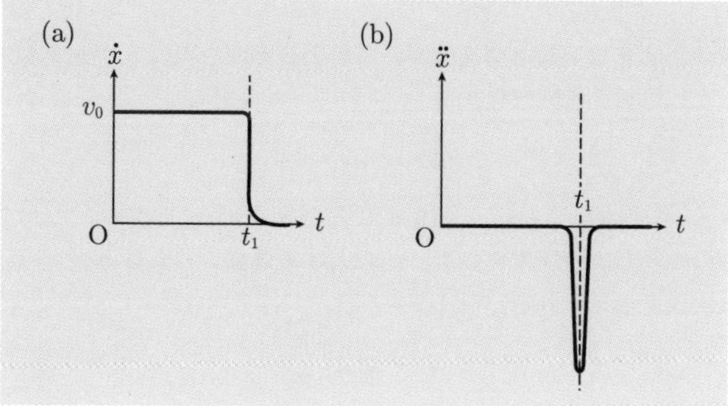

問題 7.1　例題 7 の (2a)，(2b) の左式から

$$v^2 = \dot{x}^2 + \dot{y}^2 = l^2\dot{\varphi}^2$$

となる．これから $v = \pm l\dot{\varphi}$ と書ける．$\dot{\varphi} > 0$ では $v = l\dot{\varphi}$ であるが，厳密にいうと $\dot{\varphi} < 0$ の場合には $v = -l\dot{\varphi}$ とせねばならない．なぜなら v は速さで正の量であるからである．

問題 7.2　(1) の左式に $\cos\varphi$，右式に $\sin\varphi$ を掛け，加えれば与式が求まる．

問題 7.3　(2a)，(2b) の右式から

$$-(\ddot{x}\cos\varphi + \ddot{y}\sin\varphi) = l\dot{\varphi}^2 = v^2/l$$

が得られ，これを問題 7.2 の結果に代入すれば与式が導かれる．

問題 8.1　単振り子の場合，曲率半径は糸の長さ l である．図 2.9 からわかるように，おもりに働く法線方向の成分は $T - mg\cos\theta$ と書ける．これは $m \times$（法線加速度）に等しいから

$$T - mg\cos\theta = m\frac{v^2}{l}$$

が成り立つ．これを整理すると問題 7.3 の結果が得られる．

問題 8.2　ニュートンの運動方程式 $m\boldsymbol{a} = \boldsymbol{F}$ の接線方向，法線方向の成分をとると

$$ma_{\rm t} = F_{\rm t}, \quad ma_{\rm n} = F_{\rm n}$$

と書ける．(2.11) により

$$a_{\rm t} = \dot{v}, \quad a_{\rm n} = \frac{v^2}{\rho}$$

が成り立つので，接線方向，法線方向の運動方程式は次のように表される．

$$m\dot{v} = F_{\rm t}, \quad m\frac{v^2}{\rho} = F_{\rm n}$$

問題 8.3　前問により $F_{\rm t} = 0$，$F_{\rm n} = mv^2/a$ となり，$F_{\rm n}$ が向心力を表す．

問題 9.1　$z = i\theta$ とおくと，$i^2 = -1, i^3 = -i, i^4 = 1, \cdots$ の関係を使って

$$
\begin{aligned}
e^{i\theta} &= 1 - \frac{\theta^2}{2!} + \frac{\theta^4}{4!} - \cdots + i\left(\theta - \frac{\theta^3}{3!} + \frac{\theta^5}{5!} - \cdots\right) \\
&= \cos\theta + i\sin\theta
\end{aligned}
$$

が得られる．ふつうは θ は実数と考えるが，この公式そのものは θ が複素数でも成立する．

問題 9.2　おもりに対する運動方程式は

$$m\ddot{x} = mg - kx$$

と書ける．$x = x_0 + x'$ とおき $mg - kx_0 = 0$ となるよう x_0 を決める．x_0 は振動が起きないときのおもりのつり合いの位置を表す．x' に対する運動方程式は $mx' = -kx'$ となり，単振動の振動数は次式で与えられる．

$$f = \frac{1}{2\pi}\sqrt{\frac{k}{m}}$$

問題 9.3　このばねのばね定数は $k = (0.02 \times 9.81/0.01)\,\mathrm{N/m} = 19.62\,\mathrm{N/m}$ となる．したがって，単振動の周期 T は次のように計算される．

$$T = 2\pi\sqrt{\frac{m}{k}} = 2\pi\sqrt{\frac{0.02}{19.62}}\,\mathrm{s} = 0.201\,\mathrm{s}$$

問題 9.4　単振り子に対する運動方程式，例題 7 の (4) で φ が十分小さければ $\sin\varphi \simeq \varphi$ という近似式が適用でき

$$\ddot{\varphi} = -\frac{g}{l}\varphi$$

が導かれる．これは φ が単振動することを意味し，その角振動数 ω は $\omega = \sqrt{g/l}$ と書ける．したがって，周期 T は次式のように表される．

$$T = 2\pi\sqrt{\frac{l}{g}}$$

$\sin\varphi$ のテイラー展開は $\sin\varphi - \varphi^3/3! + \cdots$ で与えられる．$\varphi = 15°$ をラジアン単位で表すと $\varphi = 15\,\pi/180 = 0.262$ となり $\varphi^3/3! = 3 \times 10^{-3}$ である．したがって，後者は前者の 1％程度で近似は十分よいことがわかる．

問題 9.5　$T = 1\,\mathrm{s}$ とすれば $l = g/(2\,\pi)^2\,\mathrm{m} = 0.25\,\mathrm{m}$ と計算される．

問題 10.1　(2) は (1) を満たすから，特殊解としての資格をもつ．(2) の解のうちで $\omega_0 \to \omega$ の極限で有限となるよう $a = 0, b = -F_0/(\omega^2 - {\omega_0}^2)$ と選んだものが (3) の特殊解である．

問題 10.2　$\omega_0 = \omega\,(1 + x)$ とおくと

$$
\begin{aligned}
\omega^2 - {\omega_0}^2 &= -\omega^2\,(2x + x^2) \\
\cos\omega_0 t &= \cos(\omega t + \omega x t) = \cos\omega t\,\cos\omega x t - \sin\omega t\,\sin\omega x t \\
&= \cos\omega t - \omega x t\,\sin\omega t + O(x^2)
\end{aligned}
$$

となる．ここで $O(x^2)$ は x^2 程度の微小量を表す．$x \to 0$ の極限で次式が成り立つ．

$$\frac{F_0}{\omega^2 - {\omega_0}^2}(\cos\omega_0 t - \cos\omega t) = \frac{F_0\omega x t\,\sin\omega t}{2\,\omega^2\,x} = \frac{F_0 t\,\sin\omega t}{2\,\omega}$$

問題 11.1　(2.20) の複素数の解を z とすれば，これは $\ddot{z}+2\gamma\dot{z}+\omega^2 z=0$ を満たす．z を実数部分 x_1 と虚数部分 x_2 とに分け，$z=x_1+i\,x_2$ とおいて，上の方程式に代入すると

$$\ddot{x}_1+2\gamma\dot{x}_1+\omega^2 x_1+i\,(\ddot{x}_2+2\gamma\dot{x}_2+\omega^2 x_2)=0$$

となる．ところで，ある複素数が 0 であるということは，その実数部分および虚数部分が 0 であることを意味し，したがって，x_1 も x_2 も (2.20) の解であることがわかる．ただし，この結果が成り立つのは γ，ω が実数であるからで，そうでないときには成立しない．

問題 11.2　(2.20) はいまの場合

$$\ddot{x}+2\gamma\dot{x}+\gamma^2 x=0$$

と書けるが，これは二階の微分方程式であるから，独立な解が 2 個存在する．$e^{-\gamma t}$ と独立な解を探すため，$x=f\,(t)\,e^{-\gamma t}$ とおく．これを上の方程式に代入すると

$$\dot{x}=\dot{f}e^{-\gamma t}-\gamma fe^{-\gamma t},\quad \ddot{x}=\ddot{f}e^{-\gamma t}-2\gamma\dot{f}e^{-\gamma t}+\gamma^2 fe^{-\gamma t}$$

を用いて，$\ddot{f}=0$ の結果が得られる．したがって，a，b を任意定数として $f=a+bt$ となり，一般解は $x=(a+bt)\,e^{-\gamma t}$ であることがわかる．

問題 12.1　(3)，(4) の実数部分，虚数部分がそれぞれ等しいという関係から

$$A\cos\alpha=\frac{(\omega^2-{\omega_0}^2)\,F_0}{(\omega^2-{\omega_0}^2)^2+4\,\gamma^2\,{\omega_0}^2},\quad A\sin\alpha=\frac{2\,\gamma\,\omega_0\,F_0}{(\omega^2-{\omega_0}^2)^2+4\,\gamma^2\,{\omega_0}^2}$$

となり，これから (5), (6) が導かれる．

問題 13.1　$p=60\times 6\,\mathrm{kg\cdot m/s}=360\,\mathrm{kg\cdot m/s}$

問題 13.2　$\dot{x}=v_x$ の関係を t に関し t_1 から t_2 まで積分すると

$$x_2-x_1=\int_{t_1}^{t_2} v_x\,dt$$

が得られる．ここで，x_1，x_2 は t_1，t_2 における x の値である．右辺の積分は図 2.16 で t 軸，2 つの点線，p_x を表す曲線に囲まれた面積を質点の質量 m で割ったものである．この面積は $\Delta t\to 0$ の極限で 0 に等しく，$x_1=x_2$ となって質点の座標は連続的な変化をする．

問題 13.3　球の進行方向を正とすれば，$mv_2-mv_1=F\,\Delta t$ の式に $v_2=0$，$v_1=20\,\mathrm{m/s}$，$m=0.2\,\mathrm{kg}$ を代入し，$F\,\Delta t=-0.2\times 20\,\mathrm{kg\cdot m/s}=-4\,\mathrm{N\cdot s}$ となる．すなわち，球に加えられる力積は負の方向を向き，その大きさは $4\,\mathrm{N\cdot s}$ である．

問題 13.4　右図のように撃力を加える前の質点の運動量を $\boldsymbol{p}_1$ として，x 軸を $\boldsymbol{p}_1$ の方向にとる．ここで $|\boldsymbol{p}_1|=mv$ である．題意により撃力を加えた後の質点の運動量 $\boldsymbol{p}_2$ は図のように x，y 軸を選べば

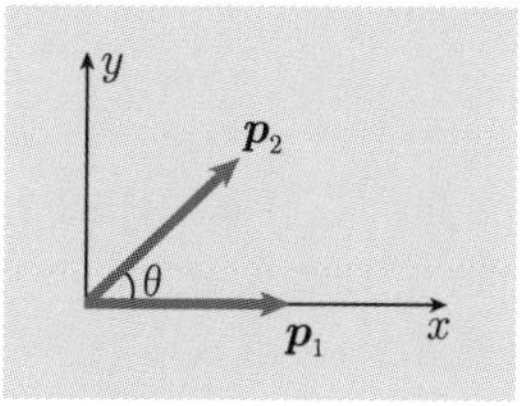

$$\boldsymbol{p}_2=(mv\cos\theta,\ mv\sin\theta)$$

と書ける．撃力の力積 $\boldsymbol{I}$ は $\boldsymbol{I}=\boldsymbol{p}_2-\boldsymbol{p}_1$ であるから $\boldsymbol{I}$ の x，y 成分は次のように求まる．

$$I_x=mv\,(\cos\theta-1),\quad I_y=mv\sin\theta$$

3章の解答

問題 1.1 (a) $dW = mgds \cos \varphi = mgds \sin \theta$

(b) 上記の dW を積分し次のようになる．

$$W = mg \sin \theta \int_0^s ds = mgs \sin \theta = mgh$$

問題 1.2 質点がなめらかな束縛を受けているとき，その束縛力は曲線あるいは曲面に対して垂直な方向に働く．したがって，なめらかな曲線に沿って質点が動くとき，束縛力と変位ベクトルとは垂直で，図 3.1 で $\theta = \pi/2$ $\therefore$ $\cos \theta = 0$ となり束縛力のする仕事は 0 である．

問題 1.3 摩擦力は物体の進行方向と逆向きに働き，図 3.1 で $\theta = \pi$，よって $\cos \theta = -1$ となる．このため，摩擦力のする仕事は常に負である．

問題 2.1 $P = 200 \times 750\,\mathrm{W} = 1.5 \times 10^5\,\mathrm{W}$ でまた $v = \dfrac{30 \times 1000}{3600}\,\mathrm{m/s} = 8.33\,\mathrm{m/s}$ となる．したがって $F = P/v$ に代入し F は次のように求まる．

$$F = \frac{1.5 \times 10^5}{8.33}\,\mathrm{N} = 1.80 \times 10^4\,\mathrm{N}$$

問題 2.2 人の質量を M，動摩擦係数を μ' とすれば，人への抵抗力 R は $R = \mu' Mg$ と書ける．例題 2 と同様，人の運動方程式は

$$M\frac{dv}{dt} = \frac{P}{v} - \mu' Mg$$

と表されるので，人が等速運動をするときには $dv/dt = 0$ で $P = \mu' Mgv$ が成り立つ．これに MKS 単位系での値 $\mu' = 0.5$，$M = 60$，$g = 9.81$，$v = 3$ を代入し $P = 883\,\mathrm{W}$ が得られる．200 kcal を J に換算すると $200 \times 10^3 \times 4.19\,\mathrm{J} = 838 \times 10^3\,\mathrm{J}$ となる．人は 1 s 当たり 883 J の仕事をするので所要時間 t は

$$t = \frac{838 \times 10^3}{883}\,\mathrm{s} = 949\,\mathrm{s}$$

と計算され，これはほぼ 16 分である．

問題 3.1 $\mu' = 0.5$，$\theta = 20^\circ$ の数値から

$$\frac{P}{P_0} = \frac{0.5 \times \cos 20^\circ + \sin 20^\circ}{0.5} = 1.62$$

と計算され，仕事率はほぼ 1.6 倍となる．したがって，カロリー消費の所要時間は 16 分を 1.6 で割り，ほぼ 10 分に等しい．

問題 3.2 例題 3 の (b) の結果で $\theta = \pi/2$ とすれば $P = Mgv$ となる．よって $P = 50 \times 9.81 \times 0.4\,\mathrm{W} = 196\,\mathrm{W}$ が得られる．また，これを馬力で表すと 196/750 馬力 $= 0.26$ 馬力となる．

問題 4.1 重力の各成分は

$$F_x = 0, \quad F_y = 0, \quad F_z = -mg$$

と書け，U は z だけの関数であることがわかる．$U(z)$ に対する方程式は

$$\frac{dU}{dz} = mg$$

となり，これを積分して $U = mgz +$ 定数 が得られる．

問題 4.2 多変数のテイラー展開を利用すれば

$$\begin{aligned}&U(x+dx,\, y+dy,\, z+dz)\\&= U(x,\, y,\, z) + \frac{\partial U}{\partial x}dx + \frac{\partial U}{\partial y}dy + \frac{\partial U}{\partial z}dz + O[(dx)^2,\, dxdy,\, \cdots]\end{aligned}$$

となる．ここで，$O[(dx)^2,\, dxdy,\, \cdots]$ は $(dx)^2,\, dxdy,\, \cdots$ などの高次の項を表す．この項を無視すれば $dU = \nabla U\cdot d\boldsymbol{r}$ が成立する．

問題 5.1 運動エネルギー K は次のように計算される．

$$K = \frac{1}{2}\times 60\times 4^2\,\mathrm{J} = 480\,\mathrm{J}$$

問題 5.2 初速度 v_0 で落下した質点が v の速度になるまでに重力のした仕事は mgx である．したがって，(3.13) により

$$\frac{1}{2}mv^2 - \frac{1}{2}m{v_0}^2 = mgx$$

が成り立つ．これから与式が得られる．

問題 5.3 (a) 弾丸の進行方向を正に向きにとる．材木からの抵抗力を $-F$ と書けば，速さ v の弾丸が材木に当たり距離 s だけ運動し静止したとすれば

$$0 - \frac{1}{2}mv^2 = -Fs \qquad \therefore \quad F = \frac{mv^2}{2s}$$

が得られる．数値を代入し $F = 0.15\times 120^2/(2\times 0.03)\,\mathrm{N} = 36000\,\mathrm{N}$ となる．

(b) v は s の平方根に比例する．したがって，求める速さは

$$120\times\sqrt{\frac{5}{3}}\,\mathrm{m/s} = 155\,\mathrm{m/s}$$

と計算される．

問題 6.1 質点がなめらかな束縛を受けていると，束縛力は仕事をしないので質点の変位 $d\boldsymbol{r}$ に対して $\boldsymbol{R}\cdot d\boldsymbol{r} = 0$ が成り立つ．このため $\boldsymbol{R}\cdot\dot{\boldsymbol{r}} = 0$ となる．

問題 6.2 質点に対する運動方程式は

$$m\ddot{\boldsymbol{r}} = -\nabla U + \boldsymbol{R}$$

と表される．$\boldsymbol{R}\cdot\dot{\boldsymbol{r}} = 0$ が成立するので，上式と $\dot{\boldsymbol{r}} = 0$ とのスカラー積を作ると，$m\dot{\boldsymbol{r}}\cdot\ddot{\boldsymbol{r}} = -\dot{\boldsymbol{r}}\cdot\nabla U$ が得られる．この式は例題 6 の (b) の結果と同じであるから $dE/dt = 0$ となる．すなわち，質点がなめらかな束縛を受けていても，力学的エネルギー保存則が成り立つ．

問題 7.1 力 F は $F = -dU/dx = -m\omega^2 x$ と書け，題意の通りとなる．例題 7 の結果で $E = m\omega^2 A^2/2,\ \omega C = \beta$ とおけば

3

$$\pm\int\frac{dx}{\sqrt{A^2-x^2}}=\omega t+\beta$$

と書ける．左辺の積分を実行すると

$$\mp\cos^{-1}(x/A)=\omega t+\beta$$

となり，両辺の cos をとると $\cos(-x)=\cos x$ が成り立つから，$\mp$ の符号のいかんにかかわらず $x/A=\cos(\omega t+\beta)$ と表される．ここで $\beta=\alpha-\pi/2$ とおくと $x=A\sin(\omega t+\alpha)$ となって単振動に対する式が導かれる．

3

問題 7.2 質点の速度を v とすれば，E は次のように書ける．

$$E=\frac{1}{2}mv^2+\frac{1}{2}m\omega^2x^2$$

振動の振幅を A とすれば，図 3.8 で $x_{\mathrm{P}}=-A$，$x_{\mathrm{Q}}=A$ で $E=m\omega^2A^2/2$ が成り立つ．また $x=A\sin(\omega t+\alpha)$ から $v=\dot{x}=\omega A\cos(\omega t+\alpha)$ となり，E は次のように計算される．

$$E=\frac{1}{2}m\omega^2A^2\cos^2(\omega t+\alpha)+\frac{1}{2}m\omega^2A^2\sin^2(\omega t+\alpha)=\frac{1}{2}m\omega^2A^2$$

問題 7.3 角振動数 ω は $\omega=2\pi f=31.4/\mathrm{s}$ となるから E は次のようになる．

$$E=\frac{1}{2}\times0.2\times31.4^2\times0.2^2\,\mathrm{J}=3.94\,\mathrm{J}$$

問題 7.4 地表面を xy 面とし，鉛直上向きに z 軸をとれば，質点の重力の位置エネルギーは mgz と書ける．ただし，$z=0$ をエネルギーの基準点に選びそこでエネルギー $=0$ と決める．質点の高さが z のときの質点の速度を v とすれば，力学的エネルギーは

$$E=\frac{1}{2}mv^2+mgz$$

と表される．力学的エネルギー保存則により，これは $(1/2)m{v_0}^2$ に等しい．したがって

$$v^2={v_0}^2-2gz$$

が得られる．質点を真上に投げ上げたとき，最高点では $v=0$ となる．このため，z_0 は

$$z_0=\frac{{v_0}^2}{2g}$$

と求まる．

問題 8.1 おもりが最高点に達すると $v=0$ となり，(1) から ${v_0}^2=2gl(1-\cos\varphi_{\mathrm{m}})$ が得られる．したがって

$$\cos\varphi_{\mathrm{m}}=1-\frac{{v_0}^2}{2gl}$$

となる．$-1\leq\cos\varphi_{\mathrm{m}}\leq1$ でなければならないが，上式からわかるように $\cos\varphi_{\mathrm{m}}\leq1$ の条件はいつも満たされている．また，$-1\leq\cos\varphi_{\mathrm{m}}$ から ${v_0}^2\leq4gl$ が導かれる．この条件が成り立つと形式上 $v=0$ になり得る．もし $\varphi_{\mathrm{m}}\leq\pi/2$ だと $\cos\varphi_{\mathrm{m}}\geq0$ が成り立つので ${v_0}^2\leq2gl$ となる．また，(2) により $v=0$ だと $T=mg\cos\varphi$ と書け，$\cos\varphi\geq0$ の条件下で $T\geq0$

となって糸がたるむことはない．これからわかるように，${v_0}^2 \leq 2\,gl$ だと糸はたるまずおもりは振動する．$l = 1\,\mathrm{m}$ の場合 $\sqrt{2\,g} = 4.43\,\mathrm{m/s}$ なので v_0 の範囲は $v_0 \leq 4.43\,\mathrm{m/s}$ となる．

問題 8.2 (a) φ は $0 \leq \varphi \leq \pi$ の範囲の変数であるので，例題 8 の結果からわかるように，この範囲で T は φ の減少関数である．したがって，T は $\varphi = \pi$ で最小となる．

(b) T の最小値 T_m は

$$T_\mathrm{m} = m\frac{{v_0}^2}{l} - 5\,mg$$

と計算され，${v_0}^2 > 5\,gl$ であれば，$T_\mathrm{m} > 0$ で常に $T > 0$ となる．(1) からわかるように v^2 の最小値は ${v_0}^2 - 4gl$ でこれは正であるから，おもりは回転運動を続ける．

問題 8.3 $2\,gl < {v_0}^2 < 4\,gl$ だと $\varphi_\mathrm{m} > \pi/2$ の φ_m に対して $v = 0$ となる．このときの糸の張力は $T = mg\cos\varphi_\mathrm{m} < 0$ であるが，T は φ の減少関数であるから φ_m より小さな φ で $T = 0$ が実現する．そこで糸がたるんでしまい，その直後のおもりの運動は放物運動で表される．(2) から $\varphi = \pi/2$ では $T = mv^2/l > 0$ が成り立つので，糸がたるむのは $\pi/2$ より大きな φ のところである．$4\,gl < {v_0}^2 < 5\,gl$ の場合，v は 0 とならない．しかし，$T_\mathrm{m} < 0$ であるから π より小さな φ のところで $T = 0$ となり，そこで糸がたるむ．結局，$2\,gl < {v_0}^2 < 5\,gl$ の場合，$\pi/2$ より大きな φ のところで糸がたるんで，その後おもりは放物運動を行う．

問題 9.1 $\cos\theta \leq 1$ が成り立つ必要があるので

$$\frac{{v_0}^2}{3\,ga} \leq \frac{1}{3} \qquad \therefore \quad v_0 \leq \sqrt{ga}$$

でなければならない．逆にいうと，$v_0 > \sqrt{ga}$ のときには，質点は頂上からただちに球面を離れてしまう．

問題 9.2 $v_0 = 0$ とおき，θ は次のように求まる．

$$\theta = \cos^{-1}\frac{2}{3} = 48.2^\circ$$

問題 9.3 図のように質点は鉛直方向と角 θ をなして静止しているとする．長さ ρ を図のようにとると，質点は半径 ρ で等速円運動を行い，その向心力は

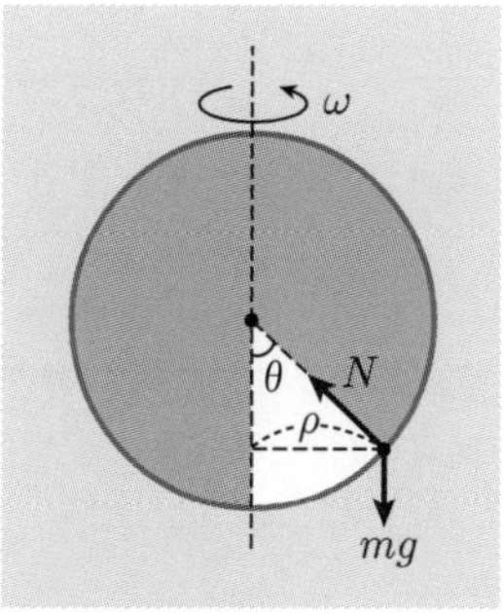

$$\frac{mv^2}{\rho} = m\rho\omega^2$$

と書ける．$\rho = a\sin\theta$ と表され，向心力は $N\sin\theta$ に等しいから

$$ma\omega^2\sin\theta = N\sin\theta$$

が得られる．$\theta = 0$ だといつもこの関係が満足される．$\theta \neq 0$ の場合，$N = ma\omega^2$ が成り立つ．一方，鉛直方向の力のつり合いから

$$N\cos\theta = mg$$

となり，上の N を代入すると

$$\cos\theta = \frac{g}{a\omega^2}$$

が得られる．$\cos\theta \leq 1$ であるから，$g \leq a\omega^2$ の条件が満たされると θ は

$$\theta = \cos^{-1}\frac{g}{a\omega^2}$$

で与えられる．$g \geq a\omega^2$ だと $\theta = 0$ となる．

問題 10.1 (a) 例題 10 の結果で $v_0 = 0$ とおけば

$$v = \sqrt{2gh\,(1-\mu'\cot\theta)}$$

となる．$\mu' = 0$ とおけばなめらかな斜面を表すので α は次のように求まる．

$$\alpha = \sqrt{1-\mu'\cot\theta}$$

$\mu' = 0.1$，$\theta = 30°$ とおき $\alpha = 0.91$ と計算される．

(b) 第 2 章の問題 5.4 でなめらかな斜面では飛び出すときの速さは 87.5 km/s と求まっている．したがって，いまの場合の速さはこれを 0.91 倍し 79.6 km/s となる．

問題 10.2 質点に対する運動方程式は

$$m\dot{v} = mg - m\gamma v \qquad \therefore \quad \dot{v} + \gamma v = g$$

と書ける．この解は $v = g/\gamma + Ce^{-rt}$ であるが，$t = 0$ で $v = 0$ という条件により $C = -g/\gamma$ が得られ，v は

$$v = \frac{g}{\gamma}\,(1-e^{-rt})$$

と書ける．失われた力学的エネルギー Q は $-W'$ に等しいから，速度が抵抗力と逆向きであることに注意すれば，(3.20) により次式が得られる．

$$\begin{aligned} Q &= m\gamma\int_0^T v^2\,dt = m\frac{g^2}{\gamma}\int_0^T (1-e^{-rt})^2\,dt \\ &= m\frac{g^2}{\gamma}\left[T - \frac{2}{\gamma}\,(1-e^{-rT}) + \frac{1}{2\gamma}\,(1-e^{-2rT})\right] \end{aligned}$$

上式で $T \to \infty$ とすれば

$$Q = m\frac{g^2}{\gamma}\,T$$

と表される．この場合，質点は終速度 g/γ で等速直線運動をするとみなされる．したがって，時間 T の間に移動する距離は gT/γ となる．一方，抵抗力は重力とつり合うのでその大きさは mg に等しい．このため

$$W' = -mg^2\,T/\gamma$$

で，符号を逆転すれば上の結果が導かれる．

問題 10.3 失われる力学的エネルギーは衝突の前に自動車のもっていた全運動エネルギーである．30 km/h = 8.33 m/s で，失われる力学的エネルギーは $10^3 \times 8.33^2$ J $= 6.94 \times 10^4$ J と計算される．

4 章の解答

問題 1.1　一般に U が $|\boldsymbol{r}-\boldsymbol{R}|$ の関数で $U=U(|\boldsymbol{r}-\boldsymbol{R}|)$ と表されるとき

$$\frac{\partial U}{\partial x}=U'(|\boldsymbol{r}-\boldsymbol{R}|)\frac{\partial|\boldsymbol{r}-\boldsymbol{R}|}{\partial x},\quad \frac{\partial U}{\partial X}=U'(|\boldsymbol{r}-\boldsymbol{R}|)\frac{\partial|\boldsymbol{r}-\boldsymbol{R}|}{\partial X}$$

が成り立つ．ただし，$U'(z)=dU/dz$ である．例題 1 の (4) からわかるように

$$\frac{\partial|\boldsymbol{r}-\boldsymbol{R}|}{\partial x}=\frac{x-X}{|\boldsymbol{r}-\boldsymbol{R}|},\quad \frac{\partial|\boldsymbol{r}-\boldsymbol{R}|}{\partial X}=\frac{X-x}{|\boldsymbol{r}-\boldsymbol{R}|}$$

となるので，$\partial U/\partial X=-\partial U/\partial x$ と書け，これから $F_X=-F_x$ が得られる．y, z 方向でも同様である，

問題 1.2　F_X は M の質点が受ける力の x 成分を表すので，問題 1.1 の結果は作用反作用の法則を意味している．

問題 2.1　(a)　(4.3) から与式が導かれる．

(b)　U_i を i について加えれば全体のポテンシャルが求まる．

問題 2.2　CA 間の距離は $[(x-a)^2+y^2]^{1/2}$，CB 間の距離は $[(x+a)^2+y^2]^{1/2}$ であるから，全体のポテンシャルは

$$U=-\frac{GmM}{[(x-a)^2+y^2]^{1/2}}-\frac{GmM}{[(x+a)^2+y^2]^{1/2}}$$

で与えられる．したがって，F_x, F_y は次のように計算される．

$$F_x=-\frac{\partial U}{\partial x}=-\frac{GmM(x-a)}{[(x-a)^2+y^2]^{3/2}}-\frac{GmM(x+a)}{[(x+a)^2+y^2]^{3/2}}$$

$$F_y=-\frac{\partial U}{\partial y}=-\frac{GmMy}{[(x-a)^2+y^2]^{3/2}}-\frac{GmMy}{[(x+a)^2+y^2]^{3/2}}$$

問題 3.1　x に関する積分は

$$\int_{-1}^{1}\frac{dx}{(R^2+r^2-2Rrx)^{1/2}}=-\frac{1}{Rr}(R^2+r^2-2Rrx)^{1/2}\Big|_{-1}^{1}$$
$$=\frac{1}{Rr}\left[(R^2+r^2+2Rr)^{1/2}-(R^2+r^2-2Rr)^{1/2}\right]$$

と計算される．上式の第 2 項は，$(R-r)^2=R^2+r^2-2Rr$ に注意すると

$$(R^2+r^2-2Rr)^{1/2}=|R-r|$$

と書ける．質点は球外にある場合には $R>r$ が成り立ち，上の関係で $|R-r|=R-r$ である．こうして次の結果が得られる．

$$\int_{-1}^{1}\frac{dx}{(R^2+r^2-2Rrx)^{1/2}}=\frac{1}{Rr}[(R+r)-(R-r)]=\frac{2}{R}$$

問題 3.2　一般に，x に関する上の積分は

$$\int_{-1}^{1}\frac{dx}{(R^2+r^2-2Rrx)^{1/2}}=\frac{1}{Rr}\left[(R+r)-|R-r|\right]$$

と書ける．この右辺は $R>r$ なら $2/R$，$R<r$ なら $2/r$ に等しい．したがって，U は $R<a$ の場合，次のように計算される．

$$\begin{aligned}U&=-2\pi Gm\rho\int_0^R\frac{2}{R}r^2\,dr-2\pi Gm\rho\int_R^a 2\,rdr\\&=-\frac{4\pi Gm\rho\,R^2}{3}-2\pi Gm\rho\,(a^2-R^2)=\frac{2\pi Gm\rho R^2}{3}-2\pi Gm\rho a^2\\&=\frac{GmMR^2}{2\,a^3}-\frac{3\,GmM}{2\,a}\end{aligned}$$

問題 4.1　地球の半径を a，地球の質量を M とおけば，地表の質量 1 kg の質点に働く重力 F は

$$F=\frac{GM}{a^2}=\frac{6.67\times10^{-11}\times5.98\times10^{24}}{(6.37\times10^6)^2}\,\mathrm{N}=9.83\,\mathrm{N}$$

となり，重力加速度 g とほぼ同じとなる．上式は g と万有引力を結ぶ関係である．

問題 4.2　重力は地球の中心からの距離の 2 乗に反比例するので

$$\frac{a^2}{(a+h)^2}=\frac{1}{b}\qquad\therefore\quad h=(\sqrt{b}-1)\,a$$

が得られる．$b=5$ だと h は

$$h=(\sqrt{5}-1)\times6.37\times10^3\,\mathrm{km}=7.87\times10^3\,\mathrm{km}$$

となる．

問題 4.3　地球の中心を原点にとり直径に沿って x 軸をとると問題 3.2 により，地球の内部でのポテンシャル U は定数項を除き

$$U=\frac{GmMx^2}{2\,a^3}$$

と表される．あるいは $g=GM/a^2$ の関係を代入すると

$$U=\frac{mgx^2}{2\,a}$$

と書け，これは $\omega^2=g/a$ の角振動数 ω の単振動を表すポテンシャルと一致する．したがって，質点は

$$T=2\pi\sqrt{\frac{a}{g}}$$

の周期をもつ単振動を行う．数値を代入するとこの周期は $5.06\times10^3\,\mathrm{s}=1.41\,\mathrm{h}$ と計算される．

5 章の解答

問題 1.1 時速 60 km は $(60\times1000/3600)\,\mathrm{m/s}=16.7\,\mathrm{m/s}$ と計算されるので，電車の加速度の大きさは $\alpha=(16.7/5)\,\mathrm{m/s^2}=3.34\,\mathrm{m/s^2}$ である．したがって μ は $\mu=3.34/9.81=0.34$ となる．

問題 1.2 右図に示すように，斜面に固定した座標系でみると，質点には実際に働く力のほかに慣性力 $m\alpha$ が働く．

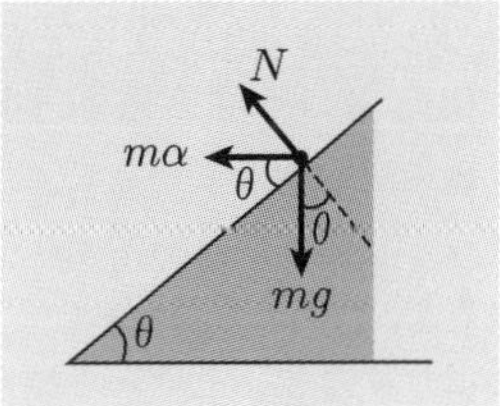

(a) 斜面に垂直な方向の力のつり合いから

$$N+m\alpha\sin\theta=mg\cos\theta$$

と書け，これから N は

$$N=m(g\cos\theta-\alpha\sin\theta)$$

と求まる．$N\geq0$ の条件から $\alpha\leq g\cos\theta/\sin\theta$ である．したがって，$\alpha_{\mathrm{c}}=g\cot\theta$ となる．

(b) 斜面に沿い下向きに x 軸をとると，運動方程式は

$$m\ddot{x}=mg\sin\theta+m\alpha\cos\theta$$

と書ける．したがって，質点は斜面上で一定の加速度 $g\sin\theta+\alpha\cos\theta$ をもって運動する．

問題 2.1 周期 T は次のように計算される．

$$T=2\pi\frac{\sqrt{0.5}}{(9.81^2+3.34^2)^{1/4}}\,\mathrm{s}=1.38\,\mathrm{s}$$

問題 2.2 エレベーターの内部で観測すると，単振り子のおもり（質量 m）には重力 mg が鉛直下向きに働くとともに，慣性力 $m\alpha$ が同じ向きに働く．したがって，見かけ上，重力加速度が g から $g+\alpha$ に変わったと考えてよい．このため，第 2 章の問題 9.4 で上の置き換えを行い，T は

$$T=2\pi\sqrt{\frac{l}{g+\alpha}}$$

と表される．エレベーターが一定加速度 β で降下する場合には，上式で α を $-\beta$ とおけばよい．

問題 2.3 周期は $\sqrt{9.81/7.81}$ 倍 $=1.12$ 倍 である．

問題 3.1 $\omega^2=g/l$ とおけば，ω は単振り子の角振動数である．$\varphi=A\cos\omega_0t$ を例題 3 の φ に対する式に代入し A を求めると，次の結果が得られる．

$$A=\frac{{\omega_0}^2}{l\,(\omega^2-{\omega_0}^2)}\,B$$

問題 3.2 (a) O 系でみたとき点 P，点 Q を通る直線が $x=Cy+D$ と表されるとする．この直線は点 Q を通るから $y=0$ とおき，$x_{\mathrm{Q}}=D$ となる．また，この直線は点 O′ を通るので $0=Cy_0+x_{\mathrm{Q}}$ $\quad\therefore\ x_{\mathrm{Q}}=-Cy_0$ と書ける．一方，O 系で考えたとき点 P の座標は

$$(l\cos\varphi,\ y_0+l\sin\varphi)\simeq(l,\ y_0+l\varphi)$$

と表され，この点が直線上にあるので $l=C(y_0+l\varphi)+x_\mathrm{Q}=Cl\varphi\quad\therefore\ C=1/\varphi$ となる．こうして，次の関係が導かれる．

$$x_\mathrm{Q}=-\frac{y_0}{\varphi}=-\frac{B\cos\omega t}{A\cos\omega t}=-\frac{B}{A}=\frac{l\,({\omega_0}^2-\omega^2)}{{\omega_0}^2}$$

あるいは図 5.4 で x_Q の符号を考慮すれば $y_0=-x_\mathrm{Q}\tan\varphi$ で，φ が小さいときの関係 $\tan\varphi\simeq\varphi$ を利用しても同じ結果が得られる．上式からわかるように $\omega_0<\omega$ だと $x_\mathrm{Q}<0$，$\omega_0>\omega$ だと $x_\mathrm{Q}>0$ となる．

(b) 横ゆれする電車内のつり革の振動を観測していると，横ゆれがゆっくりのときは右図 (a) のようになるが，横ゆれがはげしいと右図 (b) のようになり，上で得た結果が確かめられる．あるいは糸の一端におもりをつり下げ，他端を左右に動かすと動かし方のはげしさに応じて右図のような振動が観測される．

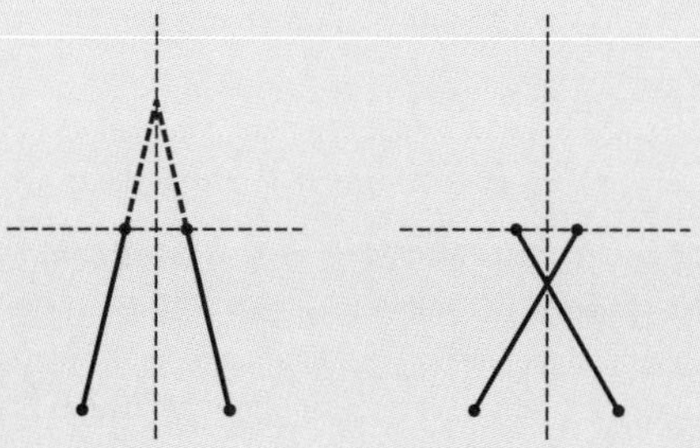

(a) $\omega_0<\omega$ (b) $\omega_0>\omega$

問題 3.3 上記の x_Q の式で $\omega_0=2\omega$ を代入すると $x_\mathrm{Q}=(3/4)\,l$ と表される．$l=30\,\mathrm{cm}$ のときには $x_\mathrm{Q}=22.5\,\mathrm{cm}$ と計算される．

問題 4.1 直線自身を x' 軸にとり，それと垂直に y' 軸をとる．質点に実際に働く力は直線から受ける垂直抗力 N であるが，題意により $y'=\dot{y}'=\ddot{y}'=0$, $X'=0$, $Y'=N$ が成り立つ．したがって，(5.4)，(5.5) により

$$m\ddot{x}'=m\omega^2x',\quad 0=N-2m\omega\dot{x}'$$

が得られる．上の左式を解くため $x'=e^{\alpha t}$ とおくと，$\alpha^2=\omega^2$ となる．したがって $\alpha=\pm\omega$ で，x' に対する解は $x'=Ae^{\omega t}+Be^{-\omega t}$ と表され，任意定数 A，B は適当な初期条件から決まる．あるいは双曲線関数を導入し $x'=C\cosh\omega t+D\sinh\omega t$ であると考えてもよい．x' がわかれば $N=2m\omega\dot{x}'$ の関係を用い，垂直抗力 N が求まる．

問題 4.2 $x'=C\cosh\omega t+D\sinh\omega t$ とすれば $\dot{x}'=\omega C\sinh\omega t+\omega D\cosh\omega t$ となる．$t=0$ における初期条件 $\dot{x}'=0$，$x=a$ により $D=0$，$C=a$ が導かれ，$x'=a\cosh\omega t$ と書ける．また，$\dot{x}'=\omega a\sinh\omega t$ であるから，N は $N=2m\omega^2a\sinh\omega t$ と計算される．

問題 5.1 $\omega_0=\sqrt{g/l}=\sqrt{9.81/67}\,\mathrm{s}^{-1}=0.383\,\mathrm{s}^{-1}$ と計算される．

問題 5.2 $\omega/\omega_0=7.27\times10^{-5}/0.383=1.9\times10^{-4}$ の程度となる．

問題 5.3 図 5.9 から緯度 φ の地点では角速度ベクトルの鉛直方向の成分は $\omega\sin\varphi$ であることがわかる．したがって，緯度 φ の場合にはフーコー振り子の例題 5 で $\omega\to\omega\sin\varphi$ という置き換えを実行すればよい．したがって，フーコー振り子が一周する時間 T は

$$T = \frac{2\pi}{\omega \sin \varphi}$$

と表される．$2\pi/\omega$ は 1 日であるから T は 1 日を $\sin \varphi$ で割ったものに等しい．東京では

$$T = \frac{1}{\sin 35°40'} \text{日} = 1.72 \text{ 日}$$

と計算される．

問題 6.1　$h = 0.5 \times \cos 30°\ \mathrm{m} = 0.433\,\mathrm{m}$ となる．したがって $T = 2\pi\sqrt{0.433/9.81}\,\mathrm{s} = 1.32\,\mathrm{s}$ と計算される．また，糸の張力は$T = mg/\cos\theta = (0.01 \times 9.81/\cos 30°)\,\mathrm{N} = 0.113\,\mathrm{N}$となる．

問題 6.2　円の中心 O と質点 P とを結ぶ向きに x' 軸をとり回転座標系 x'，y' を導入する．この座標系でみると質点は静止しているから，これに働く力はつり合ってないといけない．質点には実際の力 F と見かけ上の遠心力 $ma\omega^2$ が働き，この 2 力がつり合うから $ma\omega^2 = F$ という関係が成立する．

問題 6.3　質点の質量を m，垂直抗力を N とすれば，力のつり合いを考慮し（右図）

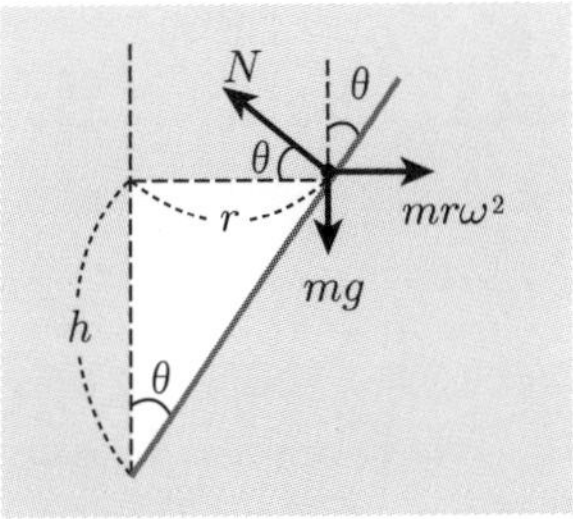

$$mr\omega^2 = N\cos\theta, \quad mg = N\sin\theta$$

が成り立つ．一方，質点の速さ v は $v = r\omega$ と書けるので $mv^2 = Nr\cos\theta$ となる．N は $N = mg/\sin\theta$ で与えられるから

$$mv^2 = mgr\frac{\cos\theta}{\sin\theta} = mg\frac{r}{\tan\theta} = mgh$$

で，$v = \sqrt{gh}$ と表される．

問題 7.1　$2m(\boldsymbol{v}' \times \boldsymbol{\omega})$ の x' 成分は

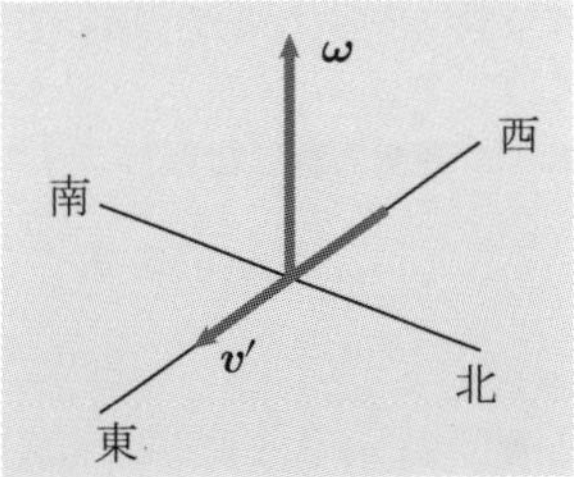

$$2m(\dot{y}'\omega_z - \dot{z}'\omega_y) = 2m\omega\dot{y}'$$

y' 成分は

$$2m(\dot{z}'\omega_x - \dot{x}'\omega_z) = -2m\omega\dot{x}'$$

z' 成分は

$$2m(\dot{x}'\omega_y - \dot{y}'\omega_x) = 0$$

となり，(5.6) の結果が得られる．

問題 7.2　北極点で水平面内に xy 面をとるとベクトル $\boldsymbol{\omega}$ は図のように z 軸を向く．東向きの風を表す速度ベクトル $\boldsymbol{v}'$ は図のように書けるので $\boldsymbol{v}'$ から $\boldsymbol{\omega}$ の方へ右ねじを回すと，ねじは南向きに進む．したがって，コリオリ力も南向きとなり，②が正解であることがわかる．

問題 8.1　それぞれの $\boldsymbol{\omega}$ による $\boldsymbol{r}$ の変位は，$\Delta\boldsymbol{r}_1 = \Delta t\,(\boldsymbol{\omega}_1 \times \boldsymbol{r})$，$\Delta\boldsymbol{r}_2 = \Delta t\,(\boldsymbol{\omega}_2 \times \boldsymbol{r})$ と書ける．このとき全体の変位 $\Delta\boldsymbol{r}$ はベクトル積の分配則を利用すると $\Delta\boldsymbol{r} = \Delta\boldsymbol{r}_1 + \Delta\boldsymbol{r}_2 = \Delta t\,(\boldsymbol{\omega} \times \boldsymbol{r})$，$\boldsymbol{\omega} = \boldsymbol{\omega}_1 + \boldsymbol{\omega}_2$ と書け，ベクトル和が適用できることがわかる．

問題 8.2　$v_x = \dot{x} = -\omega a \sin\omega t = -\omega y$，$v_y = \dot{y} = \omega a \cos\omega t = \omega x$ と計算されるが，この結果は $\boldsymbol{v} = \boldsymbol{\omega} \times \boldsymbol{r}$ の x，y 成分をとったものと一致する．

6章の解答

問題 1.1 z 軸を鉛直上方にとり，この方向の単位ベクトルを $\boldsymbol{k}$ とすれば，質量 m_i の質点に働く重力は $-m_i g\boldsymbol{k}$ と書ける．したがって，有限な物体に働く全重力は $-g\boldsymbol{k}\sum m_i = -Mg\boldsymbol{k}$ と表される．ただし，M は物体の質量である．一様な球の重心はその中心であるから，球の中心は全質量が中心に集中したときと同じ運動を行い，この運動は放物運動として記述される．

問題 1.2 $(m_\mathrm{A} + m_\mathrm{B})\,\boldsymbol{a} = \boldsymbol{F}$ の関係から $\boldsymbol{a}$ は次のように求まる．

$$\boldsymbol{a} = \frac{\boldsymbol{F}}{m_\mathrm{A} + m_\mathrm{B}}$$

また，A が B に及ぼす力を $\boldsymbol{R}$ とすれば $m_\mathrm{A}\boldsymbol{a} = \boldsymbol{F} - \boldsymbol{R}$，$m_\mathrm{B}\boldsymbol{a} = \boldsymbol{R}$ と書け，$\boldsymbol{R}$ は

$$\boldsymbol{R} = \frac{m_\mathrm{B}}{m_\mathrm{A} + m_\mathrm{B}}\boldsymbol{F}$$

と表される．

問題 2.1 斜面に沿って下向きに x 軸をとり，人，板の重心の座標をそれぞれ x_1，x_2 とする．人と板を質点系とみなせば

$$m\ddot{x}_1 + M\ddot{x}_2 = (m + M)\,g\sin\theta$$

が成り立つ．初速度 0 として，$\ddot{x}_2 = 0$ が満たされると板は動かず止まっている．そのためには，人は $\ddot{x}_1 = (m + M)\,g\sin\theta/m$ の加速度をもって歩けばよい．

問題 2.2 右図からわかるように，垂直抗力 N_1，N_2 は $N_1 = m_1 g\cos\theta_1$，$N_2 = m_2 g\cos\theta_2$ と表される．また動摩擦力は $\mu_1' N_1$，$\mu_2' N_2$ で与えられる．糸の張力を T，質量 m_1 の質点がすべり落ちる加速度を a とすれば，運動方程式は

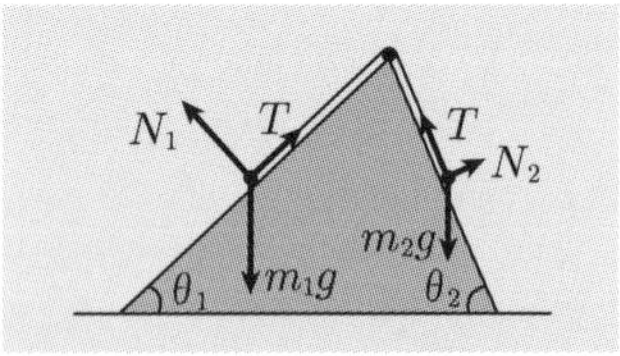

$$m_1 a = m_1 g\sin\theta_1 - T - \mu_1' m_1 g\cos\theta_1$$
$$m_2 a = T - m_2 g\sin\theta_2 - \mu_2' m_2 g\cos\theta_2$$

と書ける．両式を加え T を消去すれば a は次のように求まる．

$$a = \frac{g}{m_1 + m_2}\Big(m_1(\sin\theta_1 - \mu_1'\cos\theta_1) - m_2(\sin\theta_2 + \mu_2'\cos\theta_2)\Big)$$

問題 3.1 砂袋が動きだすときの速さを v とすれば，運動量保存則により

$$0.02 \times 300 = (3 + 0.02)\,v$$

が成り立つ．これから $v = 1.99\,\mathrm{m/s}$ と計算される．

問題 3.2 (a) ロケットの運動量は $p = Mv$ と書ける．

(b) ロケットが v の速さで運動しているとき，火薬はこれに対し V の速さで噴出されるから，火薬は静止系から見ると $V - v$ の速さをもつ．ただし，その向きは図のようにロケットの進む向き

と逆向きになる．ロケットの進む向きを正の向きにとり，火薬を噴出した後のロケットの速さを v' とすれば，ロケットの運動量は $(M-m)\,v'$，火薬のは $-m\,(V-v)$ で全運動量 P は次のように表される．

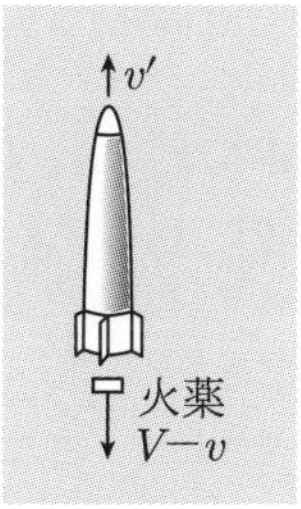

$$P = (M-m)\,v' - m\,(V-v)$$

(c) 運動量保存則により

$$Mv = (M-m)\,v' - m\,(V-v)$$

が成り立ち，これから v' は $v' = \dfrac{(M-m)\,v + mV}{M-m}$ と求まる．

問題 4.1 (a) 点 A を原点とし，AC 方向に x 軸，鉛直上向きに y 軸をとる．放物運動の式により $x = v_0\,t\cos\theta$ が成り立つ．物体が最高点 D に達したとき

$$v_y = v_0 \sin\theta - gt = 0 \qquad \therefore \quad t = \frac{v_0 \sin\theta}{g}$$

となり

$$\overline{\mathrm{AB}} = x = \frac{{v_0}^2 \sin\theta\cos\theta}{g}$$

が得られる．点 D で物体が分裂したとき，x 方向に外力は働かないから，この方向の運動量は保存される．そのため，分裂後の質量 m_1 の部分がもつ速度の x 成分を v_x とすれば

$$mv_0 \cos\theta = m_1 v_x \qquad \therefore \quad v_x = \frac{mv_0\cos\theta}{m_1}$$

が成り立つ．一方 $\overline{\mathrm{BD}} = -\dfrac{1}{2}gt^2 + v_0 t\sin\theta = \dfrac{{v_0}^2 \sin^2\theta}{2g}$ と書ける．D から C に達するまでの時間を t' とすれば，y 方向の初速度は 0 であるので $\overline{\mathrm{BD}} = (1/2)\,gt'^2$ となり，これから $t' = v_0 \sin\theta/g$ と求まる．したがって，$\overline{\mathrm{BC}}$ は

$$\overline{\mathrm{BC}} = v_x\,t' = \frac{m{v_0}^2 \sin\theta\cos\theta}{m_1 g}$$

と表される．

(b) 質量 m_2 の部分が D から B に達する時間も t' で与えられるので，着地は同時である．

問題 4.2 運動量保存則および e に対する定義式を用いて

$$m_1{v_1}' + m_2{v_2}' = m_1v_1 + m_2v_2, \quad {v_1}' - {v_2}' = -ev_1 + ev_2$$

となり，これから次式が導かれる．

$${v_1}' = \frac{(m_1 - em_2)\,v_1 + m_2\,(1+e)\,v_2}{m_1+m_2}, \quad {v_2}' = \frac{m_1\,(1+e)\,v_1 + (m_2 - em_1)\,v_2}{m_1+m_2}$$

問題 5.1 $\boldsymbol{L}$ の x, y, z 成分は (6.8) により次のように表される．

$$L_x = m\,(y\dot{z} - z\dot{y}), \quad L_y = m\,(z\dot{x} - x\dot{z}), \quad L_z = m\,(x\dot{y} - y\dot{x})$$

問題 5.2 質点が平面運動する場合，この平面を xy 面にとれば，$z = \dot{z} = 0$ となる．このた

め，前問の結果を利用すると，$L_x = L_y = 0$ となり，角運動量は xy 面と垂直であることがわかる．

問題 5.3 (a) $\boldsymbol{L}$ は $\boldsymbol{r}$ と $\boldsymbol{p}$ の両方に垂直であるから，xy 面と垂直になる．

(b) 図 6.11 に示すように，$\boldsymbol{r}$ と $\boldsymbol{p}$ のなす角を θ とすれば，ベクトル積の定義式から $\boldsymbol{L}$ の大きさ $|\boldsymbol{L}|$ は

$$|\boldsymbol{L}| = pr\sin\theta$$

と表される．ここで，p, r はそれぞれ $\boldsymbol{p},\boldsymbol{r}$ の大きさである．図 6.11 から $\overline{\mathrm{OR}} = r\sin\theta$ の成り立つことがわかる．したがって，上式から $|\boldsymbol{L}| = p \times \overline{\mathrm{OR}}$ と書ける，$\boldsymbol{L} = \boldsymbol{r} \times \boldsymbol{p}$ の定義から明らかなように，質点が点 O の周りで反時計回りに（正の向きに）運動するときには L_z は正，時計回りに（負の向きに）運動するときには L_z は負となる．

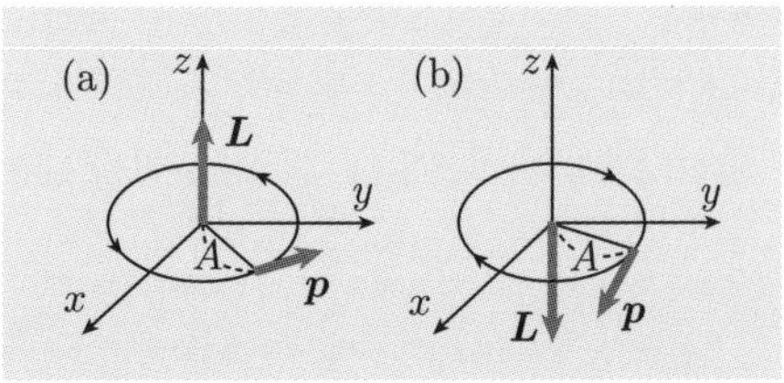

(c) 質点が等速円運動するときには $p = mA\omega$，$\overline{\mathrm{OR}} = A$ であるから，$L_z = \pm mA^2\omega$ である．右図 (a)，(b) に示すように，質点が反時計回り（時計回り）のときには L_z は正（負）となる．

問題 5.4 力のモーメントを求めるには問題 5.3 で $\boldsymbol{p}$ を $\boldsymbol{F}$ で置き換えればよい．$\boldsymbol{F}$ の延長線が点 O を通ると，$\overline{\mathrm{OR}} = 0$ となるので，O に関する力のモーメントは 0 となる．

6

問題 6.1 $\boldsymbol{a} = \boldsymbol{b} \times \boldsymbol{c}$ の例えば x 成分を考え，t で微分すると

$$\frac{da_x}{dt} = \frac{d}{dt}(b_y c_z - b_z c_y) = \dot{b}_y c_z - \dot{b}_z c_y + b_y \dot{c}_z - b_z \dot{c}_y$$

と計算され，右辺は $\dot{\boldsymbol{b}} \times \boldsymbol{c} + \boldsymbol{b} \times \dot{\boldsymbol{c}}$ の x 成分をとったものに等しい．y, z 成分についても同様で与式の成り立つことが確かめられる．

問題 6.2 鉛直上向きに z 軸をとり，z 軸に沿った単位ベクトルを $\boldsymbol{k}$ とする．i 番目の質点の質量を m_i，点 O から見たその位置ベクトルを $\boldsymbol{r}_i$ とすれば，この質点に働く重力 $-m_i g\boldsymbol{k}$ が点 O の周りにもつモーメント $\boldsymbol{N}_i$ は $\boldsymbol{N}_i = -m_i g(\boldsymbol{r}_i \times \boldsymbol{k})$ と表される．したがって，モーメントの総和 $\boldsymbol{N}$ は

$$\boldsymbol{N} = \sum \boldsymbol{N}_i = -g\sum m_i(\boldsymbol{r}_i \times \boldsymbol{k})$$

となる．一方，重心の位置ベクトル $\boldsymbol{r}_{\mathrm{G}}$ は $M\boldsymbol{r}_{\mathrm{G}} = \sum m_i \boldsymbol{r}_i$ で定義される．ただし，M は質点系の全質量である．$\boldsymbol{k}$ は i に無関係であるから

$$\boldsymbol{N} = -Mg(\boldsymbol{r}_{\mathrm{G}} \times \boldsymbol{k})$$

となる．すなわち，$\boldsymbol{N}$ は重心に集中した全重力 $-Mg\boldsymbol{k}$ が点 O の周りにもつモーメントと同じである．

問題 6.3 質点系が平衡状態にあるとき，その体系中のすべての質点が静止しているから，当然質点系の重心も静止し $\sum \boldsymbol{F}_i = 0$ の条件が成り立つ．ただし，$\sum$ は質点に関する総和を意味する．一方，ある点 O から見た力のモーメントの和が 0 であるから $\sum(\boldsymbol{r}_i \times \boldsymbol{F}_i) = 0$ が

成り立たねばならない．この場合，点 O の選び方は任意でよい．例えば点 O′ を考え，O から O′ に至る位置ベクトルを $\boldsymbol{r}_0$，点 O，O′ から測った i 番目の質点の位置ベクトルをそれぞれ $\boldsymbol{r}_i$，$\boldsymbol{r}_i{}'$ とすれば，$\boldsymbol{r}_i = \boldsymbol{r}_0 + \boldsymbol{r}_i{}'$ となる．これから

$$\sum(\boldsymbol{r}_i \times \boldsymbol{F}_i) = \sum(\boldsymbol{r}_0 \times \boldsymbol{F}_i) + \sum(\boldsymbol{r}_i{}' \times \boldsymbol{F}_i) = \sum(\boldsymbol{r}_i{}' \times \boldsymbol{F}_i) = 0$$

となり，点 O は任意に選んでよいことがわかる．

問題 7.1　多変数に対するテイラー展開を利用すると

$$U(\boldsymbol{r}_1 + d\boldsymbol{r}_1,\ \boldsymbol{r}_2 + d\boldsymbol{r}_2,\ \cdots,\ \boldsymbol{r}_n + d\boldsymbol{r}_n) - U(\boldsymbol{r}_1,\ \boldsymbol{r}_2,\ \cdots,\ \boldsymbol{r}_n) = \sum_{i=1}^{n} d\boldsymbol{r}_i \cdot \nabla_i U + \cdots$$

と書ける．上式を dt で割り，$dt \to 0$ の極限をとると与式が導かれる．

問題 7.2　質点系が束縛を受けていると，i 番目の質点には本来の力 $\boldsymbol{F}_i$ 以外に束縛力 $\boldsymbol{R}_i$ が加わる．なめらかな束縛の場合には $\dot{\boldsymbol{r}}_i \cdot \boldsymbol{R}_i = 0$ となり，例題 7 の (1) がそのまま成立する．したがって，同じ手続きを繰り返すと (3) が得られ，力学的エネルギー保存則が導かれる．

問題 8.1　束縛はなめらかとしたので力学的エネルギー保存則が適用でき，重力の位置エネルギーを考慮すればよい．O を通る水平面を位置エネルギーの原点にとれば，A，B の y 座標はそれぞれ $-a\sin(\alpha+\theta)$，$-a\sin(\alpha-\theta)$ で与えられる．したがって，重力の位置エネルギー $U(\theta)$ は

$$U(\theta) = -m_1 ga\sin(\alpha+\theta) - m_2 ga\sin(\alpha-\theta)$$

と書ける．平衡のための必要条件は $U'(\theta) = 0$ で，その結果は例題 8 で求めたものと一致することがわかる．

6

問題 8.2　たなと糸は十分軽いとして，これらに働く重力は無視する．たなと質点を 1 つの質点系とみなせば，この質点系に働く外力は，糸の張力 T，質点に働く重力 mg，点 O における抗力 $\boldsymbol{R}$ である．図 6.14 のように x，y 軸をとると，外力の総和が 0 という条件は

$$R_x + T\cos\theta = 0, \quad R_y + T\sin\theta - mg = 0$$

と表される．また，点 O の周りの力のモーメントを考慮すると，O から糸に下ろした垂線の長さが $l\sin\theta$ であることに注意し

$$mgs - Tl\sin\theta = 0$$

が得られる．これから T は $T = \dfrac{mgs}{l\sin\theta}$ と計算される．この T を R_x，R_y に対する式に代入すると次の結果が求まる．

$$R_x = -\frac{mgs\cos\theta}{l\sin\theta}, \quad R_y = mg\left(1 - \frac{s}{l}\right)$$

問題 9.1　O を通る水平面を重力の位置エネルギーの基準にとる．$\overline{\mathrm{AC}} = 2a\sin\theta$ と書けるので，質量 m_1 の質点の位置エネルギーは $-m_1 g\overline{\mathrm{AC}}\cos\theta = -2m_1 ga\sin\theta\cos\theta$ と表される．一方，点 A から質量 m_2 の質点までの距離を x とすれば，この質点の位置エネルギーは $m_2 gx$ と表される．$x + \overline{\mathrm{AC}} = L$ は糸の長さでこれは一定としている．こうして，全体の重力の位置エネルギー $U(\theta)$ は

$$U(\theta) = -2m_1 ga \sin\theta \cos\theta - m_2 g\,(L - 2a\sin\theta)$$

となる．これを θ で微分すると $U'(\theta) = 2m_2 ga\cos\theta - 2m_1 ga\cos^2\theta + 2m_1 ga\sin^2\theta$ が得られる．$U'(\theta) = 0$ の関係は

$$m_2\cos\theta - m_1\cos^2\theta + m_1(1 - \cos^2\theta) = 0$$

と書け，これは例題 9 で導いた結果と一致する．

問題 9.2 棒には A での抗力，棒の重心に作用する重力，糸の張力の 3 つの力が働く．A の周りの力のモーメントの和を考えると，つり合いの条件は

$$Ta\sin\varphi - Mgl\sin\theta = 0$$

と書ける．$T = mg$ であるから $ma\sin\varphi = Ml\sin\theta$ となる．$\triangle$ABC に対する正弦定理により

$$\frac{2l}{\sin\varphi} = \frac{\overline{\mathrm{BC}}}{\sin\theta}$$

が成り立つ．したがって，つり合いの条件は $\overline{\mathrm{BC}} = \dfrac{2ma}{M}$ となる．余弦定理により $\overline{\mathrm{BC}}^2 = 4l^2 + a^2 - 4la\cos\theta$ と書けるので，$\cos\theta$ は次のように計算される．

$$\cos\theta = \frac{4M^2l^2 + M^2a^2 - 4m^2a^2}{4M^2la} = \frac{l}{a} + \frac{a}{4l} - \frac{m^2a}{M^2l}$$

以上の計算では力のモーメントを考慮したが，エネルギーの議論を使うと，見通しのよい計算ができる．いまの問題では束縛はすべてなめらかとしているため，位置エネルギーが極小という条件から平衡の位置が決まる．位置エネルギーとしては棒，質点の重力の位置エネルギーを考慮すればよい．点 A を通る水平面を位置エネルギーの基準に選べば，前者の位置エネルギーは $Mgl\cos\theta$ で与えられる．後者を求めるため，AC 方向に y 軸をとり P の座標を y とすれば，位置エネルギーは mgy で与えられる．BCP の糸の長さを L とすれば $L = a - y + \overline{\mathrm{BC}} \quad \therefore\ y = a + \overline{\mathrm{BC}} - L$ となる．こうして，重力の位置エネルギー $U(\theta)$ は

$$U(\theta) = Mgl\cos\theta + mg\,(a - L + \overline{\mathrm{BC}})$$

と表される．$mg\,(a-L)$ は定数であるから，余弦定理を利用し，$U(\theta)$ は事実上

$$U(\theta) = Mgl\cos\theta + mg\sqrt{4l^2 + a^2 - 4la\cos\theta}$$

で与えられるとしてよい．$U'(\theta) = 0$ の条件は $-Mgl\sin\theta + \dfrac{mg\,(4la\sin\theta)}{2\sqrt{4l^2 + a^2 - 4la\cos\theta}} = 0$ と表される．$\sin\theta \neq 0$ とすれば

$$\sqrt{4l^2 + a^2 - 4la\cos\theta} = \frac{2ma}{M}$$

が得られ，モーメントから導いた結果と同じになる．

問題 10.1 質点 2 からみた質点 1 の位置ベクトル $\boldsymbol{r}'$ は $\boldsymbol{r}' = \boldsymbol{r}_1 - \boldsymbol{r}_2$ となり，$\boldsymbol{r}'$ に対する運動方程式は $\mu\ddot{\boldsymbol{r}}' = -\boldsymbol{F}$ と書ける．これは $\boldsymbol{r}$ の運動方程式の符号を逆転して $\mu(-\ddot{\boldsymbol{r}}) = -\boldsymbol{F}$

としたことに相当し，1 から 2 をみても，2 から 1 をみても換算質量は (6.17) で与えられる．

問題 10.2 地球と太陽の場合の換算質量は

$$\mu = \frac{3.3 \times 10^5}{1 + 3.3 \times 10^5} = 0.999997 \simeq 1$$

となる．一方，地球と月の場合には

$$\mu = \frac{1.2 \times 10^{-2}}{1 + 1.2 \times 10^{-2}} = 1.19 \times 10^{-2}$$

と計算されるので，μ は月の質量より 1% くらい小さな値である．

問題 10.3 質点 1，2 から構成される質点系の重心の位置ベクトル $\boldsymbol{r}_\mathrm{G}$，1 からみた 2 の位置ベクトル $\boldsymbol{r}$ と $\boldsymbol{r}_1$，$\boldsymbol{r}_2$ との間には

$$m_1 \boldsymbol{r}_1 + m_2 \boldsymbol{r}_2 = M \boldsymbol{r}_\mathrm{G}, \quad \boldsymbol{r}_2 - \boldsymbol{r}_1 = \boldsymbol{r}$$

の関係が成り立つ．この関係を利用して $\boldsymbol{r}_1$，$\boldsymbol{r}_2$ を $\boldsymbol{r}_\mathrm{G}$，$\boldsymbol{r}$ で表すと

$$\boldsymbol{r}_1 = \boldsymbol{r}_\mathrm{G} - \frac{m_2}{M}\boldsymbol{r}, \quad \boldsymbol{r}_2 = \boldsymbol{r}_\mathrm{G} + \frac{m_1}{M}\boldsymbol{r}$$

が得られる．したがって，質点系の全運動エネルギー K は次のように計算される．

$$\begin{aligned} K &= \frac{m_1}{2}\dot{\boldsymbol{r}}_1{}^2 + \frac{m_2}{2}\dot{\boldsymbol{r}}_2{}^2 = \frac{m_1}{2}\left(\dot{\boldsymbol{r}}_\mathrm{G} - \frac{m_2}{M}\dot{\boldsymbol{r}}\right)^2 + \frac{m_2}{2}\left(\dot{\boldsymbol{r}}_\mathrm{G} + \frac{m_1}{M}\dot{\boldsymbol{r}}\right)^2 \\ &= \frac{m_1 + m_2}{2}\dot{\boldsymbol{r}}_\mathrm{G}{}^2 + \frac{m_1 m_2}{2M}\dot{\boldsymbol{r}}^2 = \frac{M}{2}\dot{\boldsymbol{r}}_\mathrm{G}{}^2 + \frac{\mu}{2}\dot{\boldsymbol{r}}^2 \end{aligned}$$

問題 10.4 (a) 運動方程式 $\mu\ddot{\boldsymbol{r}} = f(r)\boldsymbol{r}$ と $\boldsymbol{r}$ とのベクトル積を作り，$\boldsymbol{r} \times \boldsymbol{r} = 0$ に注意すれば角運動量 $\boldsymbol{L} = \mu(\boldsymbol{r} \times \dot{\boldsymbol{r}})$ に対し $\dot{\boldsymbol{L}} = 0$ が成り立つ．したがって

$$\boldsymbol{L} = \text{一定} \quad \text{あるいは} \quad \boldsymbol{r} \times \dot{\boldsymbol{r}} = \text{一定}$$

という結果が得られる．

(b) $\boldsymbol{L}$ の方向に z 軸をとると，$L_x = L_y = 0$ であるから $y\dot{z} - z\dot{y} = 0$，$z\dot{x} - x\dot{z} = 0$ が得られる．前者に x，後者に y を掛け両者を加えると $(y\dot{x} - x\dot{y})z = 0$ となる．$\boldsymbol{L}$ が 0 でない限り，$L_z = \mu(x\dot{y} - y\dot{x}) \neq 0$ であるから $z = 0$ となり，質点は xy 面内で運動する．

(c) 質点の速度は $\boldsymbol{v} = \dot{\boldsymbol{r}}$ と書けるから，(a) の結果により $\boldsymbol{r} \times \boldsymbol{v} =$ 一定 であることがわかる．質点は xy 面で平面運動するので，図に示すように，ある時刻で点 P（位置ベクトル $\boldsymbol{r}$）にいた質点が微小時間 Δt 後に $\boldsymbol{v}\Delta t$ だけ変位し点 Q に達したとする．図のように角 θ をとると，ベクトル積の定義により $|\boldsymbol{r} \times \boldsymbol{v}\Delta t| = |\boldsymbol{r}||\boldsymbol{v}\Delta t| \sin\theta$ となるが，この結果は平行四辺形 OPQQ$'$ の面積に等しく，よって三角形 OPQ の面積 ΔS の 2 倍である．こうして

$$\frac{\Delta S}{\Delta t} = \frac{|\boldsymbol{r} \times \boldsymbol{v}|}{2} = \text{一定}$$

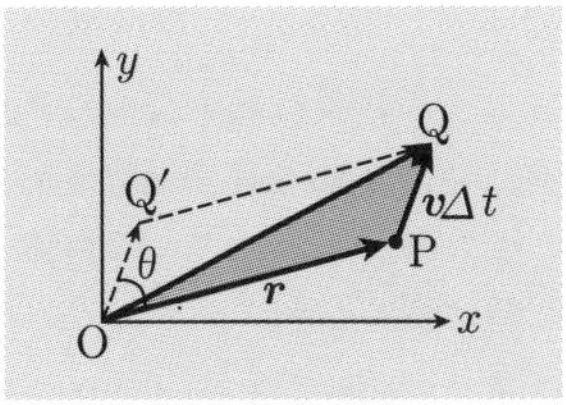

の関係が導かれる．ΔS は Δt 時間中に質点と点 O を結ぶ線分の描く面積であるから，上式は面積速度 $\dot{S}$ が一定であることを意味する．また，正の向きに質点が運動するとき $|\boldsymbol{r} \times \boldsymbol{v}| = L_z/\mu$ が成り立ち，与式が導かれる．負の向きに運動するときには $\dot{S} < 0$ と考えれば与式がそのまま成立する．

問題 11.1 例題 11 の (2) を利用すると，$\dot{x}^2 + \dot{y}^2 = \dot{r}^2 + r^2\,\dot{\theta}^2$ と表される．

問題 11.2 質点系全体の力学的エネルギーは

$$\frac{m_1}{2}\,\dot{\boldsymbol{r}}_1{}^2 + \frac{m_2}{2}\,\dot{\boldsymbol{r}}_2{}^2 + U(r) = \frac{M}{2}\,\dot{\boldsymbol{r}}_{\mathrm{G}}{}^2 + \frac{\mu}{2}\,\dot{\boldsymbol{r}}^2 + U(r)$$

と書ける．このため，重心の運動エネルギーを除くと力学的エネルギー E は

$$E = \frac{\mu}{2}\,\dot{\boldsymbol{r}}^2 + U(r) = \frac{\mu}{2}\left(\dot{r}^2 + r^2\,\dot{\theta}^2\right) + U(r)$$

と表される．上式に $r^2\,\dot{\theta} = h$ を代入すれば与式が導かれる．

問題 12.1 $r^2\,\dot{\theta} =$ 一定 であるから $\dot{\theta}$ は一定の符号をもたねばならない．図 6.21 中の軌道②，③では運動の途中で $\dot{\theta}$ の符号が変わりこの条件を満たさない．したがって，可能性のある軌道は①と④である．

問題 12.2 $r^2\,\dot{\theta} = h$ に注意すると $\dot{r} = \dfrac{dr}{dt} = \dfrac{dr}{d\theta}\,\dfrac{d\theta}{dt} = \dfrac{dr}{d\theta}\,\dot{\theta} = \dfrac{h}{r^2}\,\dfrac{dr}{d\theta}$ となり，同様に次式が得られる．

$$\ddot{r} = \frac{d}{dt}\left(\frac{h}{r^2}\,\frac{dr}{d\theta}\right) = \frac{d}{d\theta}\left(\frac{h}{r^2}\,\frac{dr}{d\theta}\right)\dot{\theta} = \frac{h^2}{r^2}\,\frac{d}{d\theta}\left(\frac{1}{r^2}\,\frac{dr}{d\theta}\right)$$

問題 13.1 例題 13 の (3) は基本的には調和振動子の運動方程式で，その解は特殊解と右辺を 0 とおいたときの解の和として表される．このため A，B を任意定数として，u は与式のように書ける．$\theta = 0$ が近日点と仮定すれば，$\theta = 0$ で r は最小，したがって，u は最大となる．この条件は $\theta = 0$ で

$$\frac{du}{d\theta} = 0, \quad \frac{d^2u}{d\theta^2} < 0$$

と書け，$B = 0$，$A > 0$ が得られる．さらに，$A = e/l$ とおけば，例題 13 の (2) からわかるように，$l > 0$ なので，$e > 0$ となる．上の A，B を u の式に代入し，その逆数をとれば例題 13 の r に対する結果が得られる．

問題 13.2 地球，物体をそれぞれ質点 1，2 と考えれば，物体が地球半径の円軌道を描くとき，図 6.22 の $V(r)$ は最小となる．なぜなら，そうでないと物体は楕円軌道を描き，r は一定とならないからである．$V(r)$ が最小となる r の値は $\mu \simeq m_2$ と考え，(6.19) により

$$V'(r) = \frac{Gm_1m_2}{r^2} - \frac{m_2\,h^2}{r^3} = 0$$

と書け，$Gm_1 = h^2/r$ となる．$h = r^2\,\dot{\theta}$ で $r\,\dot{\theta}$ は物体の速さ v に等しいので，$Gm_1 = v^2\,r$ が得られる．r を地球半径 a にとると $Gm_1/a^2 = g$ が成り立つので $v^2 = ga$ となる．すなわち，第一宇宙速度 v_1 は $v_1 = \sqrt{ga}$ と表される．$g = 9.81\mathrm{m/s^2}$，$a = 6.37 \times 10^6\,\mathrm{m}$ を代入すると $v_1 = 7.9\,\mathrm{km/s}$ と計算される．

以上の結果は次のように理解される．物体は，物体を投げた方向と地球の中心を含む平面内で半径 a の等速円運動を行う．物体に固定された回転座標系でみると，物体には $m_2\,v^2/a$ の遠心力が働き，これは物体に働く重力 $m_2\,g$ とつり合うので，$v^2/a = g$ となる．

問題 13.3 速さ v で物体を投げ上げるとすれば，地表における物体の力学的エネルギー E は $E = (m_2/2)\,v^2 - Gm_1m_2/a$ と書ける．物体が地球の引力圏を脱出するには $E \geq 0$ が必

6

要である．これから $v^2 \geq 2\,Gm_1/a = 2\,ga$ となる．よって，第二宇宙速度 v_2 は $v_2 = \sqrt{2\,ga}$ と表され，v_1 の $\sqrt{2}$ 倍で $v_2 = 11.2\,\mathrm{km/s}$ と計算される．

問題 14.1　xy 面上で $(f,\, l)$ という点は楕円上にあるので $f^2/a^2 + l^2/b^2 = 1$ となり $f = ae$ を代入すると (2) の左式が導かれる．e の定義式から $a^2\,(1 - e^2) = b^2$ と書け，これを用いると (2) の右式が得られる．

問題 14.2　(3) に (2) を代入すると

$$r^2\left(\frac{1-e^2}{l^2}\cos^2\theta + \frac{\sin^2\theta}{l^2}\right) + \frac{2\,er\cos\theta}{l} - 1 = 0$$

$$\therefore\quad r^2\left(1 - e^2\cos^2\theta\right) + 2\,ler\cos\theta - l^2 = 0$$

と表され，上式を因数分解すると (4) が導かれる．

問題 14.3　楕円の式 $(1 + e\cos\theta)\,r - l = 0$ で $\theta = \pi/2$ とすれば $r = l$ となり，図 6.24 の l に対する定義が再現される．

問題 15.1　遠心力 $\mu a\omega^2$ と万有引力 Gm_1m_2/a^2 を等しいとおき $\omega^2 = Gm_1m_2/\mu a^3$ が得られる．これから $\omega = (Gm_1m_2/\mu)^{1/2}\,a^{-3/2} = 2\pi/T$ となり，例題 15 で導いたのと同じ結果が導かれる．

問題 15.2　$\mu \simeq m_2$ とすれば，前問の結果から与式が得られる．

問題 15.3　$T = 365 \times 24 \times 60 \times 60\,\mathrm{s} = 3.16 \times 10^7\,\mathrm{s}$，$a = 1.5 \times 10^8\,\mathrm{km}$ で m_1 は次のようになる．

$$m_1 = \frac{4\,\pi^2\,a^3}{GT^2} = \frac{4\,\pi^2 \times (1.5 \times 10^{11})^3}{6.67 \times 10^{-11} \times (3.16 \times 10^7)^2}\,\mathrm{kg} = 2.0 \times 10^{30}\,\mathrm{kg}$$

問題 15.4　地球の半径 a は $a = 6.37 \times 10^6\,\mathrm{m}$，第一宇宙速度 $= v_1 = 7.9 \times 10^3\,\mathrm{m/s}$ であるから，人工衛星の ω は $\omega = v_1/a = 1.24 \times 10^{-3}\,\mathrm{s}^{-1}$ と計算される．地球の質量 m_1 は次のようになる．

$$m_1 = \frac{a^3\,\omega^2}{G} = \frac{(6.37 \times 10^6)^3 \times (1.24 \times 10^{-3})^2}{6.67 \times 10^{-11}}\,\mathrm{kg} = 6.0 \times 10^{24}\,\mathrm{kg}$$

問題 16.1　$\dot{r}$ は $\dot{r} = \dfrac{el\sin\theta}{(1 + e\cos\theta)^2}\,\dot{\theta} = \dfrac{el\sin\theta}{(1 + e\cos\theta)^2}\,\dfrac{(1 + e\cos\theta)^2}{l^2}\,h = \dfrac{eh\sin\theta}{l}$ と計算される．

問題 16.2　半径 a の等速円運動を行うとすれば，遠心力 $\mu\,v^2/a$ と万有引力 Gm_1m_2/a^2 が等しいという関係から $\mu\,v^2 = Gm_1m_2/a$ が得られる．したがって，力学的エネルギー E は

$$E = \frac{\mu}{2}\,v^2 - \frac{Gm_1m_2}{a} = -\frac{Gm_1m_2}{2\,a}$$

と表される．円軌道の場合には $e = 0$，$l = a$ であるから，上の結果は例題 16 で求めたものと一致する．

7章の解答

問題 1.1　一様な棒であるから重心 G は棒の中心にある．右図で力のつり合いを考えると

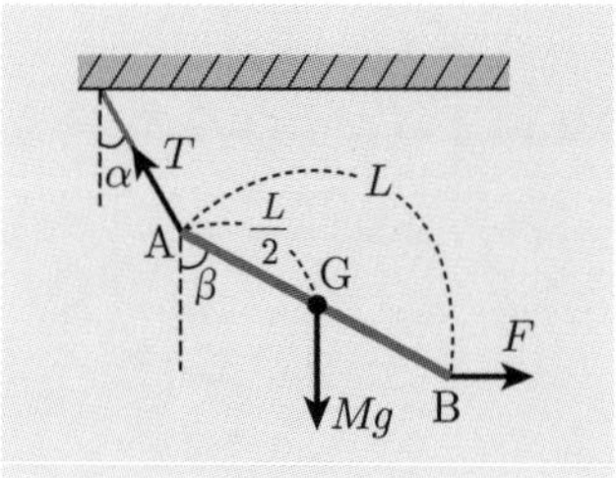

$$F - T\sin\alpha = 0$$

$$Mg - T\cos\alpha = 0$$

となり，これから

$$\tan\alpha = \frac{F}{Mg}$$

が得られる．点 A に関する力のモーメントをとると

$$FL\cos\beta - \frac{L}{2}Mg\sin\beta = 0$$

と書け，$\tan\beta$ は次式のように求まる．

$$\tan\beta = \frac{2F}{Mg}$$

問題 1.2　糸の張力の延長線と棒に働く重力のそれとの交点を O とすれば，点 A に働く抗力は OA に沿う向きをもつ．O から AC に垂線を下ろしその足を O′ とする．図のように角 θ をとれば $\triangle$OO′C は直角三角形で $\angle$ACB は $(\pi/2)-\theta$ である．一方，$\overline{\mathrm{AB}} = \overline{\mathrm{AC}}$ が成り立つので，$\triangle$ABC は二等辺三角形で $\angle\mathrm{ACB} = \angle\mathrm{ABC}$ となる．$\triangle$ABC の内角の和は π となるため，図 7.2 のように $\angle$BAC は 2θ に等しい．以上の点に注意し，A に関する力のモーメントの和を 0 とおけば $2aT\cos\theta - aMg\cos 2\theta = 0$ となる．この式から T は

$$T = \frac{Mg}{2}\,\frac{\cos 2\theta}{\cos\theta}$$

と表される．A から BC に垂線を下ろしその足を A′ とすれば，$\overline{\mathrm{AA'}} = 2a\cos\theta$ である．一方，$\overline{\mathrm{AA'}} = \sqrt{4a^2 - l^2}$ と書けるので，$\cos\theta = \sqrt{4a^2 - l^2}/2a$ となる．また，三角関数の倍角公式 $\cos 2\theta = 2\cos^2\theta - 1$ を適用すると

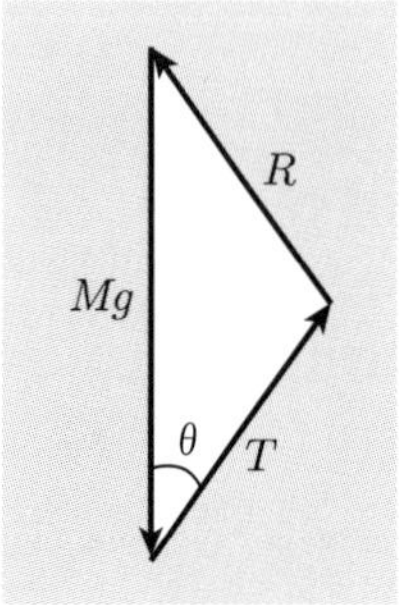

$$\cos 2\theta = (2a^2 - l^2)/2a^2$$

が得られる．こうして

$$T = \frac{Mg\,(2a^2 - l^2)}{2a\sqrt{4a^2 - l^2}}$$

となる．一方，R，Mg，T の 3 力のつり合いは図のように表される．この図からわかるように，三角関数の余弦定理を利用すると R は

$$R = \sqrt{(Mg)^2 + T^2 - 2MgT\cos\theta}$$

と書ける．これまでの結果を上式に代入すると平方根内の量は

$$
\begin{aligned}
&(Mg)^2\left(1+\frac{(2a^2-l^2)^2}{4a^2\,(4a^2-l^2)}-\frac{(2a^2-l^2)}{a\sqrt{4a^2-l^2}}\,\frac{\sqrt{4a^2-l^2}}{2a}\right)\\
&=\frac{(Mg)^2}{4a^2}\left(4a^2+\frac{(2a^2-l^2)^2}{4a^2-l^2}-2\,(2a^2-l^2)\right)\\
&=\frac{(Mg)^2}{4a^2\,(4a^2-l^2)}\Big(4a^2\,(4a^2-l^2)+(2a^2-l^2)^2-2\,(2a^2-l^2)(4a^2-l^2)\Big)
\end{aligned}
$$

に等しい．上の丸括弧内の量は

$$16a^4-4a^2l^2+4a^4-4a^2l^2+l^4-2\,(8a^4-6a^2l^2+l^4)=4a^4+4a^2l^2-l^4$$

と計算される．こうして R は $R=\dfrac{Mg\sqrt{4a^4+4a^2l^2-l^4}}{2a\sqrt{4a^2-l^2}}$ と求まる．

問題 2.1　$\tan 45^\circ=1$，$\sin 30^\circ=1/2$ であるから $2\tan\alpha\sin\beta=1$ となり，$T=Mg$ となる．

問題 2.2　鉛直方向の力のつり合いから

$$N'+T\cos\beta=Mg$$

が得られる．T を代入すると N' は次のように求まる．

$$N'=Mg-\frac{Mg\cos\beta}{2\tan\alpha\sin\beta}=Mg\left(1-\frac{1}{2\tan\alpha\tan\beta}\right)$$

問題 2.3　棒に働く力は中心に働く重力 Mg，おもりの重力 mg，棒と円筒との接点 D における抗力 R である．前の 2 つは鉛直下向きであるから R は鉛直上向きでなければならない．R は右図のように垂直抗力 N と最大摩擦力 F の合力であるが，$F=\mu N$ と表され，図のように R と N とのなす角は摩擦角 α に等しくなる．一方，棒はすべらないとしたので，弧 CD は $\overline{\mathrm{C'D}}$ に等しい．すなわち $\overline{\mathrm{C'D}}=a\alpha$ である．こうして，点 D の周りの力のモーメントをとり

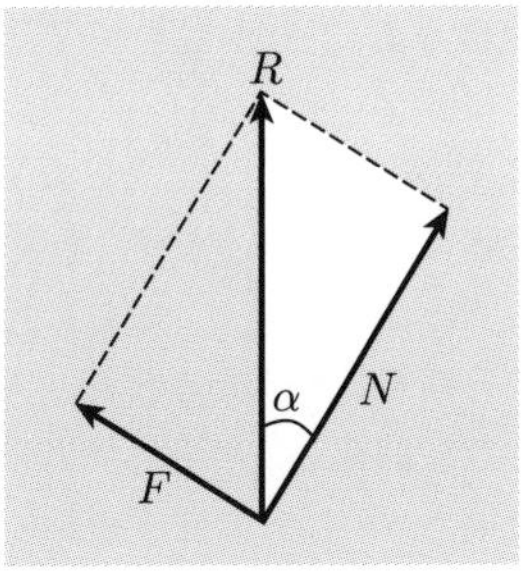

$$mg\,(l-a\alpha)\cos\alpha=Mga\alpha\cos\alpha$$

が得られる．これから $m=\dfrac{a\alpha}{l-a\alpha}M$ となる．また $R=(m+M)\,g$ であり R は次のように求まる．

$$R=\frac{l}{l-a\alpha}\,Mg$$

問題 3.1　$l/8a=x$ とおけば，$\cos\theta=x+\sqrt{x^2+1/2}$ と書ける．与えられた条件は

$$0\le 2a\cos\theta-l\le l$$

と書け，これから

$$4x \leq \cos\theta = x + \sqrt{x^2 + \frac{1}{2}} \qquad \therefore \quad 8x^2 \leq \frac{1}{2}$$

となり，$x \leq 1/4$ すなわち $l \leq 2a$ が得られる．一方，$\cos\theta \leq 8x$，すなわち $\sqrt{x^2 + 1/2} \leq 7x$ が成り立ち，これから

$$x \geq \frac{\sqrt{2}}{8\sqrt{3}} \qquad \therefore \quad l \geq \sqrt{\frac{2}{3}}\,a$$

となる．

問題 3.2　$\cos\theta \leq 1$ という不等式から

$$x^2 + \frac{1}{2} \leq x^2 - 2x + 1 \qquad \therefore \quad x \leq \frac{1}{4}$$

となり，問題 3.1 と同様，$l \leq 2a$ が得られる．

問題 3.3　$l = a$ とおくと

$$\cos\theta = \frac{1}{8} + \sqrt{\frac{1}{2} + \frac{1}{64}} = 0.843\cdots$$

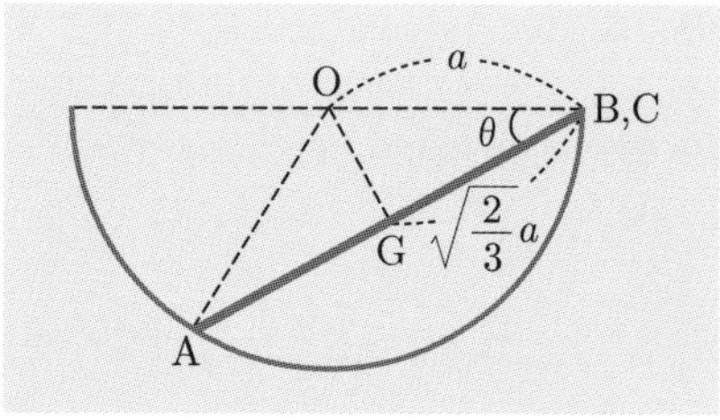

となり，これから θ は 32.5° と計算される．

また，$l = \sqrt{2/3}\,a$ だと $\cos\theta$ は

$$\cos\theta = \frac{1}{8}\sqrt{\frac{2}{3}} + \frac{7}{4\sqrt{6}} = \sqrt{\frac{2}{3}}$$

と計算される．すなわち $\cos\theta = 0.8165\cdots$ で θ は 35.3° となる．この場合には $\overline{\mathrm{GC}} = l$ で B と C は一致し棒の状態は図のように表される．

問題 4.1　(1) から $t = (I/N)(\omega - \omega_0)$ と書け，これを (2) に代入すると次のようになる．

$$\theta - \theta_0 = \frac{I}{2N}(\omega - \omega_0)^2 + \frac{I}{N}\omega_0(\omega - \omega_0) = \frac{I}{2N}(\omega^2 - {\omega_0}^2)$$

問題 4.2　右図のように極座標で $\theta \sim \theta + d\theta$ という微小範囲を考え，これに対応する円輪上の微小部分の質量を dm とする．円輪は図のように正の向きに回転しているとすれば，dm 部分に働く動摩擦力 dF は負の向きをもちその大きさは $\mu' g\,dm$ と書ける．したがって，この力の O の周りのモーメント dN は $dN = -\mu' ga\,dm$ である．円輪全体に働く力のモーメント N は上式を θ に関して 0 から 2π まで積分すれば求まる．その結果は dm を積分することとなり，円輪の質量を m とすれば $N = -\mu' mga$ と表される．

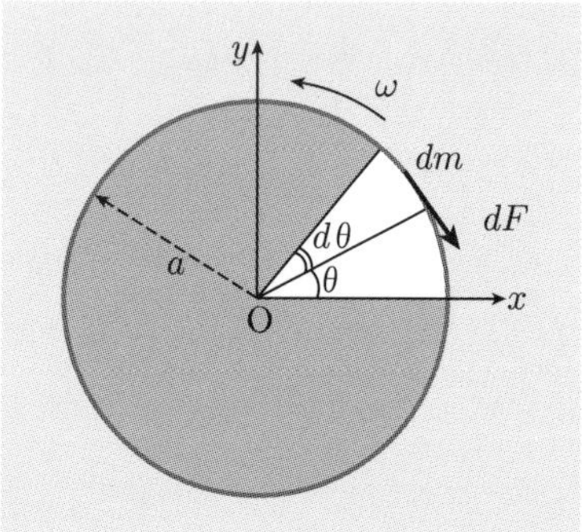

一方，円輪の慣性モーメント I は $I = a^2 \sum m_i = ma^2$ となり，ω に対する運動方程式は次のように書ける．

$$\dot{\omega} = -\mu' g/a$$

これから $\omega = \omega_0 - \mu' gt/a$ となり，$\omega_0 = 2\pi n$ を使い，$\omega = 0$ とおいてタイヤが静止するまでの時間 t は

$$t = \frac{2\pi an}{\mu' g}$$

となる．タイヤが止まるまでの回転角は問題 4.1 で $\theta_0 = \omega = 0$ とおき $\theta = -(I/2N)\,{\omega_0}^2$ と書け，回転角 θ は $\theta = 2\pi^2\,an^2/\mu' g$ と計算される．よって回転数はこれを 2π で割り，次のように表される．

$$\text{回転数} = \frac{\pi an^2}{\mu' g}$$

問題 4.3 $t = \dfrac{2\pi \times 0.4 \times 3}{0.5 \times 9.81}\,\text{s} = 1.54\,\text{s}$，回転数 $= \dfrac{\pi \times 0.4 \times 3^2}{0.5 \times 9.81} = 2.3$ 回

問題 5.1 α，T，T' は以下のように求まる．

$$\alpha = \frac{2\,(m - m')}{2m + 2m' + M}\,\frac{g}{a^2}, \quad T = \frac{4m' + M}{2m + 2m' + M}\,mg, \quad T' = \frac{4m + M}{2m + 2m' + M}\,m'g$$

問題 5.2 T，T' に $M = m = 2m'$ を代入すると $T = (6/8)\,2m'g = (3/2)\,m'g$ と計算され，また $T' = (10/8)\,m'g = (5/4)\,m'g$ となる．したがって，T は 3/2 倍 = 1.5 倍，T' は 5/4 倍 = 1.25 倍 となる．

問題 6.1 図 7.11 (b) の点 O を座標原点にとれば I は

$$I = \sigma \int_0^l x^2\,dx = \frac{\sigma l^3}{3} = \frac{Ml^2}{3}$$

と計算され，例題 6(b) の結果と一致する．

問題 6.2 (a) 長方形を y 軸に平行な細い棒に分けて考えると，図 7.12 で斜線を引いた部分の質量を dm とすれば，この棒の x 軸の周りの慣性モーメントは $b^2\,dm/12$ と表される．したがって，I_x は次のように計算される（M は長方形の質量）．

$$I_x = \frac{b^2}{12}\int dm = \frac{Mb^2}{12}$$

同様に，I_y は次のようになる．

$$I_y = \frac{a^2}{12}\int dm = \frac{Ma^2}{12}$$

(b) I_z は以下のように計算される．

$$I_z = \int \rho\,(x^2 + y^2)\,dV = I_x + I_y = \frac{M}{12}\,(a^2 + b^2)$$

(c) 平行軸の定理を利用し

$$I_{\mathrm{AB}} = \frac{Ma^2}{12} + \frac{Ma^2}{4} = \frac{Ma^2}{3}$$

が得られる．あるいは例題 6 (b) の結果を使えば，(a) と同じ方法で上の結果が導かれる．

問題 7.1 点 O を座標原点とする x, y, z 軸をとり，x 軸に関する慣性モーメントを I_x とおき，同様に，I_y, I_z を定義する．球の密度を ρ とすれば，これらは

$$I_x = \rho\int(y^2+z^2)\,dV, \quad I_y = \rho\int(z^2+x^2)\,dV, \quad I_z = \rho\int(x^2+y^2)\,dV$$

と書ける．O の周りの球対称性により $I_x = I_y = I_z = I$ で，上の 3 つの式を加えると

$$3I = 2\rho\int r^2\,dV$$

が得られる（$r^2 = x^2+y^2+z^2$）．O を中心とする極座標を用いると，$dV = 4\pi r^2\,dr$ と表され，上式は

$$3I = 8\pi\rho\int_0^a r^4\,dr = \frac{8\pi\rho\,a^5}{5}$$

となる．$M = (4\pi/3)\,\rho a^3$ の関係を使うと，I は次のようになる．

$$I = \frac{2}{5}\,Ma^2$$

問題 7.2 摩擦力のモーメントを求めるため，円板を図 7.13 のような円輪に分ける．この円輪に対する力のモーメント dN は円輪の質量を dm とすれば $dN = -\mu' rgdm$ と書ける．円板の面密度 σ により $dm = 2\pi\sigma\,rdr$ と表され全体の力のモーメント N は

$$N = -2\pi\mu'\,g\sigma\int_0^a r^2\,dr = -\frac{2\pi\mu'\,g\sigma\,a^3}{3} = -\frac{2\mu'\,gaM}{3}$$

と計算される．$I = Ma^2/2$ を使うと次のようになる．

$$\frac{I}{N} = -\frac{3a}{4\mu' g}$$

円板が静止するまでの時間，その間の回転数は I/N に比例する．上の値は円輪の 3/4 倍なので，問題 4.2 の結果を 3/4 倍し，静止するまでの時間 t，その間の回転数は次のように求まる．

$$t = \frac{3\pi an}{2\mu'\,g}, \quad 回転数 = \frac{3\pi\,an^2}{4\mu'\,g}$$

問題 4.2 と同様な計算をしても同じ結果が導かれる．

問題 8.1 重力の位置エネルギー U は $U = 60\times 9.81\times 0.9\,\mathrm{J} = 530\,\mathrm{J}$，運動エネルギー K は $K = (1/2)\times 60\times 6^2\,\mathrm{J} = 1080\,\mathrm{J}$ となり，力学的エネルギー E は両者の和をとり $E = 1610\,\mathrm{J}$ である．

問題 8.2 (a) 慣性モーメントは次のように計算される．

$$I = \frac{1}{2}\times 0.01\times 0.06^2\,\mathrm{kg\cdot m^2} = 1.8\times 10^{-5}\,\mathrm{kg\cdot m^2}$$

(b) ω は $\omega = 2\pi\,\mathrm{s}^{-1}$ と書けるので，運動エネルギー K は次のようになる．

$$K = \frac{1}{2}\times 1.8\times 10^{-5}\times(2\pi)^2\,\mathrm{J} = 3.55\times 10^{-4}\,\mathrm{J}$$

問題 8.3 棒の質量を M とすれば，例題 6 (a) により I は $I = Ml^2/12$ と書け，前者の運動

エネルギーは $K_l = (1/2)\, I\omega^2 = Ml^2\omega^2/24$ と表される．後者の場合には，$I = Ma^2/2$ であり，この場合の運動エネルギーは $K_a = Ma^2\omega^2/4$ となる．したがって，前者は後者の $l^2/6a^2$ 倍である．

問題 9.1　図 7.17 で重心に対する運動方程式は

$$M\ddot{x}_G = Mg + R_x, \quad M\ddot{y}_G = R_y$$

と表される．G に関する力のモーメント N' を求める際，重力は考慮しなくてもよい．G を原点とする並進座標系 x', y' を導入すると N' の z 成分は $N_z{}' = x'Y - y'X$ と書ける．ここで X，Y は O に働く力の x，y 成分を表す．点 O の x'，y' 座標がそれぞれ $x' = -d\cos\theta$，$y' = -d\sin\theta$ であることに注意すれば

$$N_z{}' = -d\cos\theta\cdot R_y + d\sin\theta\cdot R_x$$

が得られる．あるいは，R_x，R_y を消去すると $N_z{}' = Md\big[(\ddot{x}_G - Mg)\sin\theta - \ddot{y}_G\cos\theta\big]$ となる．図 7.17 からわかるように $x_G = d\cos\theta$，$y_G = d\sin\theta$ が成り立つから

$$\dot{x}_G = -d\sin\theta\cdot\dot{\theta}, \quad \ddot{x}_G = -d\cos\theta\cdot\dot{\theta}^2 - d\sin\theta\cdot\ddot{\theta}$$
$$\dot{y}_G = d\cos\theta\cdot\dot{\theta}, \quad \ddot{y}_G = -d\sin\theta\cdot\dot{\theta}^2 + d\cos\theta\cdot\ddot{\theta}$$

と計算され，$N_z{}'$ は

$$N_z{}' = -Mgd\sin\theta - Md^2\ddot{\theta}$$

と表される．重心 G の周りの運動方程式 (7.17) から

$$I_G\ddot{\theta} = -Md^2\ddot{\theta} - Mgd\sin\theta$$

が得られる．一方，点 O を通る水平軸の周りの運動方程式は

$$I\ddot{\theta} = -Mgd\sin\theta$$

と書けるので，両者を比べ $I = I_G + Md^2$ という平行軸の定理が導かれる．

問題 9.2　R_x は重心に対する運動方程式から

$$R_x = M\ddot{x}_G - Mg = -Md\,(\cos\theta\cdot\dot{\theta}^2 + \sin\theta\cdot\ddot{\theta}) - Mg$$

と表される．微小振動を考えているので θ は微小量で $\cos\theta \simeq 1$，$\sin\theta \simeq \theta$ と近似できる．θ の式から

$$\theta = A\sin(\omega t + \alpha), \quad \dot{\theta} = A\omega\cos(\omega t + \alpha), \quad \ddot{\theta} = -A\omega^2\sin(\omega t + \alpha)$$

となり，R_x は

$$\begin{aligned} R_x &= -Mg - M\omega^2A^2d\big[\cos^2(\omega t + \alpha) - \sin^2(\omega t + \alpha)\big] + O(A^4) \\ &= -Mg - M\omega^2A^2d\cos\big[2(\omega t + \alpha)\big] + O(A^4) \end{aligned}$$

が得られる．ただし，$O(A^4)$ の記号は A^4 の程度の微小量を表す．同様に次式が導かれる．

$$R_y = M\ddot{y}_G = Md\left(-\sin\theta\cdot\dot{\theta}^2 + \cos\theta\cdot\ddot{\theta}\right) = Md\ddot{\theta} + O(A^3)$$
$$= -M\omega^2 Ad\sin(\omega t + \alpha) + O(A^3)$$

問題 9.3 線密度を σ とすれば I は

$$I = \sigma\int_0^x x^2\,dx + \sigma\int_0^{l-x} x^2\,dx = \frac{\sigma}{3}\left[x^3 + (l-x)^3\right]$$
$$= \frac{Ml^2}{3}\left[\left(1-\frac{x}{l}\right)^3 + \left(\frac{x}{l}\right)^3\right]$$

と計算される．一方，$d = (l/2) - x$ と書けるので，T は次式のように表される．

$$T = 2\pi\sqrt{\frac{2l^2\left[(1-x/l)^3 + (x/l)^3\right]}{3g\,(l-2x)}}$$

$l = 1\,\text{m}$，$x = 0$ のときには，T は次のようになる．

$$T = 2\,\pi\sqrt{\frac{2}{3\times 9.81}}\ \text{s} = 1.64\,\text{s}$$

問題 10.1 $t = 0$ における $\dot{x}_G$，$\dot{\theta}$ の初期値を v_0，ω_0 とすると，運動方程式を積分し

$$\dot{x}_G = v_0 - \mu' gt, \quad \dot{\theta} = \omega_0 + \frac{a\mu' Mg}{I_G}t$$

となる．$u = \dot{x}_G - a\dot{\theta}$ の初期値 u_0 は $u_0 = v_0 - a\omega_0$ と書け，上式から

$$u = u_0 - \mu' g\left(1 + \frac{Ma^2}{I_G}\right)t$$

と表される．したがって，$u = 0$ とおき t_1 は次のように書ける

$$t_1 = \frac{u_0}{\mu' g}\,\frac{I_G}{I_G + Ma^2}$$

ここで，$u_0/\mu' g$ を単位として t_1 を表すことにすれば，円筒，ピンポン玉，球の I_G はそれぞれ $Ma^2/2$，$2Ma^2/3$，$2Ma^2/5$ で与えられる（ピンポン玉の慣性モーメントは問題 7.1 と同様な方法で求められる）．よって，$t_{円} = 1/3$，$t_{ピ} = 2/5$，$t_{球} = 2/7$ と計算される．したがって $t_{ピ} > t_{円} > t_{球}$ という不等式が得られる．

問題 10.2 接触点がすべらないと $\ddot{x}_G = a\ddot{\theta}$ が成り立つ．x_G，θ に対する運動方程式 $M\ddot{x}_G = -F$，$I_G\ddot{\theta} = aF$ から F を消去すると

$$Ma\ddot{x}_G + I_G\ddot{\theta} = 0 \qquad \therefore \quad (Ma^2 + I_G)\,\ddot{x}_G = 0$$

で $\ddot{x}_G = 0$ が得られる．この場合，$\dot{x}_G$ は一定となる．

問題 11.1 加速度の大きさ a を $g\sin\alpha$ の何倍かで表せば，例題 11 の (2) により

$$a_{円} = \frac{2}{3}, \quad a_{ピ} = \frac{3}{5}, \quad a_{球} = \frac{5}{7}$$

と書け，$a_{球} > a_{円} > a_{ピ}$ となる．

7

問題 11.2　円筒がすべらないと接触点で摩擦力は仕事をせず，このため力学的エネルギー保存則が成立する．

問題 11.3　例題 11 により $\tan\alpha > 3\mu$ だと接触点はすべるが，この場合も運動方程式は

$$M\ddot{x}_{\mathrm{G}} = Mg\sin\alpha - F, \quad I_{\mathrm{G}}\ddot{\theta} = aF$$

と表される．両式から F を消去し $Ma\ddot{x}_{\mathrm{G}} + I_{\mathrm{G}}\ddot{\theta} = Mga\sin\alpha$ が得られる．一方，摩擦力 F は $F = \mu' N = \mu' Mg\cos\alpha$ と書けるので，$I_{\mathrm{G}}\ddot{\theta} = \mu' Mga\cos\alpha$ となり，$\ddot{x}_{\mathrm{G}}$ は

$$\ddot{x}_{\mathrm{G}} = g\left(\sin\alpha - \mu'\cos\alpha\right)$$

と計算される．$\tan\alpha > 3\mu > 3\mu' > \mu'$ が成り立つので，$\ddot{x}_{\mathrm{G}} > 0$ となり，重心は一定の加速度で落ちていく．初期条件を使うと，この式を時間で積分し

$$\dot{x}_{\mathrm{G}} = g\left(\sin\alpha - \mu'\cos\alpha\right)t$$

となる．同様に $I_{\mathrm{G}} = Ma^2/2$ を使い

$$\ddot{\theta} = 2\mu' g\frac{\cos\alpha}{a} \qquad \therefore \quad \dot{\theta} = 2\mu' gt\frac{\cos\alpha}{a}$$

が得られる．これらの結果から，接触点がすべる速度 u は

$$u = \dot{x}_{\mathrm{G}} - a\dot{\theta} = g\left(\sin\alpha - 3\mu'\cos\alpha\right)t$$

と計算される．上と同様な議論で（ ）内の量は正となり，u は時間に比例して大きくなることがわかる．

問題 12.1　おもりの初速度は $v_0 = a\,\omega_0$ である．おもりが h だけ上がり速度が 0 になるとすれば，h はおもりが上がる高さの最大値を与える．力学的エネルギー保存則により

$$\frac{1}{2}\,m{v_0}^2 + \frac{1}{2}\,I_{\mathrm{G}}\,{\omega_0}^2 = mgh$$

となる．$I_{\mathrm{G}} = Ma^2/2$ を使い，h は次のように計算される．

$$h = \frac{I_{\mathrm{G}}\,{\omega_0}^2 + ma^2\,{\omega_0}^2}{2mg} = \frac{(M+2m)\,a^2\,{\omega_0}^2}{4mg}$$

問題 12.2　(a)　糸の張力は $Mg/2$ となる．

(b)　右図のように O を原点とする鉛直下向きの x 軸，棒の回転を記述する角 θ をとると，棒の運動方程式は

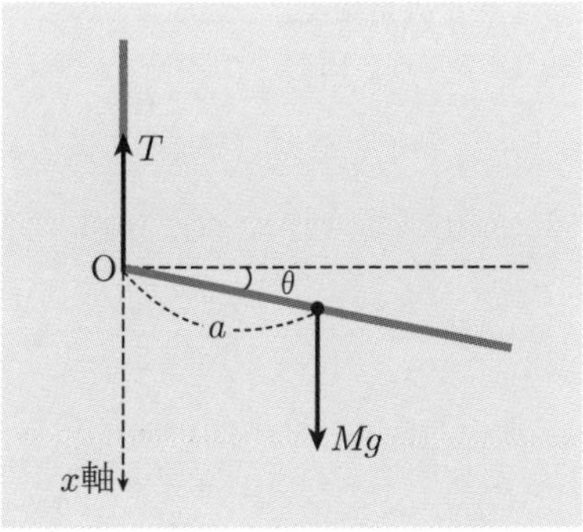

$$M\ddot{x}_{\mathrm{G}} = Mg - T, \quad I\ddot{\theta} = aMg$$

と書ける．一方の糸を切断した直後では $x_{\mathrm{G}} = a\,\theta$ が成り立つ．また，I は棒の端に関する慣性モーメントであるから

$$I = \frac{M(2a)^2}{3}$$

7

と表される．θ に対する運動方程式から $\ddot{\theta}=3g/4a$ となり，$\ddot{x}_{\mathrm{G}}=3g/4$ という結果が求まる．したがって，T は $Mg/4$ と計算される．すなわち，一方の糸を切ると他方の糸の張力は半分になる．

問題 13.1　第 2 章の問題 8.2 で学んだように，質点に対する接線方向，法線方向の運動方程式は

$$m\dot{v}=F_{\mathrm{t}},\quad m\frac{v^2}{\rho}=F_{\mathrm{n}}$$

と表される．ただし，接線成分をとるときには質点の進行方向，法線成分をとるときには曲率の中心に向かう向きを正の向きと決める．図 7.22 で O′ の v は $v=(a+b)\dot{\theta}$ と書け，また $\rho=a+b$ である．また

$$F_{\mathrm{t}}=Mg\sin\theta-F,\quad F_{\mathrm{n}}=Mg\cos\theta-N$$

と表され，これらの点に注意すると (1)，(2) が導かれる．

問題 13.2　微小時間の間を考えると，小球の中心 O′ は OO′ と垂直な向きに直線運動をするとしてよい．このような座標系でみると接触点は $a\omega$ の速さで負の向きに運動し，静止系でみたとき接触点の速度は $(a+b)\dot{\theta}-a\omega$ と書ける．これを 0 とおいたのが (4) の関係である．

問題 13.3　円筒，ピンポン玉の I_{G} はそれぞれ $Ma^2/2$，$2Ma^2/3$ と書ける．これを例題 13 の (5) の右式に代入すると A はそれぞれ 3/2，5/3 と表される．したがって，(6) により $\cos\theta$ はそれぞれ 4/7，6/11 となり θ は円筒では 55.15°，ピンポン玉では 56.94° と計算される．

問題 14.1　撃力が働くと速度は不連続的に変わり，運動エネルギーも不連続的な変化を示す．このため，力学的エネルギー保存則は成立しない．

問題 14.2　ある点の周りの剛体の角運動量は，その点に関する重心の角運動量と重心の周りの角運動量の和となる．衝突直前の場合，z 成分を考えると，重心の点 A に関する角運動量は $mv_0(a-h)$，重心の周りのは $I_{\mathrm{G}}\,\omega_0$ となり両者の和をとり (1) の左辺が得られる．衝突直後は z 軸が固定軸として振る舞うので (7.5) を適用し (1) の右辺が導かれる．

問題 14.3　球，円板，ピンポン玉の I はそれぞれ

$$I=\frac{7}{5}Ma^2\ (\text{球}),\quad I=\frac{3}{2}Ma^2\ (\text{円板}),\quad I=\frac{5}{3}Ma^2\ (\text{ピンポン玉})$$

で与えられる．これらを (4)，(6) に代入すると v_0 の範囲は以下のように計算される．

球：$$\frac{a\sqrt{70gh}}{7a-5h}<v_0<\frac{7a\sqrt{g(a-h)}}{7a-5h}$$

円板：$$\frac{2a\sqrt{3gh}}{3a-2h}<v_0<\frac{3a\sqrt{g(a-h)}}{3a-2h}$$

ピンポン玉：$$\frac{a\sqrt{30gh}}{5a-3h}<v_0<\frac{5a\sqrt{g(a-h)}}{5a-3h}$$

7

8章の解答

問題 1.1 球の中心を原点とし，鉛直上向きに z 軸，水平面内に xy 面をとる．質点に対する束縛条件は

$$f(x,\,y,\,z) = x^2 + y^2 + z^2 - a^2 = 0$$

と表される．また，質点には重力が働くので，

$$X = 0, \quad Y = 0, \quad Z = -mg$$

となり，(8.4) から

$$2\lambda x = 0, \quad 2\lambda y = 0, \quad -mg + 2\lambda z = 0$$

が得られる．3番目の式から $\lambda \neq 0$ が導かれるので，平衡点は左の2式より $x = 0$，$y = 0$ であることがわかる．球の最上点 $(0, 0, a)$ では，質点が平衡の位置からちょっとずれると，ますますそのずれが大きくなる．このような点は不安定な平衡点である．これに対し，球の最下点 $(0, 0, -a)$ では，質点がずれても元の位置に戻ろうとする．このような点は安定な平衡点である．

問題 1.2 (a) $f(x,\,y,\,z) = 0$ は空間中の1つの曲面を記述する．同様に $g(x,\,y,\,z) = 0$ も1つの曲面を表し，両者の条件を同時に満たすのは両者の交線で，空間中の1つの曲線である．もちろん，$f = 0$ と $g = 0$ が同じ曲面を表す場合は除外する．

(b) 仮想仕事の原理から

$$X\delta x + Y\delta y + Z\delta z = 0$$

が成り立つ．また，束縛条件から

$$\frac{\partial f}{\partial x}\,\delta x + \frac{\partial f}{\partial y}\,\delta y + \frac{\partial f}{\partial z}\,\delta z = 0, \quad \frac{\partial g}{\partial x}\,\delta x + \frac{\partial g}{\partial y}\,\delta y + \frac{\partial g}{\partial z}\,\delta z = 0$$

となる．ラグランジュの未定乗数 λ，μ を導入すると

$$X + \lambda\frac{\partial f}{\partial x} + \mu\frac{\partial g}{\partial x} = 0, \quad Y + \lambda\frac{\partial f}{\partial y} + \mu\frac{\partial g}{\partial y} = 0, \quad Z + \lambda\frac{\partial f}{\partial z} + \mu\frac{\partial g}{\partial z} = 0$$

が得られる．上の3つの式および $f = 0$，$g = 0$ の全体として5つの関係から，平衡点の座標 x, y, z ならびに λ，μ が決まる．λ，μ は問題の解には直接必要はない．

問題 1.3 (a) 1つの質点の自由度は3でそれが n 個あるので束縛条件がなければ，質点系の運動の自由度は $3n$ である．しかし，$3n$ 個の変数に対して r 個の束縛条件が課せられているため，運動の自由度 f は $f = 3n - r$ と書ける．

(b) 記号を簡単にするため，ベクトル記号を用い例えば関数 $f(x,\,y,\,z)$ を $f(\boldsymbol{r})$ と書き，またナブラ記号の代わりに $\partial/\partial \boldsymbol{r}$ の記号を利用する［(3.7) 参照］．n 個の質点から構成される質点系を考え，これには

$$f_k(\boldsymbol{r}_1,\,\boldsymbol{r}_2,\,\cdots,\,\boldsymbol{r}_n) = 0 \quad (k = 1,\,2,\,\cdots,\,r)$$

8

という r 個の束縛条件が課せられているとする．i 番目の質点に $\delta \boldsymbol{r}_i$ の仮想変位を与えたとき，これらの変位は束縛条件を満たすとする．仮想仕事の原理は

$$\sum_{i=1}^{n} \boldsymbol{F}_i \cdot \delta \boldsymbol{r}_i = 0$$

と書けるが，なめらかな束縛だと束縛力は仕事をしないから，上式の $\boldsymbol{F}_i$ は i 番目の質点に働く（束縛力を除く）力であるとしてよい．また，$\delta \boldsymbol{r}_i$ は上の束縛条件を満足するので

$$f_k(\boldsymbol{r}_1 + \delta \boldsymbol{r}_1,\ \boldsymbol{r}_2 + \delta \boldsymbol{r}_2,\ \cdots,\ \boldsymbol{r}_n + \delta \boldsymbol{r}_n) = 0$$

が成り立つ．これをテイラー展開し，高次の項を省略すれば

$$\sum_{i=1}^{n} \frac{\partial f_k}{\partial \boldsymbol{r}_i} \cdot \delta \boldsymbol{r}_i = 0 \quad (k = 1, 2, \cdots, r)$$

と表される．1 個の質点の場合と同じく，ラグランジュの未定乗数法を利用する．いまの場合，r 個の束縛条件があるので，λ_1，λ_2，$\cdots$，λ_r という r 個の未定乗数を導入する．そうして，上式に λ_k を掛け，k に関して和をとり仮想仕事の原理の式に加える．その結果，

$$\sum_i \left(\boldsymbol{F}_i + \sum_k \lambda_k \frac{\partial f_k}{\partial \boldsymbol{r}_i} \right) \cdot \delta \boldsymbol{r}_i = 0$$

が得られる．1 個の質点と同様な論法を用いると，上式の $\delta \boldsymbol{r}_i$ の係数はすべて 0 であると考えてよい．すなわち質点系の平衡の位置を決める方程式として

$$\boldsymbol{F}_i + \sum_k \lambda_k \frac{\partial f_k}{\partial \boldsymbol{r}_i} = 0 \quad (i = 1, 2, \cdots, n)$$

が導かれる．ここで，$\boldsymbol{r}_i$ と λ_k とでは全部で $3n + r$ 個の未知数があるが，これらは上の $3n$ 個の関係（ベクトルの成分をとって考える関係）と束縛条件の r 個の関係とから決められる．

問題 2.1　$U(x)$ を x の関数として図示すると a の正負により下図のように表される．$a > 0$ だと $x = 0$ で $U(x)$ は極小となり，そこが安定な平衡点となる．一方，$U(x)$ を x で微分すると

$$U'(x) = am\omega^2 x + x^3$$

となるが，$a < 0$ の場合には $x = 0$ と $x = \pm\omega\sqrt{-am}$ で $U'(x) = 0$ となる．図からわかるように前者は不安定な平衡点，後者は安定な平衡点となる．また $a = 0$ ではポテンシャルは $x = 0$ で極小なのでそこが安定な平衡点である．

8

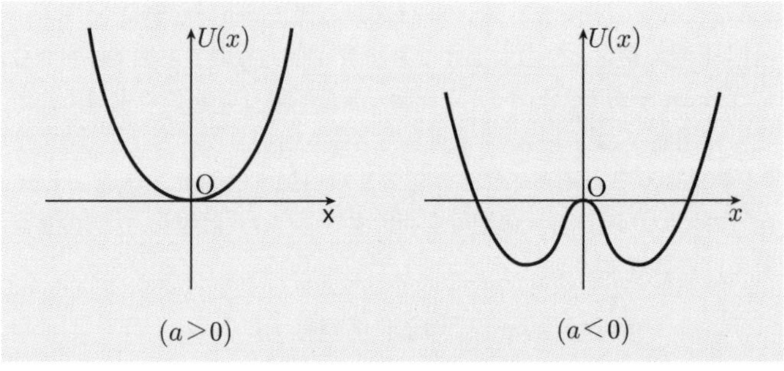

問題 2.2 O を通る水平面を基準にとると，棒のもつ重力ポテンシャルは $-Mga\cos\theta$ と書ける．また，O を原点とし水平方向に x 軸をとり，棒の先端の x 座標を x とすれば，δx の仮想変位による仮想仕事は $T\delta x$ と表され，T に伴うポテンシャルは $-Tx = -2\,Ta\sin\theta$ で与えられることがわかる．したがって，全体のポテンシャルは

$$U(\theta) = -Mga\cos\theta - 2\,Ta\sin\theta$$

となる．ここで

$$U'(\theta) = Mga\sin\theta - 2\,Ta\cos\theta$$

と表されるので，平衡位置は $U'(\theta) = 0$ の条件から

$$\tan\theta = \frac{2\,T}{Mg}$$

と決まる．さらに θ で微分すると

$$U''(\theta) = Mga\cos\theta + 2\,Ta\sin\theta$$

と計算され，$\theta > 0$ であるから平衡点で $U''(\theta) > 0$ であり，そこで $U(\theta)$ は極小となる．このため，平衡点は安定である．

問題 3.1 図 2.9 で示した単振り子を考えると，1 個の質点に対する二次元の運動であるから $\boldsymbol{r} = (x, y)$ と書け，また束縛条件は 1 つで

$$f(\boldsymbol{r}) = x^2 + y^2 - l^2 = 0$$

で与えられる．したがって，例題 3 の (1) は

$$m\ddot{\boldsymbol{r}} = \boldsymbol{F} + \lambda\frac{\partial f}{\partial \boldsymbol{r}}$$

という方程式で表される．$\boldsymbol{F}$ は束縛力を除く力であるから，質点に働く重力 $(mg, 0)$ に等しく，また $\partial f/\partial \boldsymbol{r} = (2x,\ 2y)$ が成り立つ．よって，上の運動方程式の x，y 成分は

$$m\ddot{x} = mg + 2\lambda x, \quad m\ddot{y} = 2\lambda y$$

となる．$x = l\cos\varphi$，$y = l\sin\varphi$ の関係に注意し，上式を第 2 章の例題 7 の (1) と比較すれば $T = -2\lambda l$ の関係が求まる．

問題 3.2 微小時間 dt の間に i 番目の質点が $d\boldsymbol{r}_i$ の変位を行ったとすれば束縛力 $\boldsymbol{R}_i$ がする全体の仕事は，例題 3 の (2) を利用し

$$\sum_i \boldsymbol{R}_i \cdot d\boldsymbol{r}_i = \sum_{ik} \lambda_k \frac{\partial f_k}{\partial \boldsymbol{r}_i} \cdot d\boldsymbol{r}_i$$

と書ける．束縛条件が時間を含まないと

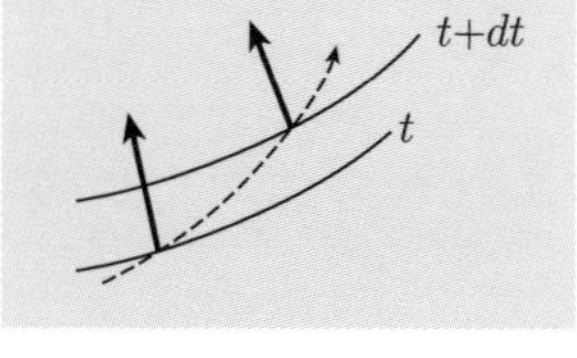

$$f_k\left(\boldsymbol{r}_1 + d\boldsymbol{r}_1,\ \boldsymbol{r}_2 + d\boldsymbol{r}_2,\ \cdots,\ \boldsymbol{r}_n + d\boldsymbol{r}_n\right) = 0$$

が成り立ち

$$\sum \frac{\partial f_k}{\partial \boldsymbol{r}_i} \cdot d\boldsymbol{r}_i = 0$$

となり，$\sum \boldsymbol{R}_i \cdot d\boldsymbol{r}_i = 0$ が得られる．もし f_k が t に依存すると $\partial f_k/\partial t$ という項が現れ，いまの結論が成立しない．束縛条件が時間に依存すると，なめらかな束縛でも束

8

縛力が仕事をすることは次のような考察からわかる．1 個の質点を考えると時刻 t, $t+dt$ における状態は図のようになる．点線は質点の軌道を表すが，この場合には束縛力が質点の変位とは垂直ではなくなり，このため束縛力が一般には仕事をする．

問題 4.1　例題 4 の (2) を時間で微分すると

$$\frac{d\,\overline{\boldsymbol{r}}_i}{dt} = \frac{d\boldsymbol{r}_i}{dt} + \frac{d\delta\boldsymbol{r}_i}{dt}$$

となる．$\overline{\boldsymbol{v}}_i = d\,\overline{\boldsymbol{r}}_i/dt$ であるから，上式と (4) を比べると $d\delta\boldsymbol{r}_i/dt = \delta\boldsymbol{v}_i$ が得られる．これに $\boldsymbol{v}_i = d\boldsymbol{r}_i/dt$ の関係を代入すれば (5) が導かれる．

問題 4.2　(5) の関係により $\delta\boldsymbol{v}_i = d\,(\delta\boldsymbol{r}_i)/dt$ と書けるので，部分積分を利用し (7) は

$$\begin{aligned}\delta I &= \int_{t_\mathrm{A}}^{t_\mathrm{B}} \sum_i m_i\boldsymbol{v}_i\cdot\frac{d\,(\delta\boldsymbol{r}_i)}{dt}\,dt \\ &= \sum_i m_i\boldsymbol{v}_i\cdot\delta\boldsymbol{r}_i\Big|_{t_\mathrm{A}}^{t_\mathrm{B}} - \int_{t_\mathrm{A}}^{t_\mathrm{B}} \sum_i m_i\,\dot{\boldsymbol{v}}_i\cdot\delta\boldsymbol{r}_i\,dt\end{aligned}$$

と表される．(3) の条件により上式右辺の第 1 項は 0 となる．また，第 2 項で $\dot{\boldsymbol{v}}_i = \ddot{\boldsymbol{r}}_i$ を利用すると (11) が導かれる．これに運動方程式を代入すると (8) となる．

問題 5.1　仮想変位をとるとき，時間は固定してよいと考えるので

$$\begin{aligned}\delta\int_{t_\mathrm{A}}^{t_\mathrm{B}} U dt &= \int_{t_\mathrm{A}}^{t_\mathrm{B}} U(\boldsymbol{r}_i+\delta\boldsymbol{r}_i,\,t)\,dt - \int_{t_\mathrm{A}}^{t_\mathrm{B}} U(\boldsymbol{r}_i,\,t)\,dt \\ &= \int_{t_\mathrm{A}}^{t_\mathrm{B}} \sum_i \frac{\partial U}{\partial\boldsymbol{r}_i}\cdot\delta\boldsymbol{r}_i\,dt\end{aligned}$$

となって (1) が得られる．

問題 5.2　質点に力が働かないとポテンシャルは 0 と考えてよいから，この場合のラグランジアンは運動エネルギーに等しく，作用 S は

$$S = \int_{t_\mathrm{A}}^{t_\mathrm{B}} \frac{m}{2}\,\dot{\boldsymbol{r}}^2\,dt$$

と書ける．力が働かないと運動の第一法則により質点は等速直線運動を行い，その速度を $\boldsymbol{v}_0$ とすれば，質点の実際の軌道 C は

$$\boldsymbol{r} = \boldsymbol{r}_0 + \boldsymbol{v}_0\,t$$

で記述される．ただし，$\boldsymbol{r}_0$ は時間に依存しないベクトルである．$\dot{\boldsymbol{r}} = \boldsymbol{v}_0$ であるから，C に対する作用の値 S_0 は

$$S_0 = \int_{t_\mathrm{A}}^{t_\mathrm{B}} \frac{m}{2}\,{\boldsymbol{v}_0}^2\,dt$$

で与えられる．ここで，C と異なる仮想的な軌道 $\overline{\mathrm{C}}$ を考え，それは

$$\overline{\boldsymbol{r}} = \boldsymbol{r}_0 + \boldsymbol{v}_0\,t + \delta\boldsymbol{r}\,(t)$$

で記述されるとする．ただし

$$\delta\boldsymbol{r}\,(t_\mathrm{A}) = \delta\boldsymbol{r}\,(t_\mathrm{B}) = 0$$

の条件が課せられているとする．上の $\overline{\boldsymbol{r}}$ に対する作用 $\overline{S}$ は

$$\overline{S}=\int_{t_{\rm A}}^{t_{\rm B}}\frac{m}{2}\left(\frac{d\,\overline{\boldsymbol{r}}}{dt}\right)^2dt=\int_{t_{\rm A}}^{t_{\rm B}}\frac{m}{2}\left[{\boldsymbol{v}_0}^2+2\,\boldsymbol{v}_0\cdot\left(\frac{d\,(\delta\boldsymbol{r})}{dt}\right)+\left(\frac{d\,(\delta\boldsymbol{r})}{dt}\right)^2\right]dt$$

と表される．右式［　］内の第1項は S_0 を与え，第2項は $\delta\boldsymbol{r}$ に対する条件のため0となり，第3項は負にならない．このようにして $\overline{S}\geq S_0$ となり，実際の軌道に対して作用が最小になっていることがわかる．

問題 6.1　(2) の微小変化に伴うラグランジアンの変化分を求めるため

$$\begin{aligned}&L\,(q_1+\delta q_1,\,\cdots,\,q_f+\delta q_f,\,\dot{q}_1+\delta\dot{q}_1,\,\cdots,\,\dot{q}_f+\delta\dot{q}_f,\,t)\\&=L\,(q_1,\,\cdots,\,q_f,\,\dot{q}_1,\,\cdots,\,\dot{q}_f,\,t)+\sum_j\left(\frac{\partial L}{\partial q_j}\,\delta q_j+\frac{\partial L}{\partial\dot{q}_j}\,\delta\dot{q}_j\right)\end{aligned}$$

と展開する．ただし，δq_j, $\delta\dot{q}_j$ の一次までを考慮し高次の項は省略する．上の結果を (1) に代入すれば (4) が導かれる．

問題 7.1　地表を重力ポテンシャルの基準にとると，このポテンシャルは $U=mgz$ と書ける．したがって，ラグランジアンは

$$L=\frac{m}{2}\,(\dot{x}^2+\dot{y}^2+\dot{z}^2)-mgz$$

と表される．L は y, z を含まないから $\partial L/\partial y=0$, $\partial L/\partial z=0$ である．一方，運動量の x, y 成分は $p_x=m\dot{x}=\partial L/\partial\dot{x}$, $p_y=m\dot{y}=\partial L/\partial\dot{y}$ で与えられるので，ラグランジュの運動方程式により $dp_x/dt=0$, $dp_y/dt=0$ が得られる．こうして p_x, p_y が運動の定数であることがわかる．

問題 7.2　質点1，2の位置ベクトル $\boldsymbol{r}_1$, $\boldsymbol{r}_2$ を $\boldsymbol{r}_{\rm G}$, $\boldsymbol{r}$ で表すと

$$\boldsymbol{r}_1=\boldsymbol{r}_{\rm G}-\frac{m_2}{m_1+m_2}\,\boldsymbol{r},\quad \boldsymbol{r}_2=\boldsymbol{r}_{\rm G}+\frac{m_1}{m_1+m_2}\,\boldsymbol{r}$$

となる．したがって，質点系の全運動エネルギー K は

$$\begin{aligned}K&=\frac{m_1}{2}\,{\dot{\boldsymbol{r}}_1}^2+\frac{m_2}{2}\,{\dot{\boldsymbol{r}}_2}^2\\&=\frac{m_1}{2}\left(\dot{\boldsymbol{r}}_{\rm G}-\frac{m_2}{m_1+m_2}\,\dot{\boldsymbol{r}}\right)^2+\frac{m_2}{2}\left(\dot{\boldsymbol{r}}_{\rm G}+\frac{m_1}{m_1+m_2}\,\dot{\boldsymbol{r}}\right)^2\\&=\frac{m_1+m_2}{2}\,{\dot{\boldsymbol{r}}_{\rm G}}^2+\frac{m_1m_2}{2\,(m_1+m_2)}\,\dot{\boldsymbol{r}}^2\end{aligned}$$

と計算される．あるいは，質点系の全質量 $M=m_1+m_2$ と換算質量 $\mu=m_1m_2/(m_1+m_2)$ を用いると

$$K=\frac{M}{2}\,{\dot{\boldsymbol{r}}_{\rm G}}^2+\frac{\mu}{2}\,\dot{\boldsymbol{r}}^2$$

と表される．二体問題では質点間のポテンシャルは質点1，2の間の距離 $r=|\boldsymbol{r}|$ だけに依存するので，これを $U(r)$ とすればラグランジアン L は

$$L=\frac{M}{2}\,{\dot{\boldsymbol{r}}_{\rm G}}^2+\frac{\mu}{2}\,\dot{\boldsymbol{r}}^2-U(r)$$

と書ける．上のラグランジアンには重心座標 x_G，y_G，z_G が含まれないから，問題 7.1 と同じ議論により，$M\dot{\boldsymbol{r}}_G$ は一定なベクトルとなり，重心は等速直線運動を行う．また，相対運動は質点の質量が μ で，これにポテンシャル $U(r)$ から導かれる力が働くような一体問題として記述される

問題 8.1 図 8.5 のように φ を選ぶと，おもりの x, y 座標はそれぞれ

$$x = l\,\cos\varphi, \quad y = y_0 + l\,\sin\varphi$$

と書け，これから

$$\dot{x} = -l\,\sin\varphi\cdot\dot{\varphi}, \quad \dot{y} = \dot{y}_0 + l\,\cos\varphi\cdot\dot{\varphi}$$

となる．したがって，運動エネルギー K は

$$K = \frac{m}{2}\,(l^2\dot{\varphi}^2 + 2l\dot{y}_0\dot{\varphi}\,\cos\varphi + \dot{y}_0{}^2)$$

と表され，重力ポテンシャルを例題 8 と同様にとれば，ラグランジアン L は

$$L = \frac{m}{2}\,(l^2\dot{\varphi}^2 + 2l\dot{y}_0\dot{\varphi}\,\cos\varphi + \dot{y}_0{}^2) - mgl\,(1-\cos\varphi)$$

で与えられる．ここで

$$\frac{\partial L}{\partial\dot{\varphi}} = ml^2\dot{\varphi} + ml\dot{y}_0\,\cos\varphi, \quad \frac{d}{dt}\left(\frac{\partial L}{\partial\dot{\varphi}}\right) = ml^2\ddot{\varphi} + ml\ddot{y}_0\,\cos\varphi - ml\dot{y}_0\,\dot{\varphi}\sin\varphi$$

$$\frac{\partial L}{\partial\varphi} = -ml\dot{y}_0\,\dot{\varphi}\sin\varphi - mgl\sin\varphi$$

であるから，ラグランジュの運動方程式から次式が求まる．

$$\ddot{\varphi} + \frac{g}{l}\,\sin\varphi = -\frac{\ddot{y}_0}{l}\,\cos\varphi$$

問題 8.2 $y_0(t) = B\cos\omega_0 t$ とおくと，上式は

$$\ddot{\varphi} = -\frac{g}{l}\,\sin\varphi + \frac{\omega_0{}^2 B}{l}\,\cos\omega t\cos\varphi$$

と書け，第 5 章の例題 3 で導いた結果と一致する．

問題 8.3 板上で小穴を原点とする xy 座標を導入し，図のように長さ r をとると $x = r\cos\theta$, $y = r\sin\theta$ となる．これから $\dot{x} = \dot{r}\cos\theta - r\dot{\theta}\sin\theta$，$\dot{y} = \dot{r}\sin\theta + r\dot{\theta}\cos\theta$ と計算され，質量 m_1 の質点の運動エネルギーは $(m_1/2)(\dot{x}^2+\dot{y}^2) = (m_1/2)(\dot{r}^2 + r^2\dot{\theta}^2)$ と表される．一方，質量 m_2 の質点の運動エネルギーは $(m_2/2)\,\dot{z}^2$ に等しいが $r + z = l =$ 一定 であるから，これは $(m_2/2)\,\dot{r}^2$ となる．板を重力ポテンシャルの基準に選べば，質量の質点 m_2 のポテンシャルは $U = -m_2\,gz = -m_2\,g\,(l-r)$ と書ける．よって，定数を除きラグランジアンは

$$L = \frac{m_1}{2}\,(\dot{r}^2 + r^2\dot{\theta}^2) + \frac{m_2}{2}\,\dot{r}^2 - m_2\,gr$$

で与えられる．L はあらわに θ を含まないので $\partial L/\partial\theta = 0$ となり，また，$\partial L/\partial\dot{\theta} = m_1 r^2\dot{\theta}$ である．このためラグランジュの運動方程式により $(d/dt)(m_1 r^2\dot{\theta}) = 0$ が得られる．一方，変数 r に対する方程式を考えると

8

$$\frac{\partial L}{\partial \dot{r}} = (m_1 + m_2)\dot{r}, \quad \frac{\partial L}{\partial r} = m_1 r \dot{\theta}^2 - m_2 g$$

の関係から次式が導かれる．

$$(m_1 + m_2)\ddot{r} - m_1 r \dot{\theta}^2 + m_2 g = 0$$

問題 9.1 例題 9 のラグランジアンから $\partial L/\partial \dot{\varphi} = (Ma^2 \sin^2 \varphi + I_{\mathrm{G}})\dot{\varphi}$ となる．また，$I_{\mathrm{G}} = Ma^2/3$, $\partial L/\partial \varphi = Ma^2 \dot{\varphi}^2 \sin\varphi \cos\varphi + Mga \sin\varphi$ に注意すると

$$\frac{d}{dt}\left[\left(Ma^2 \sin^2 \varphi + \frac{Ma^2}{3}\right)\dot{\varphi}\right] = Ma^2 \dot{\varphi}^2 \sin\varphi \cos\varphi + Mga \sin\varphi$$

$$\therefore \quad a\frac{d}{dt}\left[\left(\sin^2 \varphi + \frac{1}{3}\right)\dot{\varphi}\right] = a\dot{\varphi}^2 \sin\varphi \cos\varphi + g \sin\varphi$$

となる．$(d/dt)(\dot{\varphi} \sin^2 \varphi) = \ddot{\varphi} \sin^2 \varphi + 2\dot{\varphi}^2 \sin\varphi \cos\varphi$ を使うと例題 9 の結果が導かれる．

問題 9.2 円筒がすべらなければ摩擦力は仕事をせず，したがって解析力学の運動方程式が適用できる．図 7.19 と同様，斜面に沿って下向きに x 軸をとり，$x_{\mathrm{G}} = 0$ を重力の位置エネルギーの基準にとる．円筒の質量を M とすれば，重力の位置エネルギー U は $U = -Mgx_{\mathrm{G}} \sin\alpha$ となる．また，円筒の運動エネルギー K は

$$K = \frac{1}{2} M\dot{x}_{\mathrm{G}}{}^2 + \frac{1}{2} I_{\mathrm{G}} \dot{\theta}^2$$

と書ける．すべらないという条件から $\dot{\theta} = \dot{x}_{\mathrm{G}}/a$ が成立するので（a は円筒の半径），x_{G} を一般座標にとれば，ラグランジアン L は

$$L = \frac{1}{2}\left(M + \frac{I_{\mathrm{G}}}{a^2}\right)\dot{x}_{\mathrm{G}}{}^2 + Mgx_{\mathrm{G}} \sin\alpha$$

と表される．上式からラグランジュの運動方程式は

$$\left(M + \frac{I_{\mathrm{G}}}{a^2}\right)\ddot{x}_{\mathrm{G}} = Mg \sin\alpha$$

と書け，第 7 章の例題 11 の (2) と同じ結果が導かれる．円筒では $\ddot{x}_{\mathrm{G}} = (2/3)\, g \sin\alpha$ となる．

問題 9.3 質点，おもりの速さはそれぞれ $a\dot{\varphi}$, $b\dot{\varphi}$ と書けるので，円板，質点，おもりの全運動エネルギーは $K = (I_{\mathrm{G}}/2)\dot{\varphi}^2 + (M_1/2)\, b^2 \dot{\varphi}^2 + (M_2/2)\, a^2 \dot{\varphi}^2$ と表される．$\varphi = 0$ を重力ポテンシャルの基準にとると，回転角 φ の状態では質点は $b\,(1 - \cos\varphi)$ だけ上がり，おもりは $a\varphi$ だけ下がる．よって，重力ポテンシャルは $U = M_1 gb\,(1 - \cos\varphi) - M_2 ga\varphi$ と表される．こうしてラグランジアンは

$$L = \frac{I_{\mathrm{G}}}{2}\dot{\varphi}^2 + \frac{M_1}{2}\, b^2 \dot{\varphi}^2 + \frac{M_2}{2}\, a^2 \dot{\varphi}^2 - M_1 gb\,(1 - \cos\varphi) + M_2 ga\varphi$$

と書ける．上式からラグランジュの運動方程式は

$$(I_{\mathrm{G}} + M_1 b^2 + M_2 a^2)\ddot{\varphi} = -M_1 gb \sin\varphi + M_2 ga$$

となる．つり合いの位置は右辺を 0 とすれば求まり，このときの φ を φ_0 と表せば

$$\sin\varphi_0 = \frac{M_2 a}{M_1 b}$$

が成り立つ．仮定により，上式の右辺は 1 より小さいから，この式を満たす φ_0 が存在する．つり合いの周りで起こる微小振動を扱うため $\varphi = \varphi_0 + \varphi'$ とおき，$\varphi' \ll \varphi_0$ と仮定する．

$$\sin\varphi = \sin(\varphi_0 + \varphi') = \sin\varphi_0\,\cos\varphi' + \cos\varphi_0\,\sin\varphi'$$

と展開されるが，φ' が十分小さいと $\cos\varphi' \simeq 1$，$\sin\varphi' \simeq \varphi'$ と近似できるので，φ' の程度の項まで考慮すると，運動方程式の右辺は

$$\begin{aligned} -M_1 gb\sin\varphi + M_2 ga &\simeq -M_1 gb(\sin\varphi_0 + \varphi'\cos\varphi_0) + M_2 ga \\ &= -(M_1 gb\cos\varphi_0)\,\varphi' \end{aligned}$$

となる．$\cos\varphi_0 < 0$ だと振動にはならず，この φ_0 は不安定な平衡点を表す．安定な平衡点は $\cos\varphi_0 > 0$ の場合で，運動方程式は

$$(I_{\mathrm{G}} + M_1 b^2 + M_2 a^2)\,\ddot{\varphi}' = -(M_1 gb\cos\varphi_0)\,\varphi'$$

と書けるので，角振動数は $I_{\mathrm{G}} = M_0 a^2/2$ を利用すると

$$\omega^2 = \frac{M_1 gb\cos\varphi_0}{I_{\mathrm{G}} + M_1 b^2 + M_2 a^2} = \frac{g\sqrt{{M_1}^2\, b^2 - {M_2}^2\, a^2}}{(M_0\, a^2/2) + M_1\, b^2 + M_2\, a^2}$$

となり，周期は次のように求まる．

$$T = \frac{2\pi\sqrt{M_0\, a^2 + 2M_1\, b^2 + 2M_2\, a^2}}{\sqrt{2g}\,({M_1}^2\, b^2 - {M_2}^2\, a^2)^{1/4}}$$

問題 10.1　U は $\dot{q}_1$，$\dot{q}_2$，$\cdots$，$\dot{q}_f$ に依存しないと仮定するので例題 10 の (7)，(8) により

$$\frac{\partial L}{\partial \dot{q}_j} = \frac{\partial K}{\partial \dot{q}_j} = \sum_k a_{jk}\,\dot{q}_k$$

が成り立つ．よって，次式が得られる．

$$\sum_j \dot{q}_j\,\frac{\partial L}{\partial \dot{q}_j} = \sum_{jk} a_{jk}\,\dot{q}_j\,\dot{q}_k = 2K$$

8

問題 10.2　(a)　点 A には摩擦力が働くが，棒はすべらないとするので摩擦力は仕事をせず，解析力学が適用できる．A がちょうつがいの場合，棒は自由に動き摩擦は働かないとするため事情は同じとなる．

(b)　点 A の周りの慣性モーメント I により，棒の運動エネルギー K は $K = (I/2)\,\dot{\varphi}^2$ と書ける．I は $Ma^2/3$ に等しい．水平面を基準にとれば棒の重力ポテンシャルは $U = Mga\cos\varphi$ で与えられ，ラグランジアンは

$$L = \frac{Ma^2}{6}\,\dot{\varphi}^2 - Mga\cos\varphi$$

と表される．これから φ の運動方程式として次式が導かれる．

$$\ddot{\varphi} = \frac{3g}{a}\,\sin\varphi$$

(c)　φ は十分小さいとして $\sin\varphi \simeq \varphi$ と近似する．また，簡単のため $\omega^2 = 3g/a$ とおく．

その結果，φ に対する方程式として $\ddot{\varphi}=\omega^2\varphi$ が得られる．$t=0$ で $\dot{\varphi}=0$ としているので，この方程式の解は

$$\varphi=\varphi_0\cosh\omega t$$

と書ける．$\omega=\sqrt{3\times 9.81/0.5}\,\mathrm{s}^{-1}=7.67\,\mathrm{s}^{-1}$ と計算されるので $t=0.1\,\mathrm{s}$ とおき

$$\varphi=5^\circ\cosh 0.767=6.54^\circ$$

となる．したがって，傾く角度は 1.5° である．

問題 11.1　q_j，p_j の微小変化に伴う H の変化分を δH と書けば

$$\delta H=\sum_j\left(\frac{\partial H}{\partial q_j}\,\delta q_j+\frac{\partial H}{\partial p_j}\,\delta p_j\right)$$

と表される．上式と (7) の δp_j，δq_j の係数を比べると

$$\dot{q}_j=\frac{\partial H}{\partial p_j},\quad \dot{p}_j=-\frac{\partial H}{\partial q_j}$$

となり，(8.19) が導かれる．

問題 12.1　$H=H(q,\,p)$ と書けるから，これを時間で微分し，ハミルトンの正準運動方程式を利用すると

$$\frac{dH}{dt}=\sum_j\left(\frac{\partial H}{\partial q_j}\,\dot{q}_j+\frac{\partial H}{\partial p_j}\,\dot{p}_j\right)=\sum_j\left(\frac{\partial H}{\partial q_j}\,\frac{\partial H}{\partial p_j}-\frac{\partial H}{\partial p_j}\,\frac{\partial H}{\partial q_j}\right)=0$$

となり $H=$ 一定 が得られる．これは力学的エネルギー保存則を表す．

問題 12.2　運動量 $\boldsymbol{p}$ は $\boldsymbol{p}=m\dot{\boldsymbol{r}}$ と書け，ハミルトニアンは

$$H=\frac{m}{2}\,\dot{\boldsymbol{r}}^2+U(\boldsymbol{r})=\frac{\boldsymbol{p}^2}{2m}+U(\boldsymbol{r})=\frac{1}{2m}\left({p_x}^2+{p_y}^2+{p_z}^2\right)+U(\boldsymbol{r})$$

と表される．x 方向の正準運動方程式は

$$\dot{x}=\frac{\partial H}{\partial p_x}=\frac{p_x}{m},\quad \dot{p}_x=-\frac{\partial H}{\partial x}=-\frac{\partial U}{\partial x}$$

となり，左式から p_x を解き，右式に代入すると

$$m\ddot{x}=-\frac{\partial U}{\partial x}$$

が得られる．y，z 方向も同様で，まとめると $m\ddot{\boldsymbol{r}}=-\nabla U$ というニュートンの運動方程式が導かれる．

問題 12.3　三次元の極座標に対する式

$$x=r\sin\theta\cos\varphi,\quad y=r\sin\theta\sin\varphi,\quad z=r\cos\theta$$

を時間で微分すると，速度の x，y，z 成分は次のようになる．

$$\dot{x}=\dot{r}\sin\theta\cos\varphi+r\dot{\theta}\cos\theta\cos\varphi-r\dot{\varphi}\sin\theta\sin\varphi$$
$$\dot{y}=\dot{r}\sin\theta\sin\varphi+r\dot{\theta}\cos\theta\sin\varphi+r\dot{\varphi}\sin\theta\cos\varphi$$
$$\dot{z}=\dot{r}\cos\theta-r\dot{\theta}\sin\theta$$

以上の結果を利用すると

$$\dot{x}^2+\dot{y}^2+\dot{z}^2=\dot{r}^2+r^2\dot{\theta}^2+r^2\sin^2\theta\cdot\dot{\varphi}^2$$

が得られる．したがって，ラグランジアン L は次式で与えられる．

$$L=\frac{m}{2}(\dot{r}^2+r^2\dot{\theta}^2+r^2\sin^2\theta\cdot\dot{\varphi}^2)-U(r,\theta,\varphi)$$

上記のラグランジアンから，r,θ,φ に共役な一般運動量 p_r,p_θ,p_φ は

$$p_r=\frac{\partial L}{\partial\dot{r}}=m\dot{r},\quad p_\theta=\frac{\partial L}{\partial\dot{\theta}}=mr^2\dot{\theta},\quad p_\varphi=\frac{\partial L}{\partial\dot{\varphi}}=mr^2\sin^2\theta\cdot\dot{\varphi}$$

と表される．これから

$$\dot{r}=\frac{p_r}{m},\quad \dot{\theta}=\frac{p_\theta}{mr^2},\quad \dot{\varphi}=\frac{p_\varphi}{mr^2\sin^2\theta}$$

となる．したがって，ハミルトニアンは

$$\begin{aligned}H&=p_r\dot{r}+p_\theta\dot{\theta}+p_\varphi\dot{\varphi}-L\\&=\frac{1}{2m}\left({p_r}^2+\frac{{p_\theta}^2}{r^2}+\frac{{p_\varphi}^2}{r^2\sin^2\theta}\right)+U(r,\theta,\varphi)\end{aligned}$$

と計算される．

問題 12.4 (a) x 方向に注目し，静止系，運動系でみた質点の座標をそれぞれ X，x とすれば $X=x+v_xt$ と書け，これから $\dot{X}=\dot{x}+v_x$ が成り立つ．同様な関係が y，z 方向で成り立ち，質点の運動エネルギー K は

$$K=\frac{m}{2}(\dot{X}^2+\dot{Y}^2+\dot{Z}^2)=\frac{m}{2}\Big[(\dot{x}+v_x)^2+(\dot{y}+v_y)^2+(\dot{z}+v_z)^2\Big]$$

と書ける．これから，例えば X，x に共役な運動量 P_X，p_x はそれぞれ

$$P_X=\frac{\partial K}{\partial\dot{X}}=m\dot{X},\quad p_x=\frac{\partial K}{\partial\dot{x}}=m(\dot{x}+v_x)$$

と計算され，K は静止系，運動系での運動量 $\boldsymbol{P}$，$\boldsymbol{p}$ により，次のように表される．

$$K=\frac{\boldsymbol{P}^2}{2m}=\frac{\boldsymbol{p}^2}{2m}$$

(b) 静止系では $\boldsymbol{P}^2/2m$ がそのままハミルトニアンとなる．しかし，同じことは運動系では成り立たない．運動系でのハミルトニアン H は

$$\begin{aligned}H&=p_x\dot{x}+p_y\dot{y}+p_z\dot{z}-K=p_x\left(\frac{p_x}{m}-v_x\right)+p_y\left(\frac{p_y}{m}-v_y\right)+p_y\left(\frac{p_y}{m}-v_x\right)-\frac{\boldsymbol{p}^2}{2m}\\&=\frac{\boldsymbol{p}^2}{2m}-\boldsymbol{p}\cdot\boldsymbol{v}\end{aligned}$$

となる．このように運動系のハミルトニアンは運動エネルギーと異なるが，それは静止系と運動系との間の変換が時間に依存するためである．

問題 13.1 H があらわに t に依存しないから $\partial H/\partial t=0$ とおける．したがって，例題 13

8

により $dH/dt = (H,\, H) = 0$ となって，H は運動の定数であることがわかる．

問題 13.2　ポアソン括弧の定義により

$$
\begin{aligned}
(u,\, c_1 v + c_2 w) &= \sum_j \left(\frac{\partial u}{\partial q_j} \frac{\partial (c_1 v + c_2 w)}{\partial p_j} - \frac{\partial u}{\partial p_j} \frac{\partial (c_1 v + c_2 w)}{\partial q_j} \right) \\
&= c_1 \sum_j \left(\frac{\partial u}{\partial q_j} \frac{\partial v}{\partial p_j} - \frac{\partial u}{\partial p_j} \frac{\partial v}{\partial q_j} \right) + c_2 \sum_j \left(\frac{\partial u}{\partial q_j} \frac{\partial w}{\partial p_j} - \frac{\partial u}{\partial p_j} \frac{\partial w}{\partial q_j} \right) \\
&= c_1 (u,\, v) + c_2 (u,\, w)
\end{aligned}
$$

となる．

問題 13.3　$q_1, q_2, \cdots, q_f, p_1, p_2, \cdots, p_f$ は互いに独立な変数であるから

$$
\frac{\partial p_k}{\partial q_j} = 0, \quad \frac{\partial p_l}{\partial p_j} = \delta_{lj}, \quad \frac{\partial q_k}{\partial q_j} = \delta_{kj}, \quad \frac{\partial q_l}{\partial p_j} = 0
$$

の関係が成り立つ．これを利用すると $(p_k,\, p_l) = 0$, $(q_k,\, q_l) = 0$ となる．また

$$
(q_k,\, p_l) = \sum_j \left(\frac{\partial q_k}{\partial q_j} \frac{\partial p_l}{\partial p_j} - \frac{\partial q_k}{\partial p_j} \frac{\partial p_l}{\partial q_j} \right) = \sum_j \delta_{kj} \delta_{lj} = \delta_{kl}
$$

が得られる．

問題 13.4　ポアソン括弧の定義により，次式が導かれる．

$$
\begin{aligned}
\frac{d}{dt} (u,\, v) &= \frac{d}{dt} \sum_j \left(\frac{\partial u}{\partial q_j} \frac{\partial v}{\partial p_j} - \frac{\partial u}{\partial p_j} \frac{\partial v}{\partial q_j} \right) \\
&= \sum_j \left(\frac{\partial \dot{u}}{\partial q_j} \frac{\partial v}{\partial p_j} - \frac{\partial \dot{u}}{\partial p_j} \frac{\partial v}{\partial q_j} \right) + \sum_j \left(\frac{\partial u}{\partial q_j} \frac{\partial \dot{v}}{\partial p_j} - \frac{\partial u}{\partial p_j} \frac{\partial \dot{v}}{\partial q_j} \right) \\
&= \left(\frac{du}{dt},\, v \right) + \left(u,\, \frac{dv}{dt} \right)
\end{aligned}
$$

u，v が運動の定数であれば，$du/dt = dv/dt = 0$ であるから，上の関係により

$$
\frac{d}{dt} (u,\, v) = 0
$$

となり，(u, v) も運動の定数であることがわかる．

問題 13.5　$(u,\, (v,\, w))$ は次のように表される．

$$
\begin{aligned}
(u,\, (v,\, w)) &= \sum_j \left(\frac{\partial u}{\partial q_j} \frac{\partial (v,\, w)}{\partial p_j} - \frac{\partial u}{\partial p_j} \frac{\partial (v,\, w)}{\partial q_j} \right) \\
&= \sum_{jk} \left[\frac{\partial u}{\partial q_j} \frac{\partial}{\partial p_j} \left(\frac{\partial v}{\partial q_k} \frac{\partial w}{\partial p_k} - \frac{\partial v}{\partial p_k} \frac{\partial w}{\partial q_k} \right) - \frac{\partial u}{\partial p_j} \frac{\partial}{\partial q_j} \left(\frac{\partial v}{\partial q_k} \frac{\partial w}{\partial p_k} - \frac{\partial v}{\partial p_k} \frac{\partial w}{\partial q_k} \right) \right] \\
&= \sum_{jk} \left[\frac{\partial u}{\partial q_j} \frac{\partial^2 v}{\partial p_j \partial q_k} \frac{\partial w}{\partial p_k} + \frac{\partial u}{\partial q_j} \frac{\partial v}{\partial q_k} \frac{\partial^2 w}{\partial p_j \partial p_k} - \frac{\partial u}{\partial q_j} \frac{\partial^2 v}{\partial p_j \partial p_k} \frac{\partial w}{\partial q_k} \right. \\
&\quad - \frac{\partial u}{\partial q_j} \frac{\partial v}{\partial p_k} \frac{\partial^2 w}{\partial p_j \partial q_k} - \frac{\partial u}{\partial p_j} \frac{\partial^2 v}{\partial q_j \partial q_k} \frac{\partial w}{\partial p_k} - \frac{\partial u}{\partial p_j} \frac{\partial v}{\partial q_k} \frac{\partial^2 w}{\partial q_j \partial p_k} \\
&\quad \left. + \frac{\partial u}{\partial p_j} \frac{\partial^2 v}{\partial q_j \partial p_k} \frac{\partial w}{\partial q_k} + \frac{\partial u}{\partial p_j} \frac{\partial v}{\partial p_k} \frac{\partial^2 w}{\partial q_j \partial q_k} \right]
\end{aligned}
$$

この関係を利用すると $(u,\ (v,\ w)) + (v,\ (w,\ u)) + (w,\ (u,\ v))$ 中で $\partial^2/\partial p_j\,\partial p_k$ という型を含む項は

$$= \sum_{jk} \left[\frac{\partial u}{\partial q_j}\frac{\partial v}{\partial q_k}\frac{\partial^2 w}{\partial p_j\,\partial p_k} - \frac{\partial u}{\partial q_j}\frac{\partial^2 v}{\partial p_j\,\partial p_k}\frac{\partial w}{\partial q_k} + \frac{\partial v}{\partial q_j}\frac{\partial w}{\partial q_k}\frac{\partial^2 u}{\partial p_j\,\partial p_k} - \frac{\partial v}{\partial q_j}\frac{\partial^2 w}{\partial p_j\,\partial p_k}\frac{\partial u}{\partial q_k} + \frac{\partial w}{\partial q_j}\frac{\partial u}{\partial q_k}\frac{\partial^2 v}{\partial p_j\,\partial p_k} - \frac{\partial w}{\partial q_j}\frac{\partial^2 u}{\partial p_j\,\partial p_k}\frac{\partial v}{\partial q_k} \right]$$

と表される．$j \rightleftarrows k$ という交換を行うと例えば第 1 項と第 4 項が相殺する．他の項も同様で結局，上式は 0 となることがわかる．同じことが他の型の項にも成り立ち，こうしてヤコビの恒等式が証明される．

問題 14.1　$p > 0$ の領域で積分値は x 軸と軌道に囲まれた部分の面積に等しい．一方，$p < 0$ の領域では $p < 0$，$dx < 0$ であるから，積分値は同じく面積を与え，結局，作用変数は軌道が囲む面積に等しいことがわかる．一次元調和振動子の場合，代表点の軌道は楕円でその面積は $\pi \times$（長径）$\times$（短径）で与えられるので，図 8.10 を参考にして次の結果が求まる．

$$J = \pi\sqrt{2mE}\sqrt{\frac{2E}{m\omega^2}} = \frac{2\pi E}{\omega} = \frac{E}{\nu} \quad (\nu：振動数)$$

問題 14.2　代表点が軌道を一周する時間（周期）を T とすれば，作用変数 J は

$$J = \oint p\,dx = \int_0^T p\,\frac{dx}{dt}\,dt = \frac{1}{m}\int_0^T p^2\,dt$$

と書ける．運動方程式は

$$m\,\frac{d^2x}{dt^2} = -\frac{dU(x)}{dx} = -2nU_0x^{2n-1}$$

で与えられるが，これに x を掛け，t に関して 0 から T まで積分すると

$$m\int_0^T x\,\frac{d^2x}{dt^2}\,dt = -2n\int_0^T U(x)\,dt = mx\,\frac{dx}{dt}\bigg|_0^T - m\int_0^T \left(\frac{dx}{dt}\right)^2 dt = -2\int_0^T K dt$$

が得られる．すなわち

$$\int_0^T K dt = n\int_0^T U dt$$

が成り立つ．一方，$K + U = E$ を t について 0 から T まで積分すると

$$ET = \int_0^T (K + U)\,dt$$

となる．上の両式から

$$(n+1)\int_0^T K dt = nET$$

が導かれる．こうして J は $T = 1/\nu$ に注意して

$$J = 2\int_0^T K dt = \frac{2nE}{(n+1)\,\nu}$$

と求まる．$n = 1$ では $J = E/\nu$ で問題 14.1 の結果と一致する．また，$n \to \infty$ だと $J = 2E/\nu$

8

となるが，これについては次の問題を参照せよ．

問題 15.1 $U(x) = U_0\,(x^2/a^2)^n$ というポテンシャル $(a>0)$ では $|x| < a$ で $x^2/a^2 < 1$ であるから $n \to \infty$ で $U(x) = 0$ となる．一方，$|x| > a$ で $x^2/a^2 > 1$ であるので $n \to \infty$ で $U(x) \to \infty$ と書け，この極限で例題 15 の状況が実現する．前問のように，$n \to \infty$ だと $J = 2E/\nu$ となり，これは例題 15 の結果と一致するが，その理由は上述の通りである．

問題 15.2 力学的エネルギー保存則により

$$\frac{p^2}{2m} + U(x) = E = 一定$$

が成り立つので，質点は $E < U_0$ なら $-a \leq x \leq a$ の範囲で，また $E > U_0$ なら $-\infty < x < \infty$ の範囲で運動する．前者の場合 $p = \pm\sqrt{2mE}$ で位相空間（xp 面）内での代表点の軌道は図の①のようになる．これに対し，後者の場合，質点は一方向きに運動し $p > 0$ なら $-\infty$ から ∞ へと運動する．$x < -a$，$x > a$ で $p = \sqrt{2m\,(E - U_0)}$ となり，$-a \leq x \leq a$ で $p = \sqrt{2mE}$ が成り立つので，代表点の軌道は②のように表される．同じように，$p < 0$ に対する軌道は③のようになる．E の値を変えると，xp 面内でこのような軌道が無数に生じる．

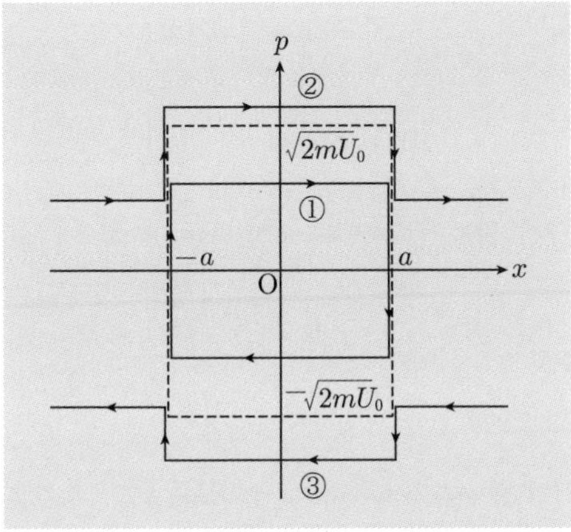

問題 16.1 ハミルトニアンが $H = (p^2/2m) + U(q,\,a)$ の場合，$E_\tau = (p^2/2m) + U(q,\,a_\tau)$ と書け，これから

$$\frac{dE_\tau}{d\tau} = \frac{\partial U(q,\,a_\tau)}{\partial a_\tau}\,\frac{da_\tau}{d\tau}$$

が得られる．一方，$\partial H/\partial a_\tau = \partial U\,(q,\,a_\tau)/\partial a_\tau$ が成り立つので

$$\frac{dE_\tau}{d\tau} - \frac{\partial H}{\partial a_\tau}\,\frac{da_\tau}{d\tau} = 0$$

となり，(9) を利用すると $dJ(\tau)/d\tau = 0$ が導かれる．

問題 16.2 単振り子の糸をゆっくり短くする場合を扱い，糸の長さを l，おもりの質量を m とする．運動方程式は $ml\,\ddot{\varphi} = -mg\sin\varphi$ で，また力学的エネルギーは $E = (ml^2/2)\,\dot{\varphi}^2 + mgl\,(1-\cos\varphi)$ で，さらに，糸の張力は $T = mg\cos\varphi + ml\,\dot{\varphi}^2$ で与えられる．微小振動を

考え φ は十分小さいとして，$\sin\varphi \simeq \varphi$，$\cos\varphi \simeq 1-\varphi^2/2$ と近似すれば，次式が得られる．

$$\ddot{\varphi} = -\omega^2\varphi, \quad \omega^2 = \frac{g}{l} \quad (\omega：角振動数,\ \omega = 2\pi\nu)$$

$$E = \frac{1}{2}ml^2\dot{\varphi}^2 + \frac{1}{2}mgl\varphi^2, \quad T = mg\left(1-\frac{1}{2}\varphi^2\right) + ml\dot{\varphi}^2$$

運動方程式の解 $\varphi = A\cos(\omega t+\alpha)$，　$\dot{\varphi} = -\omega A\sin(\omega t+\alpha)$ を T の式に代入すると

$$T = mg - \frac{1}{2}mgA^2\cos^2(\omega t+\alpha) + mgA^2\sin^2(\omega t+\alpha)$$

となる．ここで糸をゆっくり引っ張るとし，$|\delta l|$ だけひくのに T' の時間をかけるとする．$\nu T' \gg 1$ だと T' の間に何回も振動が起き，T を平均値で置き換えることができる．この条件は，糸を引っ張る速さを v とすれば，$v = |\delta l|/T' \ll |\delta l|\nu$ と書ける．糸を $|\delta l|$ だけひくのに手のする仕事 δW は

$$\delta W = \overline{T}|\delta l| = -\overline{T}\delta l \quad (\delta l < 0)$$

と表される．$\cos^2$，$\sin^2$ の平均値は 1/2 であるから

$$\overline{T} = mg + \frac{1}{4}mgA^2$$

となり，δW は

$$\delta W = -mg\delta l - \frac{1}{4}mgA^2\delta l$$

で与えられる．δW のうち $-mg\,\delta l$ は振り子を全体としてもちあげるための仕事で振動とは無関係である．こうして，振動のエネルギーの増加分 δE は

$$\delta E = -\frac{1}{4}mgA^2\delta l$$

と表される．また，振動のエネルギー E は

$$E = \frac{1}{2}mglA^2$$

と計算される．l の変化に伴い ω も変わるが，その議論をするため $\omega^2 = g/l$ の対数をとった $2\ln\omega = \ln g - \ln l$ の関係に注目し，この微小変化を考えると

$$2\,\frac{\delta\omega}{\omega} = -\frac{\delta l}{l}$$

が得られる．このような結果から

$$\frac{\delta E}{E} = -\frac{1}{2}\,\frac{\delta l}{l} = \frac{\delta\omega}{\omega}$$

となり

$$\frac{E}{\omega} = 一定$$

であることがわかる．

索　引

あ 行

か 行

さ 行

た 行

な 行

索　　引

あ 行

か 行

さ 行

た　行

な　行

著者略歴

阿部龍蔵（あべ りゅうぞう）

1953年　東京大学理学部物理学科卒業
　　　　東京工業大学助手，東京大学物性研究所助教授，
　　　　東京大学教養学部教授，放送大学教授を経て
2013年　逝去
　　　　東京大学名誉教授　理学博士

主要著書

統計力学（東京大学出版会）　現象の数学（共著，アグネ）
電気伝導（培風館）
現代物理学の基礎8 物性II 素励起の物理（共著，岩波書店）
力学［新訂版］（サイエンス社）　量子力学入門（岩波書店）
物理概論（共著，裳華房）　物理学［新訂版］（共著，サイエンス社）
電磁気学入門（サイエンス社）　力学・解析力学（岩波書店）
熱統計力学（裳華房）　物理を楽しもう（岩波書店）
ベクトル解析入門（サイエンス社）
新・演習 電磁気学（サイエンス社）
物理のトビラをたたこう（岩波書店）

新・演習物理学ライブラリ＝2

新・演習 力学

2003年9月10日©　初版発行
2023年5月10日　初版第12刷発行

著　者　阿部龍蔵　　発行者　森平敏孝
　　　　　　　　　　印刷者　篠倉奈緒美
　　　　　　　　　　製本者　小西惠介

発行所　株式会社　サイエンス社

〒151–0051　東京都渋谷区千駄ヶ谷1丁目3番25号
営業　☎ (03) 5474–8500（代）　振替 00170–7–2387
編集　☎ (03) 5474–8600（代）
FAX　☎ (03) 5474–8900

印刷　（株）ディグ　　製本　（株）ブックアート

《検印省略》

ISBN4–7819–1043–2

PRINTED IN JAPAN

サイエンス社のホームページのご案内
http://www.saiensu.co.jp
ご意見・ご要望は
rikei@saiensu.co.jp　まで．